Überblick

Deutsch für die Oberstufe 2

ZWEITE AUSGABE

Überblick

Deutsch für die Oberstufe 2

ZWEITE AUSGABE

Rod Hares
Alexandra Timm
with David Hood

JOHN MURRAY

Authors' acknowledgements

The authors and publishers would like to thank the following people for their contributions to *Überblick Zweite Ausgabe:*

Keith Watson and Pat Fellows of OCR; Claudia Eckert, Kathrin Knoll, Petra Kopp, Gerlinde Krug, Frank Kruger, Felix Schröder, Susanne Schwabe, Winfried Zanker

Rod Hares wishes to thank Mr Ian Bell, one-time Head of German at Bridgend Boys' Grammar School, for his excellent teaching and constant encouragement, never forgotten. Many of the principles underlying Mr Bell's teaching live on in this course.

First published 1994
by John Murray (Publishers) Ltd
50 Albemarle Street
London W1S 4BD

Second edition 2001

Layouts by Jenny Fleet
Illustrations by Art Construction, Mike Flanagan, Jon Davis/Linden Artists
Cover design by John Townson/Creation

Cassettes recorded and engineered at Motivation Sound Studios, London

Typeset in 10½/12 pt Berthold Walbaum by Wearset, Boldon, Tyne and Wear
Printed in Great Britain by Butler & Tanner, Frome and London

A CIP catalogue record for this book is available from the British Library.

ISBN 0 7195 8516 3
Teacher's Resource Book 0 7195 8517 1
Cassette set 0 7195 8518 X

Contents

Acknowledgements

The authors and publishers would like to thank the following sources for permission to reproduce text extracts:

pp. 4–5 Prima/Grüner + Jahr; **p. 8** PETA-Deutschland e.V. (Fakten Vegetarismus #4; **p. 9** Brigitte Zander/Stern; **p. 11** Silvia Schnurr, www.uni-bayreuth.de/students/AK-Umwelt; **p. 12** © 1955 Verlag Kiepenheuer & Witsch Köln; **p. 13** www.uni-essen.de; **p. 14** Hörzu/Axel Springer Verlag; **p. 16** Freundin; **p. 18** Brigitte/Picture Press; **p. 20** Brigitte/Picture Press; **p. 22** Der Spiegel; **p. 23** Frauenzeitschrift Maxi; **pp. 26–27** Brigitte/Picture Press; **p. 28** Eckhard Halupka; **p. 31** Brigitte/Picture Press; **p. 32** Sven Hasselberg/Freundin; **pp. 33–34** Brigitte/Picture Press; **p. 35** Der Spiegel; **p. 37** Young Miss/Picture Press; **p. 39** Eric Kubitz/Stern; **p. 41** Brigitte/Picture Press; **p. 43** Brigitte/Picture Press; **p. 46** Brigitte; **p. 47** Brigitte/Picture Press (main article), Berliner Abendblatt 14.07.98 (Infopunkt); **pp. 48–49** Der Spiegel; **p. 51** Freundin/K. Pfeiffer; **p. 52** Freundin; **pp. 54–55** Brigitte/Picture Press; **p. 56** die Welt 2000; **p. 57** www.verband-binationaler.de; **p. 58** Brigitte/Picture Press; **p. 61** 'Europe live erleben – ein Projekt des Goethe-Instituts Manchester', www. goethe.de/gr/man; **p. 63** Ausländer in Deutschland 2/00, www.isoplan.de; **p. 64–65** Brigitte Pilz, Südwind-Magazin; **pp. 66–67** Freundin; **pp. 68–69** Aktioncourage/www.aktioncourage.org; **pp. 70–71** Allegra; **p. 73** Brigitte/Picture Press; **p. 76** Journal für die Frau; **p. 78** Glücks-Revue; **p. 80** Amos Veith, Unicum – Das bundesweite Hochschulmagazin 3/94, www.unicum.de; **p. 82** Frauenzeitschrift Maxi; **p. 85** Frauenzeitschrift Maxi; **pp. 87–88** Stern; **pp. 92–93** Brigitte/Picture Press; **p. 94** Zeitlupe Nr. 24, Hrsg.: Bundeszentrale für politische Bildung, Bonn 1989; **pp. 96–97** Ulrike Krause; **pp. 98–99** Museum Haus am Checkpoint Charlie; **p. 104** Der Spiegel; **p. 108** Young Miss/Picture Press (main article), Spuren Suchen. Das Magazin des Schülerwettbewerbs Deutsche Geschichte um den Preis des Bundespräsidenten (Infopunkt); **p. 110** Journal für die Frau 18/96; **pp. 112–13** Die 'Ärzte Zeitung', die einzige Tageszeitung für Mediziner in Deutschland; **pp. 114–15** Freundin; **pp. 116–17** Stefanie Rosenkranz/Stern; **p. 118** Allegra; **p. 119** Uschi Neuhauser/Stern

All website addresses given should be prefixed http://www. unless indicated otherwise.

Picture acknowledgements
cover: copyright by Ingeborg & Dr. Wolfgang Henze-Ketterer, Wichtrach/Bern (The Detroit Institute of Arts, USA, Gift of Curt Valentin/ Bridgeman Art Library); **p. 3** Gettyone; **p. 4 t, b** Anthony Blake Photo Library; **p.6** Powerstock/Zefa; **p. 7 t** Powerstock, **b** Anthony Blake Photo Library; **p. 8** Still Pictures/Detlef Konner; **p. 9** Trip Photo Library; **p. 10** Powerstock; **p. 13** Camera Press; **p. 16** Powerstock; **p. 17** Sally & Richard Greenhill; **p. 22** Trip Photo Library; **p. 23** S.O.A. Photo Agency; **p. 24** S.O.A/Stern/Hiltpolt; **p. 25** Trip Photo Library; **p. 28** Telegraph Colour Library; **p. 30** S.O.A. Photo Agency; **p. 33** Tony Stone Images; **p. 34** Stock Market; **p. 35** S.O.A. Photo Agency; **p. 37** S.O.A. Photo Agency/Winandy; **p. 39** Trip Photo Library; **p. 40** Science Photo Library/ European Space Agency; **p. 41** Science Photo Library/NASA; **p. 43** Science Photo Library/Jerrican; **p. 45** Popperfoto; **p. 47** Photofusion; **p. 48 l** Argus Fotoarchiv/Karl Bernd Karwasz, **r** Argus Fotoarchiv/Hermine Oberuck; **p. 51** Powerstock; **p. 52** Powerstock; **p. 53** Sally & Richard Greenhill; **p. 57** Trip Photo Library; **p. 58** Photofusion; **p. 60** Robert Harding; **p. 62** Trip Photo Library; **p. 66** Popperfoto; **p. 69 l, r** Trip Photo Library; **p. 70 l, r** Popperfoto; **p. 72** Stock Market; **p. 74** Trip Photo Library; **p. 76** Photofusion; **p. 78** S.O.A. Photo agency; **p. 80** S.O.A. Photo Agency; **p. 82** Photofusion; **p. 85** Trip Photo Library; **p. 88** Popperfoto; **p. 91 l, r** AKG; **p. 93** Mary Evans Picture Library; **p. 95 l** Topham Picturepoint, **r** Popperfoto; **p. 96 tl, tr** Popperfoto, **bl** S.O.A/Schwan/Stern, **br** AKG; **p. 98 t** Popperfoto, **b** AKG; **p. 99 t** S.O.A. Photo Agency, **b** AKG; **p. 100** Topham Picturepoint; **p. 102** S.O.A. Photo Agency; **p. 103 t** Trip Photo Library, **b** Powerstock/Zefa; **p. 104** Powerstock; **p. 106 t** Trip Photo Library, **b** Robert Harding; **p. 109** Sally & Richard Greenhill; **p. 110** Oxford Scientific Films; **p. 113** Environmental Images; **p. 116** Oliver Culmann; **p. 117** Oliver Culmann; **p. 118** Still Pictures; **p. 119** Stern

Introduction

How does Überblick *work?*

Überblick is the second stage of a two-part advanced German course, following on from the first part, *Durchblick*. While *Durchblick* bridged the gap from GCSE (or Standard Grade) to AS (or Higher), *Überblick* will take you to the next level for the full A2 advanced qualification. Although you will find strong reinforcement of your grammatical understanding and language skills throughout the course, in *Überblick* the emphasis is more on investigating aspects of German-speaking life and culture, using and developing the German you have mastered. This reflects the difference in emphasis between the three modules of AS (or Higher) and those of A2 (Advanced Higher).

What does Überblick *include?*

The seven units

Each of the seven units looks at aspects of life in Germany and the German-speaking world (see *Contents*). The texts on the pages and on the cassettes are the basis of a range of tasks, some of which will be familiar from your work for AS German, but some of which will be new as they involve skills required for A2, such as:

- transfer of meaning between German and English – sometimes direct translation but often giving the key points of a text in the other language;
- writing an extended piece of work on a particular issue: *Schriftliche Arbeit*;
- giving a spoken presentation in which you put forward and defend your views on a particular issue: *Mündliche Präsentation*;
- discussion of an issue, informed by reading: *Debatte*.

The symbols on the right are used at the beginning of each section to tell you which language skills are used and developed in that section.

Building your language skills

Apart from the tasks, you will also find throughout the units the following features designed to develop various language skills:

Taktik presents key vocabulary which you can reuse in a range of contexts, often to express an opinion or carry forward an argument.

Praxis practises a specific grammar point arising from the text.

 Infopunkt presents background information about German-speaking countries.

 Sprechtipps provide tips to improve your German accent, using a recording and practical guidance.

 = Listening

 = Speaking

 = Reading

 = Writing

 = Pairwork (role play and/or discussion)

 = Group task (investigation and/or discussion)

= Oral presentation

The Study Skills unit

Überblick includes a **Study Skills** unit (pages 123–133) which provides you with guidance on the specific German language skills you will need to demonstrate for the A2 qualification.

- Read it through before you start.
- Refer back to it as you work through the units.

Grammar Reference and Vocabulary

After the Study Skills unit comes the **Grammar Reference**, with clear explanations in English of all the grammar points practised in the course. Use it:

- to look up points of grammar when you are carrying out your work or checking it;
- to help you do the *Praxis* exercises;
- for revision.

Finally, at the back of the book, is the **Vocabulary** – the German–English vocabulary list. This is for your quick reference, but you will develop your language skills much better if you build the habit of using a dictionary effectively. There is a section on dictionary skills in the Study Skills unit.

Plus ...

There are two supplementary units in the Teacher's Resource Book that goes with this course:

- **Interpreting English documents** – providing practice for this aspect of the examination;
- an A2 **Assessment unit** – to test your readiness for the A2 exams in due course. Your teacher or supervisor will guide you on when and how to use these.

Viel Glück!

Note on spelling

Überblick Zweite Ausgabe has been written following the new conventions for German spelling. Literary extracts and other texts written before the reforms also follow the revised spelling code.

Gesundheit!

*I*n dieser Einheit untersuchen wir, was es heißt, in Deutschland gesund zu sein. Wir erfahren, was die Deutschen essen, und wie sich das deutsche Essen verändert hat. Wir besprechen auch die Süchte, unter denen Menschen leiden können, und wie die Gesundheit – sowohl die geistige als auch die körperliche – dadurch gefährdet wird.

In dieser Einheit werden Sie Ihre Kenntnisse der folgenden grammatischen Punkte erweitern können:

- Verben mit Dativobjekt *(verbs with the dative)*
- „lassen" als Hilfsverb (lassen *as an auxiliary verb)*
- Substantive *(nouns)*
- Verben und Adjektive mit Präpositionen *(verbs and adjectives with prepositions)*
- Passiv *(passive)*
- Infinitiv mit und ohne „zu" *(infinitive with and without* zu*)*
- Modalhilfsverben *(modal verbs)*

1.1 *„Davor ekele ich mich..."*

Hören wir zuerst einmal Paulina, Dominik und Ines, die uns sagen, was sie essen und was sie vermeiden.

A Nachdem Sie den Hörtext ein- oder zweimal gehört haben, füllen Sie folgende Tabelle aus, indem Sie alle nötigen Details ergänzen.

	was diese Person gern isst	was diese Person nicht gern isst	was diese Person für typisch deutsch hält
Paulina			
Dominik			
Ines			

B Wer in den Gesprächen...

1 glaubt, die Deutschen sehen zu dick aus?
2 findet es ekelhaft, Leute beim Schlagsahneessen zu sehen?
3 findet, das deutsche Essen sei nicht unbedingt fett?
4 ist mehr oder minder Vegetarier(in)?
5 isst teils deutsche, teils ausländische Gerichte?
6 isst fettarme italienische Küche?
7 findet, dass was das deutsche Essen betrifft, alles von der Kochart abhängt?

C Wie sagt man in den Gesprächen auf Deutsch...?

1 you notice it in the shape of their bodies
2 that's not really how it is with me
3 that's no longer so popular
4 nothing immediately springs to mind
5 and what about you?
6 I find German food too fatty as well, really

D *Zu zweit*

1 Besprechen Sie mit einem/einer Partner bzw. Partnerin, was Sie am liebsten essen, und welche Gerichte typisch für Ihre Heimat sind.
2 Formulieren Sie die Ergebnisse Ihres Gesprächs schriftlich aus und vergleichen Sie diese Ergebnisse mit den anderen Mitgliedern der Großgruppe.

1.2 *Was essen die Deutschen?*

Viele Ausländer glauben, die Deutschen essen nur Speck, fettes Fleisch, Schwarzwälder Kirschtorte und Schlagsahne. Das ist natürlich falsch, genau wie es falsch ist zu glauben, dass die Briten zum Beispiel nur *fish and chips* essen. Aber es besteht immer die Frage, ob die Deutschen sich gesund ernähren oder nicht. Lesen Sie diesen Überblick. Vielleicht werden Sie überrascht sein.

VITAMINE SIND GEFRAGT:
ESSEN IN DEUTSCHLAND

In Deutschland isst man jetzt gesünder. Der neue Ernährungsbericht der Deutschen Gesellschaft für Ernährung beweist, dass wir mehr auf vitalstoffreiche und fettarme Lebensmittel achten. Das ist gut: So wird der Cholesterinspiegel gesenkt. Auch an Ballaststoffen haben wir Geschmack gefunden, legen bei Kalzium und Magnesium zu und kommen auf mehr Vitamin C.

,,Ich freue mich, dass die Bundesbürger mehr Gemüse, Getreide und Obst essen. Darin sind Schutzstoffe enthalten für Herz und Kreislauf und gegen bestimmte Krebserkrankungen. "

Prof. Michael Hamm,
Ernährungswissenschaftler

DIE LIEBLINGSGERICHTE DER DEUTSCHEN

alte Bundesländer	neue Bundesländer
1. Kurzgebratenes	1. Geflügel
2. Geflügel	2. Rouladen
3. Schweinebraten	3. Kurzgebratenes
4. Rollbraten	4. Schnitzel
5. Schnitzel	5. Spaghetti
6. Fisch	6. Eintopf

DAS IST „IN"	DAS IST „OUT"
frisches Gemüse und Obst	Süßigkeiten
Käse und Milch	fette Wurst
vitaminreiche Obstsäfte	harte Drinks
fettarmes Geflügel	fettes Fleisch
Pflanzenöle	fette Brotaufstriche
Mineralwasser	Alkohol
Kaffee und Tee	viele Eier

Was dem Bayern seine Knödel, sind dem Hamburger seine Kartoffeln. *Essen in Deutschland sieht überall anders aus. Am gesündesten ernährt man sich im Norden. Dort wird am wenigsten Alkohol, aber am meisten Milch getrunken. Man isst viel Fisch und nicht so viel Fleisch. Und auch die Kartoffel übertrifft mit ihren Ballaststoffen und dem Vitamin C den Knödel bei weitem. Doch nichts gegen Schweinshaxen und eine Maß Bier – nur nicht jeden Tag. Dafür häufiger Gemüse und – anstelle von Wurst – auch mal Käse aufs Brot.*

WIE WIR UNS (NOCH) GESÜNDER ERNÄHREN KÖNNEN

Ganz zufrieden sind die Ernährungs-experten immer noch nicht. Sie raten – besonders den Frauen – zu noch mehr Milch, Joghurt, Quark und Käse. Darin steckt viel Kalzium und das beugt dem Knochenschwund vor. Doch gerade bei Käse und Milch gilt: aufs Fett achten. Denn beim Fett müssen wir sparen. 60 Gramm am Tag sind genug. Beim Gemüse dagegen dürfen Sie noch häufiger zugreifen. Besonders Brokkoli, Fenchel, Kartoffeln, Möhren, Paprika und Spinat werden empfohlen: die beste Garantie, um immer gut mit Vitalstoffen versorgt zu sein.

DAS KRITISCHE ALTER

Frauen um die 20 machen die meisten Ernährungsfehler. Sie essen zu fett und naschen zu viel Süßes. Weil 10 Prozent ihrer Kalorien aus Zucker und Süßig-keiten stammen, mangelt es an Eisen und Kalzium. Täglich drei Scheiben Vollkornbrot, zweimal in der Woche Kalbfleisch, öfter Spinat und fettarme Milch – das gleicht die süßen Sünden aus.

A Lesen Sie den Hauptartikel sorgfältig durch und notieren Sie dabei die Schlüsselvokabeln. Schreiben Sie dann eine Liste unter den Überschriften „Gesundes Essen" und „Ungesundes Essen".

B Sehen Sie in einem Kochbuch die im Artikel hervorgehobenen Lieblingsgerichte der Deutschen nach, oder besprechen Sie diese Gerichte mit einer/einem deutschsprachigen Bekannten. Nachher sollten Sie imstande sein, diese Gerichte erst mündlich und dann schriftlich kurz zu beschreiben.

C Besprechen Sie die „in/out" Liste mit Ihrem Partner bzw. Ihrer Partnerin. Stellen Sie dann Ihre eigene gemeinsam ausgearbeitete Liste auf, worin Sie beschreiben, was in Ihrem eigenen Land „in" und „out" ist. Vergleichen Sie die zwei Listen. Isst man in Deutschland gesünder oder bei Ihnen? Machen Sie eine kurze mündliche Präsentation (2 Minuten), um Ihre Anschauung zu vertreten.

TAKTIK
Folgende Redewendungen können nützlich sein:

Negativ
Für mich ist . . . ungesund/gefährlich, weil/da . . .
. . . wirkt negativ, weil . . .
Es wäre gesünder, . . . nicht zu essen.
. . . sollte in der anderen Liste stehen, weil . . .
Wegen . . . ist . . . zu vermeiden, da . . .

Positiv
. . . wirkt gesund wegen (+ Gen.)
. . . ist viel besser für den Körper wegen . . .
. . . hat positive Ergebnisse, da/weil . . .
. . . hilft einem, sich zu trimmen.
Es wäre günstiger, das zu essen, weil . . .

D Fassen Sie den Artikel schriftlich zusammen (110 Wörter), und nehmen Sie diese Zusammenfassung auf Kassette auf.

PRAXIS

Zum Nachschlagen: Verbs with the dative, p. 154

Vervollständigen Sie diese Sätze, indem Sie entscheiden, ob das fehlende Wort im Akkusativ oder im Dativ stehen soll.

1 Ich habe diesen Bericht gelesen. Er hat (mich/mir) bewiesen, dass ich wirklich gesünder essen sollte.
2 Gestern begegneten wir (unsere/unserer) Ärztin in einem Restaurant. Sie sah (mich/mir) kritisch an, als ich den zweiten Nachtisch bestellte.
3 Es liegt (mich/mir) leider nicht, auf Süßigkeiten zu verzichten.
4 Meine Eltern waren beim Ernährungsberater. Er hat (sie/ihnen) geraten, weniger Fleisch und mehr Gemüse zu sich zu nehmen.
5 Ich höre (Berichte/Berichten) über kulinarische Angelegenheiten immer sehr gern zu.
6 Das tägliche Zähneputzen beugt Karies und (andere Probleme/anderen Problemen) vor.
7 Ärzte empfehlen (ihre/ihren) Patienten oft, nicht nur gesünder zu essen, sondern auch sich mehr zu bewegen.
8 Der Kellner half (die Gäste/den Gästen), ihre Wahl zu treffen.
9 Jetzt, wo ich nicht mehr in Frankreich wohne, fehlen (mich/mir) die schönen, langen Mahlzeiten.
10 Auf meine Einladung zum Abendessen hat sie (mich/mir) geantwortet, es täte (sie/ihr) zwar Leid, aber sie müsse (mich/mir) absagen.

1.3 *Deutsches Essen oder eher ausländisches?*

Wie in vielen anderen
europäischen Ländern werden
ausländische oder „internationale"
Gerichte immer beliebter.
Isst man überhaupt noch
die heimischen Spezialitäten?

A Unten finden Sie eine englische Kurzfassung des ersten Teils des
Gesprächs zwischen Kathrin, Felix, Winfried und Claudia. Nachdem
Sie das Gespräch gehört haben, schreiben Sie eine deutsche
Übersetzung vom Englischen. Sie können Kleinsätze direkt aus dem
Hörtext gebrauchen.

*The movement in Germany is towards international dishes like pizza or
pasta and there are also the fast-food chains, as is the case the world
over. It is probably sensible to distinguish between the cities and country
areas, since one sees more traditional food in smaller places. We should
also differentiate between the individual states and not forget that
German people do not necessarily identify with their national cuisine.*

TAKTIK

Für diese Übersetzung wenden Sie dasselbe
System wie bei Wiederbearbeitung von Lesetexten
an. Das heißt:

1 Suchen Sie im Hörtext nur die Sätze heraus, auf
denen die englischen Sätze basiert sind.
2 Schreiben Sie diese auf.
3 Jetzt können Sie mit diesen deutschen
Redensarten herumspielen, um das Englische
ins Deutsche zu übersetzen.

B Jetzt sprechen Kathrin, Felix, Winfried und Claudia über typisches,
traditionelles Essen im deutschen Sprachraum. Nachdem Sie den
Hörtext (dem zweiten Teil) angehört haben, setzen Sie folgende
Satzteile passend zusammen.

1 Wenn Ausländer an deutsches
Essen denken,
2 In Bayern isst man
3 Fleisch sollte immer
4 In Österreich isst
5 Deutsche Vegetarier können
in Restaurants oft nur
6 Vegetarier haben den
traditionellen
7 Vegetarier kochen viele
traditionelle
8 Fleischlose Gerichte in
Deutschland
9 Das vegetarische Essen im
18./19. Jahrhundert
10 Vor hundert Jahren war

a ein Teil des Essens sein.
b sind auch traditionell.
c italienische oder indische
Gerichte essen.
d Gerichte ohne das Fleisch.
e denken sie an Kotelett oder
Schnitzel.
f hat nicht so gut geschmeckt!
g man ähnliche Gerichte.
h fleischloses Essen in Bayern
verboten.
i Eintopf adaptiert.
j viel Bratwurst und Sauerkraut.
k Fleisch ein Luxusessen.

1.4 *Kalbfleisch essen oder nicht?*

Jetzt besprechen wir eine strittige Frage, die viele Emotionen hervorrufen kann. Kalbfleisch essen oder nicht essen? Für die meisten Leute ist das eher eine Frage der Moral als der gesunden Ernährung. Fangen wir mit Alfons Schuhbeck, Spitzenkoch und Kalbfleischspezialist, an. Für ihn ist es eine Traditionsfrage: Kalbfleischrezepte repräsentieren die traditionelle deutsche Küche.

Der Geschmack der Heimat

Keine Zeit zum Essen zu haben ist nicht etwa eine Erfindung unserer Zeit. Menschen wie Helmut Schmidt, der auch als Kanzler am liebsten Suppen aß, weil man dazu nur einen Löffel braucht und mit der anderen Hand schreiben oder telefonieren kann, gab es schon immer. Zum Beispiel den Vortragenden Rat Friedrich von Holstein, der in der Kaiserzeit als „Graue Eminenz" des Berliner Außenministeriums berühmt war.

Aus Zeitmangel (oder weil er nicht gern von Kellnern gestört werden wollte?) ließ er sich in seinem Stammlokal, F. W. Borchardt in der Französischen Straße der Reichshauptstadt, gern Vorspeise und Hauptgericht gleichzeitig servieren. Als der Rat einmal Kalbsschnitzel bestellte, kam der fantasievolle Küchenchef auf die Idee, die Hors-d'œuvres – Ei, Räucherlachs, Kaviar, Hummerscheiben, Ölsardine, Kapern, grüne Bohnen und geröstetes Weißbrot – zum Fleisch anzurichten: Fertig war das Schnitzel Holstein, noch heute ein allseits bekanntes Gericht.

Für alle gestressten Menschen von heute, die genausowenig Zeit, aber mehr Kalorienbewusstsein und Geschmack als die Graue Eminenz haben, erleichtere ich das legendäre Schnitzel, indem ich die Vorspeisenfülle reduziere, etwas variiere und klein gewürfelt als Salat auf Toastbrot gebe.

A Lesen Sie den Artikel durch und füllen Sie dann folgende Tabelle aus.

Substantiv	Adjektiv	Verb
die Erfindung		
	berühmt	
das Schnitzel		
	gestresst	
		erleichtern
		variieren

B Beantworten Sie folgende Fragen in eigenen Worten.

1 In welcher Hinsicht steht Ex-Kanzler Schmidt nicht allein da?
2 Was hatte Friedrich von Holstein mit Helmut Schmidt gemeinsam?
3 Erklären Sie die glänzende Idee des Küchenchefs.
4 Für wen hat Schuhbeck seine Küche modifiziert und warum?

C   Ob wir Kalb essen sollten oder nicht, wird viel diskutiert. Viele Leute sind der Meinung, Kälber haben das Recht, länger zu leben. Ein Tier zu schlachten, das nur sechs Monate alt ist, wäre totale Grausamkeit. Was ist Ihre Meinung? Füllen Sie mit einem Partner/einer Partnerin diesen Fragebogen aus und nehmen Sie Stellung dazu.

D   *Schriftliche Arbeit*

Formulieren Sie mit Hilfe des Fragebogens Ihre Meinung über Fleisch- und Kalbessen aus (mindestens 150 Wörter).

Nehmen Sie Stellung zu folgenden Fragen und haken Sie passend ab:

                                                                ✓   ✗

1. Kalbfleisch ist gutes Fleisch, das die Natur uns geschenkt hat.
2. Wir sollten Kalbfleisch essen, weil es viel gesünder ist als Rindfleisch.
3. Kalbfleisch darf man essen, aber nur wenn das Kalb ein relativ langes Leben im Grünen gehabt hat.
4. Kalbfleisch zu essen, ist typisch deutsch. Deshalb sollte man es genehmigen.
5. Spitzenköche wie Alfons Schuhbeck bereiten ausgezeichnete Kalbgerichte vor, die wir gern essen sollten.
6. Das Vieh hat ein Recht auf ein langes Leben und damit Punktum!
7. Kälber sollte man nicht von ihrer Mutter wegnehmen.
8. Wenn wir Kalbfleisch essen, dann fördern wir den Mord an jungen, hilflosen Tieren.
9. Fleisch zu essen heißt immer Tiermord, ob es junge Kälber oder alte Schafe sind.
10. Mit einem Wort ist es für den Menschen schädlich, Fleisch zu essen.

Infopunkt   ⓘ

Kalbfleisch: Ein grausames Mahl

Die Kalbfleischindustrie ist von allen Arten der Massentierhaltung die schlimmste. Kälber sind ein „Nebenprodukt" der Milchindustrie: sie werden „erzeugt" von „Milchmaschinen", den Milchkühen. Weibliche Kälbchen werden zu Milchkühen: Sie werden eingepfercht und oft unerlaubterweise mit synthetischen Hormonen gefüttert, um ihr Wachstum und ihre Milchleistung zu erhöhen. Außerdem bekommen sie Antibiotika, um sie in ihrer

ungesunden, unnatürlichen Umgebung am Leben zu erhalten. Sie werden künstlich besamt und nach der Geburt ihrer Kälbchen mehrere Jahre lang gemolken, bis ihre Milchleistung nachlässt. Dann werden sie geschlachtet. Die männlichen Kälbchen werden der Mutter kurz nach der Geburt weggenommen. Einige von ihnen werden schon kurz darauf geschlachtet. Andere werden in „offenen Ställen" aufgezogen, einer Art „Gefängnis mit minimalen Sicherheitsvorkehrungen", doch selbst bei dieser Aufzuchtform werden sie oft noch angekettet. Die meisten Tiere jedoch sind für die Aufzucht in winzigen Mastboxen vorgesehen.

In Einsamkeit eingepfercht

Die winzigen Boxen bestehen aus Holzlatten mit einer Vorrichtung zum Festbinden der Tiere und sind das dauernde „Zuhause" des Kälbchens. Die Box ist so klein (80 cm × 120 cm), dass das Kalb sich nicht einmal umdrehen, geschweige denn sich hinlegen und ausstrecken kann. Diese Box ist die ultimative Errungenschaft in der Massentierhaltung und höchst profitabel. Konzipiert, um jegliche Bewegung zu verhindern, erfüllt die Box ihren Zweck: die Muskeln des Kälbchens verkümmern zu lassen, um zartes „Feinschmecker"-Kalbfleisch zu erzeugen.

www.peta.de

PRAXIS

Zum Nachschlagen: *lassen* as an auxiliary verb, p. 152

Vervollständigen Sie die folgenden Sätze, indem Sie die jeweils passende Form von „lassen" und das richtige Reflexivpronomen einfügen.

Beispiel: Er ließ sich gern Vorspeise und Hauptgericht gleichzeitig servieren.

1. Wir .... ordentlich verwöhnen, als wir dieses Hotel besuchten.
2. Als ich meine Eltern anrief, ... sie .... gerade die Küche renovieren. Ich .... mit Sicherheit bald zum Essen einladen!
3. Am Freitagabend werde ich bestimmt keine Lust haben zu kochen. Wir .... höchstwahrscheinlich eine Pizza bringen ....
4. Da mir das Hauptgericht gar nicht geschmeckt hat, ... ich .... ein Neues vorbereiten ....
5. Musst du .... als Vegetarierin in Restaurants immer etwas Besonderes zubereiten ....?

1.5 *Der Krieg der Klopse*

Die ältere Generation sagt, es gebe für die jüngeren Leute kein deutsches Essen mehr, nur McDonald's ... Oder sollte das McDonald's und Burger King sein? Lesen Sie diesen Kurzartikel und versuchen Sie zu entscheiden, inwieweit diese Weltfirmen junge deutsche Konsumenten erobert haben.

FAST FOOD

Kampf um die neue Hack-Ordnung

McDonald's und Burger King haben auf dem deutschen Markt den Krieg der Klopse eröffnet. Zur Freude der Kids: Das Zeug wird immer preiswerter

Nach der Schule schaut Isabella mit ihren **1** .... Paulina, Aleigha und Michaela bei McDonald's rein. Immer. „Das Zeug schmeckt einfach super" **2** .... die 13-jährige Münchnerin, „und du hast 'ne klasse Auswahl. Big Mäc, Fishmäc, McChicken: alle prima." Auch die Backstreet Boys stehen schließlich auf McDonald's, sagt sie. Nebenan zu Burger King **3** .... die Mädchen nie: „Da schmeckt schon der Ketchup nicht – zu scharf."

Stefan, 15, und Christian, 16, sind da ganz **4** .... Meinung. Für die beiden Freunde und ihre Clique gibt es „überhaupt nur den King, da ist mehr Fleisch drin, und du wirst schon von **5** .... satt". Woanders, meint Stefan mit einem Seitenhieb auf McDonald's, „müsste **6** .... dafür schon zwei Burger reinschieben". Die Pommes sind hier auch krosser, sagt Christian. Ihn stört nur **7** .... am Burger King: „Dass man nicht überall Läden findet." Während Branchenführer McDonald's bundesweit in 850 Restaurants seine **8** .... Klopse offeriert, ist Konkurrent Burger King nur mit 144 Whopper-Gaststätten **9** ....

Das will Pascal Le Pellec, Marketingchef von Burger King Deutschland, nun ändern – mit einem Großangriff. Bis nächstes Jahr soll das Imbiss-Netz verdoppelt und der King als „feinere Alternative" zu **10** .... familienfreundlichen Filialen der Konkurrenz populär gemacht werden.

Burger King hat den Klops-Krieg **11** .... Freude der Kids an der Preisfront eröffnet.

Weshalb ausgerechnet Deutschland zum Schauplatz für den **12** .... Burger-Krieg wird, ist klar: Es gibt noch ein **13** .... Kundenpotenzial. „Hier leben 80 Millionen

„80 Millionen Menschen – aber wir haben nur 1,5 Millionen Gäste"
ROLF KREINER, MCDONALD'S

Menschen, die **14** .... durchschnittlich dreimal am Tag", rechnet Rolf Kreiner von McDonald's vor. „Das sind täglich mehrere hundert Millionen potenzielle Verkaufschancen. Tatsächlich haben wir täglich nur 1,5 Millionen Gäste." 200 **15** .... Läden sollen deshalb in Deutschland eröffnet, rund 8 000 **16** .... Jobs für Bulettenbrater geschaffen werden.

A Im Text stehen einige nummerierten Lücken. Ergänzen Sie die Sätze jeweils mit dem passenden Wort aus den unten stehenden Wortgruppen.

1. Freundin, Freundinne, Freundinnen
2. schwärme, schwärmt, schwärmen
3. gehe, geht, gehen
4. anderer, andere, anderen
5. einem, einer, eines
6. du, dich, dir
7. ein, eine, eines
8. legendäres, legendären, legendärem
9. vertreten, vertret, vertrete
10. dem, der, den
11. zum, zur, zu den
12. nächsten, nächster, nächstem
13. riesiges, riesige, riesig
14. esse, isst, essen
15. neue, neuen, neuem
16. zusätzlich, zusätzliche, zusätzlichen

B

1 Folgende Aussagen befinden sich im Text. Entscheiden Sie für jede Aussage, ob Sie derselben Meinung sind oder nicht.

a Das Zeug [bei McDonald's] schmeckt einfach super.
b Du hast 'ne klasse Auswahl.
c Big Mäc, Fischmäc, McChicken – alle [sind] prima.
d Zu Burger King gehen die Mädchen nie.
e [Bei Burger King] schmeckt der Ketchup nicht.
f Da ist mehr Fleisch drin.
g Woanders müsste dir dafür schon zwei Burger reinschieben.
h Die Pommes sind hier auch krosser.

2 Einige dieser Aussagen sind umgangssprachlich. Entscheiden Sie, welche es sind und schreiben Sie diese neu auf Hochdeutsch.

C

Sie arbeiten für eine Restaurantkette in Ihrem Heimatland, die einige Burgerrestaurants in Deutschland aufmachen will. Ihr(e) Büroleiter(in) interessiert sich für diesen Artikel, spricht aber kein Deutsch. Schreiben Sie eine **englische** Liste der Hauptpunkte der **zweiten Hälfte** (von „Das will Pascal Le Pellec" bis zum Ende).

1.6 *Der Trend zu Ökoprodukten*

Wie auch in anderen Ländern, kaufen die Deutschen immer mehr Ökoprodukte, entweder weil sie sich über ihre eigene Gesundheit Sorgen machen, oder weil sie die Verhältnisse, unter denen die Tiere normalerweise gezüchtet werden, unerträglich finden.

A

Hören Sie dem ersten Teil des Interviews gut zu. Sind die folgenden Behauptungen richtig oder falsch?

1 Felix meint, die Deutschen essen weniger Ökoprodukte als die Briten.
2 Ein Reformhaus ist Ökoprodukten speziell gewidmet.
3 Laut Felix achten die Briten weniger auf ihr Essen als die Deutschen.
4 Kathrin glaubt, in Großbritannien ist es leichter, Ökoprodukte zu kaufen.
5 Nicht jeder Supermarkt hat eine Ökoproduktabteilung.
6 Die Engländer interessieren sich nicht mehr für das Thema der Genmanipulation.

B

Hören Sie dem zweiten Teil des Gesprächs zu und füllen Sie die Lücken in der Abschrift aus. Alle fehlenden Wörter sind Schlüsselwörter für Gespräche über Ökoprodukte.

Felix Aber ich denke auch, was man sich natürlich auch immer fragen muss, ist, inwiefern **1** .... man Ökoprodukte, woher kriegen Ökoprodukte ihren Namen „Ökoprodukte"?

Kathrin Da gibt's, glaube ich, in England drei Kriterien dafür, unter anderem, ob's **2** .... ist und zwei andere, die ich jetzt aber nicht weiß. Und danach wird das klassifiziert.

Felix Ich denke auch, das hängt auch damit zusammen, ob man halt **3** .... benutzt, bei seinen...

Kathrin Ja.

Felix ...auf den Feldern und, ob man, wie man seine Tiere hält, also ob man die jetzt in freier **4** .... hält, auf Weiden, oder ob man die in kleinen **5** .... im **6** ....

Kathrin Ja.

Felix ...unterhält und so weiter. Aber...

Kathrin Ja, und ich hab' in England erlebt, dass zum Beispiel Fleisch, was sowieso schon sehr teuer ist, dass, dass Leute, die viel Fleisch essen, trotzdem oft **7** .... kaufen, weil's einfach – weil's erstens besser **8** .... und zweitens, weil sie es mit besserem **9** .... essen können, weil sie denken können, das Tier hat ein gutes Leben gehabt, bis jetzt. Es war zumindest nicht in 'nem – irgend'nem kleinen **10** .... und konnte **11** .... kaum **12** ....

Felix Also, wie gesagt, ich persönlich kenne in England eigentlich niemanden, der Ökoprodukte kauft, während in Deutschland ich doch einige Leute kenne, die sich auch mit Ökoprodukten **13** ....

C Hören Sie dem Gespräch noch einmal zu und schreiben Sie eine Kurzfassung der Unterschiede zwischen Großbritannien und Deutschland, was den Konsum von Ökoprodukten betrifft. Sie können auch einige Informationen hinzufügen, wenn Sie etwas darüber wissen.

D *Schriftliche Arbeit*

Lesen Sie den Artikel aus der Website des Arbeitskreises Umwelt der Universität Bayreuth. In der Mensa ist Ökofleisch eingeführt worden. Stellen Sie sich vor, Sie studieren an einer deutschen Universität. Nachdem Sie den Text gelesen haben, schreiben Sie einen Brief an Ihre Mensa, um eine ähnliche Initiative vorzuschlagen (200 Wörter).

▶ Ökofleisch in der Mensa

Seit dem Wintersemester wird jeden Donnerstag in der Mensa ein Ökofleischgericht angeboten. Wie der AK Umwelt in einer zuvor durchgeführten Umfrage herausfand, bestand unter den Studierenden ein recht großes Interesse an einem Ökofleischgericht als Alternative zu den konventionellen Fleischmenüs. Das neue Angebot wurde daraufhin allgemein gut angenommen.

Bei dem Ökofleisch handelt es sich um Fleisch und Fleischprodukte von Betrieben aus dem Umland Bayreuths, die sich zum Anbieterverband „Ökogourmet" zusammengeschlossen haben.

Gründe, die uns dazu bewogen haben, ein Ökofleisch-Angebot in der Mensa anzuregen, gibt es viele:

- Ökobetriebe verpflichten sich, ihre Tiere artgerecht zu halten.
- Den Unterschied kann man einfach schmecken: Fleisch von Tieren, die nicht im Zeitrekord zur Schlachtreife gefüttert wurden, hat einen besseren Geschmack als Massenhaltungsfleisch.
- Ökofleisch ist viel gesünder als konventionelles Fleisch, da die Tiere nicht mit Hormonen und präventiven Antibiotikapräparaten behandelt werden.
- Mit dem Kauf von Ökofleisch wird die heimische Landwirtschaft unterstützt, denn die Ökobetriebe funktionieren als eigene Kreislaufwirtschaft, d. h. sie verwenden nur Futter, das sie auch selbst herstellen (sie kaufen also kein Kraftfutter, wie z. B. Soja von Übersee zu).

Ein Besuch auf der „Frankenfarm", von wo die Mensa ihr „normales" Fleisch bezieht, hat uns in unserer Aktion nur bestätigt und weiter angespornt. Denn dort herrscht Massentierhaltung in extremer Form, wie es sie kein Schwein für sich wünschen würde.

Doch die Schweine, die dort geboren werden, haben keine Wahl. Ohne je einen Strahl Sonnenlicht gesehen zu haben, wachsen sie zuerst in engen Ferkelboxen auf und kommen später in die so genannte Brustanbindehaltung, bei der sie mit einem Brustgurt am Boden festgebunden werden. An Bewegung ist dabei höchstens Aufstehen und Hinlegen möglich, nicht nur weil die Gurte so kurz sind, sondern auch weil das nächste Schwein gleich in Reihe daneben gebunden ist. Gelenkverformungen, die deshalb zur normalen Erscheinung gehören, lassen jede Bewegung zur Qual werden. Aber wozu auch bewegen...?

Als weitere Aktionen im Projekt „Ökomensa" haben wir uns die Einführung von Beilagen aus ökologischem Anbau zum Ziel gesetzt.

▶ Silvia Schnurr, www.uni-bayreuth.de/students/AK-Umwelt

1.7 *Das Brot der frühen Jahre*

Wir haben viel über Nahrung gehört, gelesen und gesagt ... Ist unsere Gesellschaft eigentlich überfüttert? Lesen wir jetzt diesen Auszug aus Heinrich Bölls *Das Brot der frühen Jahre*, um vielleicht zu einer neuen Perspektive zu gelangen.

Heinrich Böll:
Das Brot
der frühen Jahre
Erzählung

dtv

Vater schüttelte heftig den Kopf, weil Fundahls Sohn in seiner Klasse und ein schlechter Schüler war, aber wenn wir Fundahls Haus erreicht hatten, blieb er stehen, zögernd. Ich wusste, wie schwer es für ihn war, bohrte aber weiter, und jedesmal machte Vater eine so eckige Wendung, wie sie Soldaten in den Lustspielfilmen machen, trat in die Tür und klingelte bei Fundahls: Sonntagabend um zehn, und es spielte sich immer wieder dieselbe stumme Szene ab: irgendjemand öffnete, aber niemals Fundahl selbst, und Vater war zu verlegen und zu erregt, um auch nur guten Abend zu sagen, und Fundahls Sohn, seine Tochter oder seine Frau, wer immer auch in der Tür stand, rief nach rückwärts in den dunklen Flur: „Vater, der Herr Studienrat." Und Vater wartete stumm, während ich hinter ihm stehen blieb und die Gerüche des Fundahlschen Abendessens registrierte: Es roch nach Braten oder geschmortem Speck, und wenn die Tür zum Keller offen stand, roch ich den Brotgeruch. Dann erschien Fundahl, er ging in den Laden, brachte ein Brot, das er nicht einwickelte, hielt es Vater hin, und Vater nahm es, ohne etwas zu sagen. Beim ersten Mal hatten wir weder Aktentasche noch Papier bei uns, und Vater trug das Brot unter dem Arm nach Hause, während ich stumm neben ihm herging und seinen Gesichtsausdruck beobachtete: Es war immer ein heiteres, stolzes Gesicht, und es war nichts davon zu sehen, wie schwer es ihm geworden war. Als ich ihm das Brot abnehmen wollte, um es zu tragen, schüttelte er freundlich den Kopf, und später, wenn wir wieder sonntagabends an den Bahnhof gingen, um die Post für Mutter in den Zug zu werfen, sorgte ich immer dafür, dass wir eine Aktentasche mithatten. Es kamen Monate, in denen ich mich schon dienstags auf dieses Extrabrot zu freuen anfing, bis an einem Sonntag plötzlich Fundahl selbst uns die Tür öffnete, und ich sah seinem Gesicht gleich an, dass wir kein Brot bekommen würden: Die großen dunklen Augen waren hart, das schwere Kinn wie das einer Denkmalsfigur, und er bewegte die Lippen kaum, als er sagte: „Ich kann Brot nur auf Marken abgeben und auch auf Marken nicht am Sonntagabend." Er schlug uns die Tür vor der Nase zu.

Damals dauerte es einige Sekunden, bis wir uns gefasst hatten und nach Hause gingen, ich mit der leeren Aktentasche, deren Leder so schlaff wie das eines Einkaufbeutels war. Vaters Gesicht war nicht anders als sonst: stolz und heiter. Er sagte: „Ich habe seinem Sohn gestern eine Fünf geben müssen."

A Lesen Sie den Text sorgfältig durch und entscheiden Sie, welche Details folgende Eindrücke vermitteln:

1 Vater war ängstlich.   [4/5 Punkte]
2 Etwas Fragwürdiges passierte.   [2]
3 Vater wurde zufrieden.   [2]
4 Der Sohn war mitfühlend/gewissenhaft.   [2]
5 Die Zeiten waren hart.   [2]

B Raten Sie mal! Lesen Sie den Text noch einmal durch und beantworten Sie diese zwei Fragen schriftlich:

1 Wann (so ungefähr) ist dieses Ereignis passiert?
2 Warum hat der Bäcker sein Verhalten geändert?

Infopunkt

Heinrich Böll

Geboren am 21.12.1917 in Köln, begann Böll nach einer abgebrochenen Buchhändlerlehre ein Germanistikstudium und wurde bei Kriegsbeginn 1939 zur Wehrmacht einberufen. Nach der Entlassung aus der Kriegsgefangenschaft im Dezember 1945 begann er mit seiner literarischen Tätigkeit. 1947 erschienen erste Kurzgeschichten und 1949 mit „Der Zug war pünktlich" das erste Buch. Seit 1951 lebte er als freier Schriftsteller. Böll war der auch im Ausland bekannteste und geachtetste Schriftsteller der Bundesrepublik. Neben vielen anderen Ehrungen erhielt er 1972 den Nobelpreis für Literatur.

Bölls frühe Werke sind unter dem Eindruck des Kriegsgeschehens entstanden und versuchen, das Leid der Kriegsjahre literarisch zu verarbeiten. Seit den 50er Jahren setzt sich Böll in Romanen wie „Haus ohne Hüter" (1954), „Billard um halbzehn" (1959) und „Ansichten eines Clowns" (1963) sehr kritisch mit den gesellschaftlichen und politischen Verhältnissen in der vom wirtschaftlichen Aufschwung geprägten BRD auseinander. Seine Kritik an der katholischen Kirche und an politischen Kreisen, die die allgemeine Verleugnung der nationalsozialistischen Vergangenheit unterstützen, wird in den 60er Jahren zum Hauptthema seiner gesellschaftskritischen und literarischen Publizistik. Im Mittelpunkt seiner erzählerischen Werke stehen zumeist Personen, die von der Gesellschaft ausgestoßen werden oder die sich ihr verweigern. In Bölls bedeutendstem Roman „Gruppenbild mit Dame" (1971) werden diese Themen miteinander verbunden.

Als direkte Reaktionen auf die Terroristenjagd in der Bundesrepublik der 70er Jahre sind die viel gelesene (und erfolgreich verfilmte) Erzählung „Die verlorene Ehre der Katharina Blum" (1974) und der Roman „Fürsorgliche Belagerung" (1979) zu sehen. Mit der Friedensbewegung opponierte Böll – seiner angegriffenen Gesundheit zum Trotz – in den 80er Jahren gegen die Nachrüstungspolitik der Regierung.

Die politischen und persönlichen Verhältnisse in der Bundeshauptstadt Bonn sind Thema seines letzten Romans „Frauen vor Flusslandschaft" (1985). Bölls Tod am 16.7.1985 wurde von vielen Beobachtern als eine symbolische Zäsur in der Geschichte der Bundesrepublik und ihrer Literatur, als „Ende der Nachkriegsepoche", verstanden.

www.uni-essen.de

1.8 *Gesundheit – der 5-Minuten-Test*

Zu viel zu essen, zu wenig zu essen, beides bringt Gesundheitsprobleme mit sich. Nehmen Sie an diesem Test teil. Vielleicht lernen Sie etwas über Ihre eigene Gesundheit.

A Bevor Sie sich an die Aufgaben heranwagen, notieren Sie alle technischen Vokabeln.

B Machen Sie jetzt den 5-Minuten-Test, der für Leute mit Englisch als Muttersprache etwas länger dauern wird!

Ob Ihre wichtigsten Organe und Gelenke noch gesund oder bereits überlastet sind, das können Sie mit diesem Test – zusammengestellt von Fachärzten – herausfinden

So wird's gemacht
Lesen Sie die Fragen aufmerksam durch und kreuzen Sie die zutreffenden Antworten an. Wenn Sie die Punkte addieren, können Sie jeweils am Ende der drei Kurztests Ihr Ergebnis nachlesen. Ein Hinweis: Bösartige Tumore kündigen sich nicht durch spürbare Symptome an. Ein günstiges Testergebnis ersetzt keinesfalls die Krebsvorsorge.

Herz/Kreislauf
1. Kommen Sie beim Treppensteigen außer Atem?
☐ Schaffe ich mühelos (0 Punkte)
☐ Ich bin ziemlich atemlos (5 Punkte)
☐ Meine Brust schmerzt (10 Punkte)
2. Drücken Sie mit dem Finger kräftig auf den Fußrücken. Bleibt ein Abdruck?
☐ Ja, die Delle in der Haut verschwindet nur langsam (10 Punkte)
☐ Nein (0 Punkte)
3. Bekommen Sie nachts im Schlaf manchmal Atemnot?
☐ Nein (0 Punkte)
☐ Ich brauche zwei Kopfkissen, um Luft zu bekommen (10 Punkte)
4. Hatten Ihre Geschwister oder Eltern einen Infarkt?
☐ Nein (0 Punkte)
☐ Ja, ein naher Verwandter (5 Punkte)
5. Schmerzen bei Spaziergängen Ihre Beine?
☐ Nein (0 Punkte)
☐ Wenn ich sehr schnell gehe (5 Punkte)
☐ Ich muss häufig ausruhen, dann lassen die Schmerzen nach (10 Punkte)
Auswertung: 0 Punkte: wahrscheinlich keine Erkrankung. 5 P.: mehr Sport! 10 bis 20 P.: dem Arzt Beschwerden schildern. Über 20 P.: ernste Hinweise auf eine Erkrankung.

Wirbelsäule/Gelenke
1. Haben Sie nach dem Aufstehen Gelenkschmerzen?
☐ Einige Gelenke sind steif und schmerzen (20 Punkte)
☐ Nein, ich habe damit nie Probleme (0 Punkte)
2. Wie oft machen Sie Sport?
☐ Nie (10 Punkte)
☐ Täglich 10 bis 20 Min. Gymnastik (0 Punkte)
☐ Einmal pro Woche (5 Punkte)

3. Haben Sie folgende Kniegelenkbeschwerden?
☐ Schmerzen beim Treppabgehen (10 Punkte)
☐ Schmerzen beim Strecken des Beines (10 Punkte)
☐ Keines von beiden (0 Punkte)
4. Beschreiben Sie Ihre Arbeit.
☐ Sitzend oder stehend (10 Punkte)
☐ Bewegungen wechseln sich ab (0 Punkte)
☐ Ich mache meist die gleichen Handgriffe (10 Punkte)
5. Hatten Sie Ischias oder Hexenschuss?
☐ Noch nie (0 Punkte)
☐ Ein- bis zweimal (10 Punkte)
☐ Schon häufig (20 Punkte)
Auswertung: 0 bis 10 P.: wahrscheinlich alles in Ordnung. 15 bis 20 P.: mögl. mehr Sport treiben. Über 20 P.: Schildern Sie Ihrem Arzt die Symptome.

Lunge
1. Leiden Sie oft unter Husten?
☐ Nur wenn ich erkältet bin (0 Punkte)
☐ 10 bis 12 Wochen im Jahr (15 Punkte)
☐ Eigentlich ständig (20 Punkte)
2. Hatten Sie schon einmal bläuliche Verfärbungen unter allen Fingernägeln?
☐ Ja, ständig (30 Punkte)
☐ Nur bei körperlicher Anstrengung (20 Punkte)
☐ Noch nie (0 Punkte)
3. Haben Sie Schmerzen beim Atmen?
☐ Ja, fast immer (25 Punkte)
☐ Nur manchmal (10 Punkte)
☐ Nie (0 Punkte)
4. Rauchen Sie?
☐ Ja, über 20 Zigaretten pro Tag (20 Punkte)
☐ Nein/Seit drei Jahren nicht mehr (0 Punkte)
☐ Ich rauche ca. 10 Zigaretten (10 Punkte)

Auswertung: 0 bis 10 P.: kein Hinweis auf Lungenerkrankung. 15 bis 20 P.: möglich, dass Ihre Lunge nicht gesund ist (checken lassen). Über 20 P.: sofort zum Arzt.

C Vergleichen Sie Ihre Ergebnisse mit denen Ihres Partners bzw. Ihrer Partnerin. Worin weichen sie voneinander ab? Schreiben Sie die Unterschiede auf.

D *Schriftliche Arbeit*

Sie sind etwas älter als jetzt und Ihre Gesundheit macht Ihrer Familie Sorgen. Schreiben Sie einem alten Freund/einer alten Freundin einen Brief, worin Sie Ihren Zustand erklären und um Rat bitten (250 Wörter). Sie sind Raucher(in) und trinken und essen übermäßig. Nehmen Sie sich den 5-Minuten-Test zu Hilfe.

E Stress ist eines der meist diskutierten Gesundheitsthemen unserer Zeit. Einige meinen, Stress sei mit der Wohlstandsgesellschaft gekommen, laut anderen habe die Wiedervereinigung für die Deutschen Stress mit sich gebracht. Was ist Ihre Meinung dazu? Hören Sie zuerst Winfried, Claudia und Kathrin zu, und vervollständigen Sie die Sätze.

1 Wie kann man Stress...?
2 Stress kommt auf, wenn wir versuchen, zu vielen Anforderungen...
3 Oft dafür verantwortlich sind die Belastungen...
4 Freizeitbeschäftigungen können auch in...
5 Wenn man Stress behandelt, muss man zuerst darüber...
6 Um Stress zu vermindern, soll man gewisse Sachen...
7 Solche Ideen klingen gut, aber man kann die Arbeit nicht einfach...
8 Für Kathrin ist Freizeitstress ein...
9 Für viele Leute sind Freizeitaktivitäten eine Ablenkung oder ein...
10 Man sollte da wirklich genau...

F *Debatte*

Person A Ihrer Meinung nach müssen wir unseren modernen Lebensstil wesentlich ändern, um das Problem von Stress zu vermeiden. Erklären Sie warum und wie das gemacht werden soll.

Person B Obwohl Sie ab und zu gestresst sind, sehen Sie den Stress als einen unvermeidlichen Teil des heutigen Lebens. Man muss schließlich arbeiten und so viel wie möglich leisten.

TAKTIK

Der Test enthält viele Redewendungen, die man leicht adaptieren kann, wie zum Beispiel:

Mein ... schmerzt.
Ich bekomme nachts im Schlaf...
Ein naher Verwandter hatte...
Mein(e) ... schmerzt/schmerzen bei Spaziergängen.
Ich habe damit Probleme.
Ich habe Schmerzen beim...

PRAXIS

Zum Nachschlagen: Nouns, p. 137

1 Unten steht eine Liste von Vokabeln, die etwas mit dem Thema Körper und Gesundheit zu tun haben. Füllen Sie die Tabelle aus (möglichst ohne nachzuschlagen).

Artikel	Singular	Plural	Englisch
das	Bein	Augenlider	
	Blase		
	Brust		
		Fingernägel	
	Fußrücken		
	Galle		
		Gelenke	
	Hand		
	Haut		
	Herz		
	Infarkt		
	Knie		
	Kreislauf		
	Leber		
	Lunge		
	Niere		
		Schmerzen	
	Wirbelsäule		

2 Folgende Sätze beinhalten verschiedene Körperteile. Versuchen Sie, die englische Bedeutung der Sätze zu erraten und sehen Sie dann im Wörterbuch nach, ob Sie richtig geraten haben.

a Er würde für mich keinen Finger krumm machen.
b Die beiden liegen sich immer in den Haaren.
c Sie hat ihn um den kleinen Finger gewickelt.
d Der Film ging mir an die Nieren.
e Halte die Ohren steif!
f Sie scheint ein Händchen dafür zu haben.
g Meine Oma hat Haare auf den Zähnen!
h Wenn ich das höre, kommt mir die Galle hoch.
i Hans ist heute mit dem linken Fuß zuerst aufgestanden.
j Unsere Mannschaft muss ständig mit dem Rücken zur Wand kämpfen.
k Die Übersetzung dieses Sprichworts liegt mir auf der Zunge.
l Zum Glück hat er diesmal ein Auge zugedrückt.
m Ich kann dir leider nicht helfen. Wir haben alle Hände voll zu tun.
n Solche Informationen muss man dir aus der Nase ziehen.
o Ralf riskiert eine dicke Lippe!
p Sie nahm die schlechte Nachricht auf die leichte Schulter.
q Die deutsche Sprache liegt mir am Herzen.
r Warum lachst du dir eigentlich ins Fäustchen?
s Peter ist weder so engstirnig wie sein Vater, noch so schlitzohrig wie sein Bruder.
t Es wird Zeit, dass du endlich auf deinen eigenen Füßen stehst!

1.9 *Humor als Medizin*

In Deutschland ist Humor in! Man hat herausgefunden, dass das Lachen die Gesundheit schont. Lesen Sie jetzt diesen Kurzartikel über das Lachen als Therapie.

Therapie zum Nulltarif: Lachen fürs Immunsystem

Die Wissenschaft hat eine Uralt-„Arznei" wieder entdeckt:
Fröhlichkeit macht gesund – garantiert rezeptfrei und ohne Nebenwirkungen!

Gar nicht lächerlich: Wer lacht, lebt länger! Was der Volksmund schon lange wusste, hat sich jetzt zu einem eigenen Wissenschaftszweig etabliert. Die Gelotologie („gelos" heißt auf griechisch Gelächter) befasst sich mit der therapeutischen Wirkung von Humor. Denn herzhaftes Gelächter ist wie inneres Jogging: Die Atmung wird aktiviert, die Verdauung angeregt und der Kreislauf in Schwung gebracht. Selbst im Kampf gegen Viren und Bakterien ist Humor die beste Prävention. So fanden Forscher der State University of New York in einer Studie heraus, dass heitere Erfahrungen die Immunabwehr für drei Tage erhöhen können.

Auch deutsche Ärzte setzen inzwischen auf die Lachtherapie, z. B. mittels der in Wiesbaden und Umgebung eingesetzten „Clown-Doktoren"-Gruppe – ausgebildete Schauspieler, Clowns und Krankenpfleger. Durch Shows und Spiele nehmen sie den meist kleinen Patienten die Angst vor Schmerzen. „Spritzen geben, Kanülen legen, Fieber messen – mit unserer Ablenkung merken viele gar nicht, dass sie gerade behandelt werden", so Clown-Doktor Hristo Kalanlioglu.

Die Shows von Clown-Doktoren machen Kranken Mut

Also oberste „Pflicht" für alle, die krank sind oder bereits einen Viren-Angriff in sich fühlen: leichte, witzige Bücher lesen, amüsante Gesellschaft suchen, lustige Filme anschauen. Bereits zehn Movie-Minuten mit den Marx Brothers, berichtet der rheumageplagte US-Mediziner Norman Cousins in seinem Buch „Der Arzt in uns allen", ließen ihn schmerzfrei einschlafen.

Ähnliches gilt für Besucher am Krankenbett: Verschenken Sie Gelächter (z. B. Hörkassetten von Loriot, muntere Musik-CDs und Romane mit Happy-End) – das fördert den Heilungsprozess, stärkt die Widerstandskräfte, vertreibt Angst und Verzweiflung. Und warum immer danach fragen, ob der Patient Schmerzen hat? Schwelgen Sie lieber gemeinsam in fröhlichen Erinnerungen – schon sieht die Welt trotz sterilem Krankenhausweiß wieder rosiger aus!

A Welcher Satz passt zu welchem Bild?

1 Wer lacht, lebt länger!
2 Herzhaftes Gelächter ist wie inneres Jogging.
3 Die Atmung wird aktiviert.
4 Im Kampf gegen Viren und Bakterien ist Humor die beste Prävention.
5 Auch deutsche Ärzte setzen inzwischen auf die Lachtherapie.
6 Durch Shows und Spiele nehmen sie den meist kleinen Patienten die Angst vor Schmerzen.
7 Leichte, witzige Bücher lesen.
8 Bereits zehn Movie-Minuten mit den Marx Brothers ließen ihn schmerzfrei einschlafen.

B Erklären Sie auf Deutsch in Ihren eigenen Worten, was die folgenden Ausdrücke im Zusammenhang des Textes bedeuten.

1 hat eine Uralt-„Arznei" wieder entdeckt
2 gar nicht lächerlich
3 herzhaftes Gelächter
4 so fanden Forscher ... heraus
5 Ärzte setzen auf die Lachtherapie
6 oberste „Pflicht"
7 ließen ihn schmerzfrei einschlafen

1.10 *Zum Thema Rauchen*

Jetzt besprechen wir einige Gesundheitsthemen.
Wir beginnen mit dem Gesundheitsproblem Nummer eins unter
jungen Erwachsenen – dem Rauchen. In Deutschland hat man ein
Schulprogramm gegen Tabak gestaltet – wird das erfolgreich sein?

NEIN

zur ersten Zigarette

■ Der kleine Kerl grinst wie ein Smiley und heißt Klaro. Für seine gute Laune braucht Klaro keine Hilfsmittel. Er kann Nein sagen zu Nikotin, Alkohol und anderen Suchtstoffen wie übermäßigem Fernsehkonsum. Statt dessen macht Klaro gern Ausflüge in den Wald. Das Maskottchen des „Klasse 2000"-Programms kommt immer dann zu Besuch in die Schule, wenn Suchtprävention und Gesundheitserziehung auf dem Stundenplan stehen. Mehr als 46 000 Grundschulkinder – überwiegend in Bayern – haben am „Klasse 2000"-Programm teilgenommen; nun soll es verstärkt in anderen Bundesländern bekannt gemacht werden. Wie wichtig Gesundheitserziehung an Schulen wäre, belegen Umfragen: So haben beispielsweise zehn Prozent der Erstklässler schon einmal zur Zigarette gegriffen. Der Anteil der Jugendlichen, die regelmäßig rauchen, ist in den vergangenen Jahren deutlich gestiegen. Doch die Themen Sucht und Gesundheit sind (noch) nicht in den offiziellen Lehrplänen vorgesehen; die „Klasse 2000"-Stunden finden zwar während der normalen Unterrichtszeit statt, werden aber von privaten Sponsoren wie beispielsweise Ärzten finanziert.
Infos: Klasse 2000, Klinikum Nürnberg, Prof.-Ernst-Nathan-Str. 1, 90340 Nürnberg. Tel. 09 11/398 31 96, Fax 09 11/398 34 06.

A Beantworten Sie folgende Fragen kurz auf Deutsch.

1 Wer ist Klaro?
2 Warum lacht er?
3 Was macht Klaro, statt Zigaretten zu rauchen?
4 Was ist das „Klasse 2000"-Programm?
5 Wie viele Schüler bzw. Schülerinnen waren letztes Jahr daran beteiligt?
6 In welchem Teil Deutschlands hat es stattgefunden?
7 Wie weiß man, dass diese Initiative erfolgreich gewesen ist?
8 Was weiß man über sehr junge Schüler?
9 Was weiß man über andere junge Raucher?
10 Warum ist dieses neue Programm so wichtig?
11 Wann finden die „Klasse 2000"-Stunden statt?
12 Woher erhält man das Geld für diese Initiative?

B

In diesem kurzen Gespräch besprechen Claudia, Winfried und Kathrin das Rauchen. Winfried gibt seine Meinung über Werbung und Claudia erklärt, wie es ist, wenn man einen tabaksüchtigen Vater hat.

Es sind oft die scheinbar unbedeutenden Wörter, die so genannten „Füller", die wir falsch hören, oder total außer Acht lassen. Hören Sie dem Gespräch zu und füllen Sie die Lücken in den folgenden Wortgruppen aus.

Beispiel:

Das Zigarrerauchen ist jetzt   *wieder* in

1 diese große Gegenbewegung   .... das Rauchen
2 wenn du Leute   .... Rauchen erinnerst
3 viel   .... zum Rauchen verführt
4 das spricht   .... sozusagen das Thema Werbung an
5 ich würde es generell   .... verbieten
6 wahrscheinlich   .... schlechte Auswirkungen
7 ...der einsam   .... seinem Pferd raucht
8 führt   .... zu einem Bild
9 werden   .... häufig unterschätzt
10 weil sich Rauchen   .... erst meistens Jahre später widerspiegelt
11 ...die natürlich, ... allgemein bekannt ist
12 andere Krankheiten   .... zum Tod führen
13 ...hat die ganze Werbung nicht   .... Rauchen geführt
14 Vater, der   .... stark geraucht hat
15 wer   .... nachts in einem Zimmer
16 raucht, dann   .... einschläft

Sprechtipps

ü und ä

In *Durchblick* haben wir die Laute *ü* und *ä* schon geübt. *Ü* klingt wie *-u* im Französischen, fast wie *-iew* im englischen *view*. *Ä* klingt fast wie ein langes *-eh* im englischen *fair*.

Hören Sie sich folgende Wörter aus dem Hörtext wieder an, und üben Sie ihre Aussprache mit einer Partnerin bzw. einem Partner. Nehmen Sie dann die Wörter auf Kassette auf.

über, verführt, würde, für, Prärie, führt, Fällen, tägliches, später, natürlich, führen, selbstverständlich, geführt, schläft, einschläft

C Dolmetschen

Hören Sie dem Gespräch von „das Zigarrerauchen ist jetzt wieder in" noch einmal zu und dolmetschen Sie in den Pausen in Ihre Muttersprache.

TAKTIK

In Aufgabe B haben Sie mit Füllern gearbeitet. Wenn man dolmetscht, kann man diese meistens auslassen. Hier, zum Beispiel, sind Wörter wie *jetzt, wo, eben, aber, andererseits* nicht wesentlich. Konzentrieren Sie sich lieber auf den Sinn des Satzes.

D Mündliche Präsentation

Gebrauchen Sie das Material aus dem Artikel und dem Hörtext, um eine kurze Präsentation (2 Minuten) zum Thema Rauchen vorzubereiten. Erwähnen Sie:

• wie die Schulausbildung beitragen kann
• die Rolle der Tabakwerbung.

1.11 *Was ist eigentlich eine Sucht?*

Bei „Sucht" denkt man normalerweise an harte Drogen, Tabak oder Alkohol. Wie wir aber im folgenden Artikel lesen werden, kann fast jede Substanz oder soger Aktivität abhängig machen.

MACHT DENN ALLES SÜCHTIG?

Wenn die Seele leidet, werden Schnaps oder Tabletten, Glücksspiel oder Kaufen, Arbeit oder Liebe und sogar „harmlose" Substanzen wie Kaffee oder Schokolade leicht zur Droge.

1 Die Meldung ging damals durch alle Medien: In England war ein Mann gestorben, weil er süchtig nach Karottensaft war. Er hatte sich praktisch von nichts anderem mehr ernährt, und zwar über lange Zeit und in solchen Mengen, dass angeblich seine Leiche ganz gelb war. Als ich vor etlichen Jahren diese Geschichte las, war ich überzeugt, damit die dickste Zeitungsente seit der Erfindung des Ungeheuers von Loch Ness entdeckt zu haben. Heute bin ich nicht mehr so sicher. Gibt es denn überhaupt etwas, wonach der Mensch nicht süchtig werden kann?

2 Alkohol, Rauschdrogen, Tabletten – dass diese Substanzen abhängig machen können, ist wohl jedem klar. Allein in der Bundesrepublik schätzt man an die drei Millionen dieser „klassischen" Suchtkranken, dazu kommen noch etwa sechs Millionen nikotinabhängige Raucher. Aber immer wieder erfahren wir auch von neuen Süchten, und noch dazu von solchen, für die man gar nichts Besonderes schlucken, spritzen oder sonstwie einnehmen muss: Magersucht, Ess-Brech-Sucht, Spielsucht, Kaufsucht, Sexsucht, Computersucht, Fernsehsucht, Beziehungssucht. Was aber ist Sucht eigentlich, wenn es dafür nicht einmal nötig ist, sich irgendein Mittel einzuverleiben?

3 Unsere Sprache kennt von jeher Begriffe wie Putzsucht, Klatschsucht und natürlich die gute alte Eifersucht. Einige dieser hartnäckigen Unarten nannte man früher einfach „Laster" und befasste sich nicht weiter damit. Manche zwanghafte Verhaltensweisen unserer Tage, wie etwa die Arbeitssucht oder extreme Formen des Leistungssports sind sogar wohl angesehen und werden gefördert, weil sie unserer Gesellschaft so gut in den Kram passen.

4 Ob mit oder ohne Stoff, eines haben alle zwanghaften Auswüchse menschlichen Verhaltens gemeinsam: das nicht mehr steuerbare Verlangen, eine bestimmte Erlebnisqualität immer wieder herzustellen, selbst wenn dabei Beruf, Familie und Gesundheit auf der Strecke bleiben. „Jeder menschliche Trieb kann süchtig entarten, ja jedes menschliche Interesse überhaupt", behauptet der saarländische Psychiatrieprofessor Klaus Wolf. Also ist es wohl auch möglich, karottensaftsüchtig zu werden und daran genauso elend zugrunde zu gehen wie an Schnaps oder Rauschgift.

5 Aber warum nur gehen Menschen so selbstzerstörerisch mit sich um? „Die Wissenschaft hält so viele Antworten bereit, wie es Teildisziplinen gibt, die sich mit Suchtkrankheiten beschäftigen", sagt der Sozialwissenschaftler und Psychotherapeut Dr. Arnold Schmieder von der Universität Osnabrück. Zu strenge, aber auch zu verwöhnende Erziehung, das Vorbild suchtkranker Angehöriger, nicht realisierbare Machtbedürfnisse, unwirtliche Lebensräume, überzogene Leistungsorientierung, ein Überangebot an Suchtstoffen, ererbte Veranlagung – alles kann eine Rolle spielen.

A Nachdem Sie den Text gelesen haben, entscheiden Sie, welches Bild zu welchem Absatz passt.

a

b

c

d

e

B   Wie sagt man im Text folgende Ausdrücke?

1 addicted to
2 allegedly
3 anorexia
4 bulimia
5 to consume
6 to bother/concern oneself with
7 compulsive behaviour
8 to fit in with plans/into the scheme of things
9 compulsive
10 to fall by the wayside
11 to go to pieces
12 self-destructive
13 an oversupply of

C   Lesen Sie den Artikel noch ein- oder zweimal durch und entscheiden Sie dann: Was ist hier falsch? Was ist hier richtig?

1 Der englische Süchtige ernährte sich von rohen Karotten.
2 Eine ganze Menge Substanzen können einen abhängig machen.
3 Man kann süchtig sein, ohne nach Substanzen süchtig zu sein.
4 Unsere Gesellschaft braucht einige Süchte, um gut zu funktionieren.
5 Es ist nicht möglich, dass jeder menschliche Trieb zur Sucht wird.
6 Menschen haben keine Tendenz zur Selbstzerstörung.
7 Zu viel oder zu wenig Disziplin während der Kindheit kann zum Zwangsverhalten führen.

D   *Zu zweit*

1 Besprechen Sie mit dem Partner/der Partnerin das, was im Artikel neu für Sie war. Die Redewendungen im Kästchen „Taktik" werden Ihnen dabei helfen.
2 Schreiben Sie die neuen Ideen und Tatsachen auf, die Sie im Bericht gefunden haben (150 Wörter).

PRAXIS

Zum Nachschlagen: Verbs and adjectives with prepositions, p. 154

1 Lesen Sie den Artikel noch einmal durch. Füllen Sie diese Tabellen aus, indem Sie die jeweils passende Präposition und die englische Übersetzung für jeden Ausdruck einfügen.

a

Adjektiv	Präposition/Fall	Englisch
abhängig nötig süchtig		

b

Verb	Präposition/Fall	Englisch
sich befassen sich beschäftigen erfahren sich ernähren führen		

2 Vervollständigen Sie die folgenden Sätze und übersetzen Sie sie ins Englische.
  a Für viele Menschen ist es äußerst schwierig, ... Nikotin- oder Alkoholabhängigkeit loszukommen.
  b Der Zugang .... Sucht erregenden Substanzen wurde ihm zum Verhängnis.
  c Leider müssen sich immer mehr Eltern, Lehrer, Ärzte usw. .... dem Problem des Drogenkonsums unter Jugendlichen beschäftigen.
  d Erfahrungsgemäß kann der Mensch .... allem süchtig werden.
  e Ich kenne jemanden, der sich früher fast ausschließlich .... Kaffee und Schokolade ernährte.
  f Erst als seine Gesundheit anfing, ... seiner Nahrung zugrunde zu gehen, bat er um Hilfe.
  g Ein großes Problem unserer Gesellschaft ist das Überangebot .... Substanzen, die .... Sucht führen.

TAKTIK

Bis jetzt wusste ich nicht, [dass]...
Ich war überrascht herauszufinden, dass...
...hat mich schockiert.
...scheint mir deprimierend/schockierend/ hoffnungsvoll/optimistisch
Ich hatte [k]eine Ahnung, dass...
Es ist mir nicht/schon passiert, dass...
Was kann man für...?
Wie hilft man bei(m)...?

1.12 *Kaufrausch*

Geben Sie zu viel Geld aus? Vielleicht leiden Sie unter Kaufsucht!
Untersuchen wir dieses Phänomenon ein wenig weiter.

Lustvoll, aber kontrolliert

Immer früher geraten junge Menschen in die Schuldenfalle. Experten machen dafür eine ausufernde Konsum-Mentalität in den Familien verantwortlich. In den Schulen sollen die Nachwuchspleitiers jetzt lernen, wie man mit Geld umgeht.

Ein Tag ohne Einkaufen ist für Neele Ternes ein verlorener Tag. „Richtig glücklich", sagt die Schülerin aus Oldenburg, „bin ich nur, wenn ich gerade etwas Neues habe."

Ein perlenbesticktes Handtäschchen, ein Parfüm für 110 Mark, hochhackige schwarze Schuhe und eine teure Hautcreme sind nur einige ihrer jüngsten Errungenschaften. Fehlt das Geld für einen Spontankauf, sagt die 18-Jährige mit dem sonnenbankgebräunten Teint und den blauen Strahleaugen unter den getuschten Wimpern, „dann leihe ich mir eben was".

Ihr Girokonto hat die Schülerin um 800 Mark überzogen. Weitere 600 Mark hat sie sich bei ihren Eltern geborgt. Was jetzt noch eher harmlos wirkt, könnte den Einstieg in eine größere Schuldnerkarriere bedeuten: „Gefährdet", sagt die Realschülerin selbstkritisch, „bin ich sicherlich."

Der Weg in die Miesen beginnt immer früher. Rund 850 000 Jugendliche zwischen 15 und 20 Jahren, das ergab eine Repräsentativ-Umfrage des Bielefelder Soziologen Elmar Lange in West und Ost, haben Schulden. Eine Viertelmillion davon, schätzt Lange, sind überschuldet. Das Problem habe eine Dimension erreicht, sagt der Vorsitzende der Kinderkommission im Bundestag, Rolf Stöckel (SPD), „die wir auf keinen Fall mehr tatenlos hinnehmen dürfen".

Mal ist es Kaufsucht, mal sind es Frustkäufe, die Jugendliche in die Schuldenfalle treiben, meist aber können sie den Verlockungen der Konsumgesellschaft nicht widerstehen. Eltern und Lehrer, hat der Oldenburger Haushaltswissenschaftler Armin Lewald festgestellt, „kriegen oft nicht mit, wann es kritisch wird".

So ist es dann häufig zu spät, wenn die jungen Pleitiers Hilfe suchen. Stöckel, der 14 Jahre lang als Schuldnerberater arbeitete, hat in dieser Zeit „viele Anfang 20-Jährige mit im Schnitt 35 000 Mark Schulden kennen gelernt".

Eine große Mehrheit der Schüler, fand Lewald in einer im März fertig gestellten Befragung von 1 000 Jugendlichen heraus, ist auch bei Geldmangel kaum bereit, Konsumwünsche einzuschränken. Die meisten (zwischen 55 Prozent in der dritten und vierten und 65 Prozent in der siebten bis zehnten Klasse) bevorzugen nach der Pilotstudie in solchen Fällen den Kauf auf Kredit. Viele, so Lewald, hätten dabei „keine moralische Bremse mehr".

Neele und ihre Mitschüler aus der Realschule Eversten in Oldenburg reden über Schuldenmachen fast so selbstverständlich wie über die neueste Folge der Vorabendserie „Marienhof". „Meiner Oma", sagt Kathrin Ressel, 17, „waren Schulden noch peinlich, mir überhaupt nicht." Fast jeder in ihrem Freundeskreis habe als Schulden „irgendwo ein paar Hunderter" geliehen, manche in der Klasse an zwei oder drei Stellen gleichzeitig. Und viele halten es mit der Rückzahlung wie Sascha Hornauer. Der 15-Jährige wartet, „bis die Leute mich darauf ansprechen – vielleicht vergessen sie's ja".

A Geben Sie **sich** für jede Behauptung aus dem Text eine Note zwischen 1 und 5. 1 = überhaupt nicht, 5 = das trifft genau zu.

1 Ein Tag ohne Einkaufen ist ein verlorener Tag.
2 Es gibt bei uns eine ausufernde Konsum-Mentalität.
3 Ich bin nur richtig glücklich, wenn ich gerade etwas Neues habe.
4 Wenn das Geld dafür fehlt, dann leihe ich mir eben etwas.
5 Ich borge bei meinen Eltern Geld für Einkäufe.
6 Gefährdet bin ich sicherlich.
7 Ich bin überschuldet.
8 Für mich sind es Frustkäufe, die mich in die Schuldenfalle treiben.
9 Ich kann den Verlockungen der Konsumgesellschaft nicht widerstehen.
10 Ich bevorzuge den Kauf auf Kredit.
11 Schulden sind mir überhaupt nicht peinlich.
12 Ich warte, bis die Leute mich darauf ansprechen, bevor ich das Geld zurückzahle.

B *Schriftliche Arbeit*

Stellen Sie sich vor, eine(r) Ihrer Freunde/Freundinnen ist kaufsüchtig. Nehmen Sie die Informationen im Text zu Hilfe, um einen Bericht über das Konsumverhalten dieser Person zu schreiben (150 Wörter).

TAKTIK
Folgende Redewendungen werden beim Schreiben helfen.
Er/Sie handelt wie … (Armin) …
Sein/Ihr Benehmen gleicht dem von … (Neele) …, wenn sie …
… ist auch seine/ihre Lage.
Er/Sie hat es auch schwierig gefunden, … zu tun.
Ich sehe einen Vergleich mit …
Ich würde eine Parallele mit … ziehen.
Laut dem Forscher ist …
… ist (k)eine gute Lehre für uns.
Er/Sie sollte vielleicht lernen, … zu tun.
Wenn er/sie nur folgenden Kompromiss schließen könnte …
Der goldene Mittelweg wäre, … zu … (tun) …

1.13 *Bei wie viel Gläschen wird es kritisch?*

Im deutschen Sprachraum gibt es genauso viele alkoholbedingte Verkehrsunfälle wie in anderen europäischen Ländern. *Danke, nein, ich fahre!* sollte das Motto sein. Dieser Artikel beschreibt die Auswirkungen des Alkoholkonsums auf die Fahrtüchtigkeit und was das deutsche Gesetz darüber zu sagen hat.

Wie Alkohol die Sinne benebelt

bis 0,7 ‰: angeheitert
Beginnender Leichtsinn und Tunnelblick, längere Reaktionszeit

0,8 %–1,2 ‰: angetrunken
Ab 1,1 ‰ absolut fahruntüchtig, Sehfeld stark eingeschränkt, Lenken unkontrolliert

1,3 %–1,9 ‰: betrunken
Extreme Fehlreaktionen, Gehen und Sprechen gestört, voller Tunnelblick

ab 2,0 ‰: Rausch
Körperfunktionen deutlich gestört, Gedächtnislücken, kaum Reaktionsvermögen

‰ = Promille

Bei wie viel Gläschen wird es kritisch?

An den meisten Autounfällen ist Alkohol schuld: Die Fahrer überschätzen ihre Reaktionsfähigkeit

Betrunkene Autofahrer töten jedes Jahr rund 4000 Menschen, schätzt der TÜV. Die Mehrheit der Täter sind junge Männer, Frauen machen nur zehn Prozent der Alkoholsünder aus. „Sie trinken eher zu Hause als in der Kneipe", sagt Dr. Hans Utzelmann, Leiter des Psychologischen Instituts beim TÜV Rheinland.

Seit der Senkung der Promille-Grenze auf 0,5 hat sich die Zahl der Alkoholunfälle zwar halbiert, doch noch immer überschätzen die meisten angetrunkenen Autofahrer ihre Reaktionsfähigkeit. Außerdem ist die Chance, dass Schlucker am Steuer erwischt werden, ernüchternd gering: Wenn einer ertappt wird, schlingern 600 andere unentdeckt durch die Republik, so der Deutsche Verkehrssicherheitsrat. Macht jährlich rund 120

Drei kleine Bier getrunken – und schon wird ein Unfall doppelt wahrscheinlich

Millionen trunkene Fahrten. Dabei steigt die Unfallwahrscheinlichkeit nach nur wenigen Gläschen steil an: Bei 0,5 Promille verdoppelt sie sich bereits, bei 1,6 Promille ist sie auf das 35-fache angewachsen. Bei einem Viertel der fahrenden Zecher wurden im letzten Jahr sogar noch weit höhere Blutwerte festgestellt.

Wer erst mal blau ist, bleibt es zunächst auch. Nur 0,1 Promille haut die Leber pro Stunde ab. „Und bei Frauen geht's noch langsamer", warnt Dr. Utzelmann. Eine Frau, die sechs kleine Pils à 0,3 Liter oder neun Glas Wein à 0,1 Liter trinkt, hat am Ende ein Promille intus und gilt als absolut fahruntüchtig. Und selbst nach acht Stunden Schlaf fährt sie noch mit 0,2 Promille ins Büro.

Was kostet der Rausch am Steuer?

Beim Verhängen von Strafen wird in drei Kategorien unterschieden:

A: Keine Fahrunsicherheit
ab **a** .... ‰: **b** .... Mark Bußgeld, bei grober Fahrlässigkeit bis zu **c** .... Mark, **d** .... Punkte.
ab **e** .... ‰: (Bußgeld bis **f** .... Mark, Führerscheinzug bis zu **g** .... Monaten, **h** .... Punkte.
ab **i** .... ‰: Gefängnis bis zu **j** .... Jahren oder Geldstrafe, Führerscheinentzug mind. **k** .... Monate, unter Umständen auf Lebenszeit **l** .... Punkte.

B: Fahrunsicherheit
ab **m** .... ‰ und darüber: Gefängnis bis zu **n** .... Jahren oder Geldstrafe, Führerscheinentzug **o** .... Monate bis **p** .... Jahre oder lebenslang, **q** .... Punkte.

C: Bei Unfall
ab **r** .... ‰ und darüber: Strafen wie bei Kategorie B plus Schadensersatz, Opferrente oder Schmerzensgeld.

A Was kostet der Rausch am Steuer? Fangen wir mit den Zahlen an. Hören Sie sich diesen Radiospot gegen Alkohol am Steuer an und tragen Sie die Zahlen in die Lücken ein.

B Im Hauptartikel sind viele Ziffern, die auch von Bedeutung sind. Erklären Sie kurz auf Deutsch die folgenden Zahlen aus dem Text:

1 4 000
2 600
3 120 Millionen
4 35
5 $\frac{1}{4}$
6 0,1 Promille

C *Schriftliche Arbeit*

Schreiben Sie eine Kurzfassung des Artikels auf Englisch für die Zeitschrift eines britischen Automobilklubs. Die Mitglieder interessieren sich für die Gesetze in Deutschland, was das Trinken am Steuer betrifft.

1.14 „*Eine Frage der Dosis*"

Felix und Kathrin diskutieren Süchte und Drogenabhängigkeit, wobei ein wichtiges Thema angesprochen wird: Sollten die so genannten „weichen" Drogen legalisiert werden?

A Hören Sie dem Gespräch so oft wie nötig zu und finden Sie die deutschen Entsprechungen für die folgenden englischen Ausdrücke.

1 That would be a great exaggeration.
2 It is all a question of definition.
3 what one counts as drugs
4 It is very widespread.
5 dependencies which would most probably lead to death
6 heroin or cocaine addiction
7 One must make a complete distinction between these two types of addiction.
8 when too much heroin is injected
9 It is all a question of the dose.
10 the addiction to sitting in front of the computer all day long
11 possibly has no fatal consequences
12 That can have very serious consequences.
13 to come back to soft drugs
14 whether it should be legalised
15 that it has been scientifically proved
16 that it should be placed on a level with alcohol and cigarettes
17 a very interesting point, which should be borne in mind
18 a route which leads to drug addiction
19 young people are attracted by the forbidden
20 if cannabis were legalised
21 then perhaps more people would take it
22 in order to try it
23 then it would lose its attraction

TAKTIK

1 In jedem englischen Ausdruck ist ein Wort, dessen deutsches Gegenstück Sie leicht erkennen können.

Beispiel: *definition* – Definition
to count – zählen
wide – weit

Konzentrieren Sie sich dann jeweils auf diese Schlüsselwörter, wenn Sie den Hörtext anhören.

2 Vergessen Sie nicht, dass in jeder Hörübung die Fragen in derselben Reihenfolge stehen, wie die Antworten im Text selbst. Wenn Sie zum Beispiel Nummer 3 schwierig finden, aber keine Probleme bei 2 und 4 haben, vergessen Sie nicht, dass das Material für Antwort 3 zwischen dem Material für 2 und 4 im Text steht.

B *Schriftliche Arbeit*

Schreiben Sie mit Hilfe der deutschen Redensarten aus Aufgabe A einen Aufsatz von 250 Wörtern über einen Aspekt der Drogenabhängigkeit.

C Felix und Kathrin haben die mögliche Legalisierung der „weichen" Drogen erwähnt. Was ist Ihre Meinung dazu? Lesen Sie diesen Programmhinweis und übersetzen Sie ihn ins Englische.

Fernseh-Diskussion

Spätestens seit ein Lübecker Amtsrichter ein Aufsehen erregendes Urteil in Sachen „weiche" Drogen sprach, ist die Diskussion wieder eröffnet: Wie schädlich sind Haschisch und Marihuana wirklich? Sollten sie angesichts von – geschätzten – drei Millionen Konsumenten in Deutschland legalisiert werden? Die „Doppelpunkt"-Gäste diskutieren unter der Leitung von Michael Steinbrecher mit.

ZDF – Mittwoch, 8. Juli, 21 Uhr: „Doppelpunkt – Fürs Kiffen in den Knast?"

D Füllen Sie den folgenden Fragebogen aus, um Ihre Einstellung zu
„weichen" Drogen klar darzulegen:

✓   ✗

Haschisch und Marihuana sind gefährlich.

Alkohol und Nikotin sind weniger gefährlich als
    Haschisch.

Die „weichen" Drogen sollen legalisiert werden.

Die Designer-Drogen sollen verboten bleiben.

„Weiche" Drogen sind „Einstiegsdrogen" zur
    Drogenszene.

Alle Drogen sollen verboten werden.

Drogen sollten auf ärztliches Rezept verfügbar gemacht werden.

Warum die ganze Diskussion? Das Drogenproblem
    finde ich übertrieben.

Alle Rauschgiftsüchtigen sollten verhaftet werden.

Trunkenheit am Steuer muss unbedingt zur
    Verhaftung führen.

Erwachsene sollten nicht in Anwesenheit von
    Kindern rauchen.

E *Debatte*

Diskutieren Sie mit Hilfe der Argumente im Hörtext und in Aufgabe D
über die Legalisierung der „weichen" Drogen. **Person A** ist dafür,
Person B dagegen.

**Der Zug der
Zeit: Viele halten
Haschisch und
Marihuana für
weniger
gefährlich als
Alkohol und
Nikotin. Ein
Grund zur
Freigabe?**

PRAXIS

Zum Nachschlagen: Passive, p. 150

Setzen Sie die folgenden Sätze ins Passiv um. Machen Sie von der jeweils vorgeschlagenen Methode
Gebrauch:

1 Ein Lübecker Amtsrichter sprach ein überraschendes Urteil in Sachen „weiche" Drogen. (werden)
2 Man hat die Diskussion wieder eröffnet. (sein)
3 Die „Doppelpunkt"-Gäste diskutieren das Thema unter der Leitung von Michael Steinbrecher. (werden)
4 Es ist schwer, diese Frage zu beantworten. (sich lassen)
5 Soll man eine Droge legalisieren, bloß weil es so viele Konsumenten gibt? (werden)
6 Die Folgen eines solchen Schritts darf man nicht unterschätzen. (Infinitiv mit „zu")
7 Aber den Konsum einiger Drogen hat man fast überall in der Gesellschaft akzeptiert. (sein)
8 Nach der Meinung vieler wäre es möglich, Drogen wie Haschisch sofort zu legalisieren. (sich lassen)
9 Was dieses Thema betrifft, kann man meine feste Überzeugung nicht ändern. (Infinitiv mit „zu")
10 Wir dürfen keine Gesellschaft schaffen, in der man solche selbstzerstörerischen Aktivitäten erlaubt.
    (werden; sein)

1.15 *Wer hilft den Angehörigen?*

Auch die Angehörigen von Süchtigen brauchen Hilfe und aktiven Beistand. Was kann die Gesellschaft tun, um sie zu unterstützen? Der folgende Bericht gibt einige Beispiele.

ALLEIN SIND SIE ÜBERFORDERT, LASSEN SIE SICH BERATEN

Ein Alkoholiker will, dass seine Frau für ihn lügt, eine Medikamentenabhängige nimmt immer höhere Dosen „gegen den Stress", ein Spielsüchtiger stiehlt – Angehörige von Suchtkranken sind dann oft ratlos. Ulla Fröhling hat mit Fachleuten Antworten auf häufig gestellte Fragen erarbeitet.

1 Mein Sohn wird zum Betrüger – was mache ich falsch?

Mein 17-jähriger Sohn hat Schecks seines Kollegen mit gefälschten Unterschriften eingelöst. Ich habe ihn vor einer Anzeige und vor der Kündigung bewahrt. Immer habe ich ihm aus der Patsche geholfen, trotzdem hört er nicht auf zu spielen.

2 Wir haben Angst, dass sie Drogen nimmt – was haben wir nur falsch gemacht?

Meine 15-jährige Tochter verändert sich total. Sie bleibt tagelang weg, taucht sonnabends mit merkwürdigen Freunden auf, isst den Kühlschrank leer. Jetzt sagte mir ein Lehrer, dass ihre Versetzung gefährdet sei und man eine Spritze an ihrem Platz gefunden hätte. Wir sind völlig verzweifelt.

3 Ich habe ihm Bier besorgt – war das falsch?

In meinem Haus lebt jemand, von dem ich weiß, dass er Alkoholiker ist. Neulich fand ich ihn in seiner Wohnung, er zitterte und schwitzte stark. Und bat flehend um Schnaps. Ich habe ihm ein Bier geholt.

4 Süchtige Eltern – gestörte Kinder?

Ich habe immer Probleme mit Partnerschaften. Jemand hat mich darauf gestoßen, dass der Grund in meiner Kindheit liegen könnte: Mein Vater war alkoholsüchtig.

5 Sie hortet Esswaren – was ist zu tun?

Wir sind sicher, dass eine Frau in unserer WG esssüchtig ist. Ständig ist der Kühlschrank leer, und in ihrem Zimmer hat sie überall Lebensmittel verteilt, sogar im Papierkorb. Doch sie sagt, sie sei nur unordentlich und an den Kühlschrank gehe sie kaum.

ABHÄNGIGE LÜGEN UND BETRÜGEN, WEIL SIE NICHT ANDERS KÖNNEN

A   Lesen Sie zuerst über die Probleme und schlagen Sie die Schlüsselvokabeln nach. Dann besprechen Sie mit Ihrer Partnerin/Ihrem Partner Ihre persönliche Lösung für jedes Problem.

Lesen Sie die Antworten im Artikel durch und finden Sie heraus, wer von Ihnen die ähnlichsten Antworten hatte!

1 Sie nehmen ihm viel zu viel ab. Warum tun Sie das? Sie haben die Schecks doch nicht gefälscht. Ihr Sohn muss lernen, für die Folgen seiner Taten gerade zu stehen. Wenn Sie dafür sorgen, dass er sich ohne Folgen illegal Geld verschaffen kann, tragen Sie dazu bei, dass er immer weiterspielt. Er sollte mit dem Bestohlenen reden und eine Rückzahlung vereinbaren. Dass Sie ihn vor einer Anzeige bewahrt haben, ist verständlich. Andererseits zeigen seine Straftaten, dass er krank ist und eine Therapie und/oder die Unterstützung einer Selbsthilfegruppe braucht. Und Sie sollten in eine Gruppe für Angehörige von Spielern.

2 Wichtiger ist: Was können wir jetzt tun? Ihre Tochter ist noch sehr jung und braucht Ihren Schutz. Doch wie weit soll der gehen und wo sind die Grenzen? Welche Regeln muss eine Jugendliche einhalten und was können Eltern überhaupt leisten? Das kann niemand allein entscheiden. Lassen Sie sich vom Bundesverband der Elternkreise drogenabhängiger Jugendlicher einen Elternkreis in Ihrer Nähe nennen. Dort können Sie offen über Ihre Sorgen sprechen und aus den Erfahrungen ähnlich Betroffener lernen. Wenn Ihre Tochter Hilfe braucht, sollte sie sich an eine Drogenberatungsstelle oder Selbsthilfegruppe wenden.

3 Wenn Sie keinen Arzt erreichen konnten, kann Alkohol eine Notlösung sein. Was Sie beobachtet haben, waren starke Entzugserscheinungen, die manchmal in ein Delirium übergehen können. Dann sollte man unbedingt den Notarzt oder die Feuerwehr rufen, denn im unbehandelten Delirium sterben immer noch 20 Prozent der Kranken. Reden Sie mit Ihrem Nachbarn. Vielleicht können Sie ihn bewegen, zu einer Beratungsstelle oder in die Klinik zu gehen.

5 Lassen Sie sich nicht beirren. Sagen Sie, was Sie gesehen haben. Sagen Sie Ihrer Mitbewohnerin auch, dass Sie sie mögen, aber dass Sie nicht mit ihrem Verhalten leben wollen. Machen Sie sich klar, dass es nicht Ihr Problem ist, dass Ihre Mitbewohnerin süchtig ist, aber es ist Ihr Problem, dass Sie mit ihr zusammenwohnen. Ob sie etwas ändern will, muss Ihre Freundin selbst entscheiden. Wenn nicht, muss die Gruppe sich selbst schützen – und wenn Sie den Kühlschrank abschließen.

4 Mit Süchtigen zu leben, ist gerade für Kinder prägend. Daher kann es sein, dass Sie sich Partner suchen, mit denen Sie genau dasselbe durchmachen. Es ist verführerisch, vertraute Beziehungsmuster zu wiederholen, auch wenn man darunter leidet. Ein neues Buch könnte Ihnen weiterhelfen: Janet G. Woititz, Um die Kindheit betrogen. Hoffnung und Heilung für erwachsene Kinder von Suchtkranken. In Amerika gibt es schon eine Reihe Selbsthilfegruppen für Menschen mit diesem Problem. Sie nennen sich ACOA (Adult Children Of Alcoholics – erwachsene Kinder von Alkoholikern). Auch bei uns bilden sich ähnliche Gruppen. Wenden Sie sich an die Deutsche Hauptstelle gegen die Suchtgefahren oder an die Nationale Kontakt- und Informationsstelle für Selbsthilfegruppen.

B   Schreiben Sie gemeinsam eine Antwort auf jedes Problem.

C   Analysieren Sie und teilen Sie der Großgruppe die Ähnlichkeiten/großen Unterschiede zwischen den zwei Fassungen mit. Einigen Sie sich dann in der Großgruppe auf die besten Lösungsvorschläge.

PRAXIS

Zum Nachschlagen: Infinitive with and without *zu*, p. 153; modal verbs, p. 152

Lesen Sie die Antworten auf die fünf Fragen noch einmal durch. In diesen Antworten gibt es viele Beispiele des Infinitivs mit und ohne „zu". Suchen Sie einige dieser Beispiele heraus, dann übersetzen Sie die folgenden Sätze ins Deutsche:

1 Living with addicts can be extremely difficult for the whole family.

2 How much can and should parents do to protect children who are addicts?

3 Parents who need advice can have the name of a self-help group in their vicinity sent to them.

4 Addicts who commit crimes must learn to answer for the consequences of their actions.

5 It is sometimes tempting to think that one can solve an addict's problems without asking for help.

6 One mustn't let oneself be misled.

7 Instead of struggling alone, one should always try to involve others.

TAKTIK

Der Text enthält viele nützliche Redewendungen, die Sie zu Hilfe nehmen können, wie zum Beispiel:

für die Folgen gerade stehen   *to answer for the consequences*

Dass Sie . . . haben, ist verständlich.   *That you have . . . is understandable.*

Was können wir jetzt tun?   *What can we do now?*

Was können Eltern überhaupt leisten?   *What is there that parents can do?*

Dort können Sie offen über ihre Sorgen sprechen.   *There you can speak freely about your worries.*

Dann sollte man unbedingt . . . rufen.   *Then one should definitely call . . .*

Reden Sie mit (Ihrem Nachbarn).   *Talk to (your neighbour).*

Es gibt schon eine Reihe Selbsthilfegruppen.   *There is already a whole range of self-help groups.*

Wenden Sie sich an (+ Akk.) . . .   *Turn to . . .*

Lassen Sie sich nicht beirren.   *Don't be disconcerted/swayed.*

Einheit 2
Technologie und Fortschritt

Neue Technologien verändern unser Leben immer schneller. Während ältere Generationen manchmal Mühe haben, mit dem Tempo des Fortschritts mitzuhalten, überwiegt bei jungen Leuten meistens die Begeisterung für neue Entwicklungen. Lesen Sie in dieser Einheit, welche Vor- und Nachteile neue Technologien mit sich bringen können und welchen Nutzen junge Leute in Deutschland daraus ziehen.

In dieser Einheit werden Sie Ihre Kenntnisse der folgenden grammatischen Punkte erweitern können:

- Partizipien (participles)
- Adjektivendungen (adjective endings)
- Passiv (passive)
- Pronomina (pronouns)
- Artikel (articles)
- Plusquamperfekt (pluperfect)
- Gerundium (gerund)
- Konjunktiv (subjunctive)
- Comparativ (comparatives)

2.1 Schöne neue Welt von morgen

Nie zuvor hat sich die Welt so schnell verändert wie im 20. Jahrhundert. Doch was wird uns das 21. Jahrhundert bringen? Lesen Sie hier, was deutsche Wissenschaftler für die nächsten Jahre vorhersagen.

Wissen

DAS IST MORGEN SCHON ALLTAG . . .

Delphi-Prognose: 2000 hochkarätige deutsche Wissenschaftler sagen voraus, wie sich unser Leben in den nächsten 25 Jahren verändern wird

TECHNIK DER ZUKUNFT
Vor allem die rasante Entwicklung auf dem Computermarkt wird unsere Welt entscheidend bestimmen – und künftig vieles leichter machen!

Der Strom kommt aus der Fensterscheibe, das Zweiliterauto hat sich durchgesetzt, jeder dritte Arbeitnehmer arbeitet von zu Hause aus: ein futuristisches Szenario, das aber schon in naher Zukunft wahr werden soll, so das Ergebnis der bisher größten Expertenbefragung zu kommenden Entwicklungen im Bereich Wissenschaft und Technik.

STUDIUM AN DER VIRTUELLEN WELT-UNI

Fast 2000 Fachleute aus Industrie, verschiedenen Forschungseinrichtungen, Verbänden und öffentlichem Dienst nahmen im Auftrag des Bundesforschungsministeriums in zwei Befragungsrunden zu über 1000 vorgegebenen Zukunftsthesen Stellung. Wichtigste Erkenntnis des so genannten Delphi-Reports: Der Computer wird unser Leben in den nächsten 25 Jahren weiter drastisch verändern – vor allem die Arbeitswelt. So werden die Unternehmen z. B. dank fortschreitender Online-Technologie immer

häufiger auf einen festen Standort verzichten – jeder dritte Mitarbeiter erledigt dann seine Arbeit per PC von zu Hause aus, prognostizieren die Experten. Damit steigt auch die Verantwortung des Einzelnen: „Die Arbeitnehmer von morgen werden immer mehr zum Mitunternehmer", so Forschungsminister Dr. Jürgen Rüttgers. Unser Bildungssystem wird ebenfalls vom Computer revolutioniert: Studiert wird nicht mehr in überfüllten Hörsälen, sondern an einer virtuellen Welt-Universität – per Internet holen sich Studenten jederzeit die neuesten Forschungsergebnisse aus Übersee auf den Bildschirm, machen Seminare bei Professoren aus Japan, diskutieren mit Kommilitonen in Australien...

ROBOTER HELFEN IM HAUSHALT

Die Telekommunikation verändert auch unser Privatleben: PC-Monitore werden faltbar – damit ständiger Begleiter, wie heute das Handy. Ab 2006 setzt sich der elektronische Supermarkt immer mehr durch – 30 Prozent der Waren werden dann laut Delphi-Report per Net-Shopping (Einkaufen im Internet) erworben. Chipkarten mit Geheimzahlen haben ausgedient, Automaten an der Bank, in der U-Bahn, im Büro oder an der Wohnungstür erkennen uns am Fingerabdruck oder an der Hautstruktur. Erste Roboter, die sehen, hören und eigene Entscheidungen treffen können, verlassen ab ca. 2017 die Forschungslabore und werden uns z. B. im Haushalt das Leben erleichtern. Und auch für den Gesundheitsbereich sieht die Delphi-Prognose Bahnbrechendes voraus: Blinde sollen ab 2013 durch künstliche Netzhäute wieder sehen können, ab 2014 soll der Krebs besiegbar sein, und die Mediziner haben Impfstoffe gegen Aids entwickelt. Künstliche Organe ersetzen geschädigte Bauchspeicheldrüse, Niere, Leber und Lunge. Ab 2015 soll es auch eine wirksame Therapie gegen die Alzheimer-Krankheit geben.

A Lesen Sie den Text „Das ist morgen schon Alltag…" und finden Sie die Wörter, die den folgenden Definitionen entsprechen:

1 etwas, was man braucht, um elektrische Geräte zu betreiben
2 jemand, der bei einer Firma angestellt ist
3 Spezialisten auf einem bestimmten Gebiet
4 Theorien über Entwicklungen, die es wahrscheinlich bald geben wird
5 Räume in Universitäten, in denen Vorlesungen gehalten werden
6 Gebiet außerhalb Europas (meistens ist Amerika gemeint)
7 Teil eines Fernsehgeräts oder Computers, auf dem etwas zu sehen ist
8 Personen, mit denen man studiert
9 ein Telefon, das man immer bei sich tragen kann
10 ein Code, mit dem man beispielsweise eine Geldkarte benutzen kann
11 Menschen, die nicht sehen können
12 Orte, an denen Erfindungen entwickelt werden
13 Medikamente, die vor schweren Krankheiten schützen
14 ein Körperorgan, das man zum Atmen braucht

B Lesen Sie den Text noch einmal durch. Wie werden sich die folgenden Lebensbereiche voraussichtlich verändern? Kopieren Sie die Tabelle vergrößert auf ein Blatt Papier und füllen Sie sie mit Informationen aus dem Text.

Lebensbereich	Entwicklungen
Arbeitswelt Bildungssystem Privatleben Gesundheitswesen	

C Welche der Entwicklungen, die Sie in Aufgabe B gefunden haben, sind Ihrer Meinung nach am wichtigsten? Ordnen Sie alle Entwicklungen nach Wichtigkeit und diskutieren Sie Ihre Skala in der Gruppe.

D *Schriftliche Arbeit*

Nutzen Sie die Informationen aus dem Text und Ihre eigene Fantasie, um die Welt im Jahre 2020 zu beschreiben (ca. 250 Wörter). Sehen Sie sich dazu auch in aktuellen Zeitungen und Zeitschriften um. Wissenschaftssendungen im Fernsehen und Nachrichten können auch neue Anregungen geben.

PRAXIS

Zum Nachschlagen: Participles, p. 149; adjective endings, p. 143

1 Finden Sie im Text alle Partizipien, die als Adjektive oder Substantive gebraucht werden und tragen Sie sie in die folgende Tabelle ein:

Partizip Präsens	Partizip Perfekt
a *zu **kommenden** Entwicklungen* **b** **c**	**a** *zu über 1000 **vorgegebenen** Zukunftsthesen* **b** **c** **d**

Analysieren Sie anschließend die Endungen der gefundenen Partizipien.

2 Füllen Sie die Lücken im folgenden Text mit passenden Partizipien aus. Gebrauchen Sie jeweils ein Verb aus dem Kästchen. Achten Sie auch auf die richtigen Adjektivendungen.

Wir schreiben das Jahr 2020. Der aus der Fensterscheibe .... Strom heizt unsere Wohnungen und betreibt die Computer der von zu Hause aus .... Arbeitnehmer. Auf feste Standorte .... Unternehmen sind zur Normalität geworden.
Wir haben uns an das .... Bildungssystem gewöhnt. Studenten arbeiten mit den aus dem Internet .... Forschungsergebnissen aus Übersee. Jeder Dritte hat einen .... PC-Monitor in der Tasche, den man immer bei sich tragen kann. Damit kann man auch zu jeder Tageszeit im sich .... elektronischen Supermarkt einkaufen. Die dort .... Waren werden innerhalb weniger Stunden nach Hause geliefert und von .... und .... Robotern in Empfang genommen.
Die .... Chipkarten sind schon lange vergessen. Stattdessen füllen jetzt Nachrichten über neuerlich .... Impfstoffe gegen Aids die Schlagzeilen.

arbeiten ausdienen durchsetzen entwickeln
erwerben falten holen hören kommen
revolutionieren sehen verzichten

2.2 *Was Frauen vom Internet erwarten*

Service und Spaß, praktische Informationen und Zeitvertreib beim Online-Flirt: Immer mehr Frauen nutzen das Angebot des Internets. Weil es erstens das Leben leichter macht und zweitens neue Chancen bietet.

A   Hören Sie sich den Text über eine Internetumfrage unter Frauen an und füllen Sie die Lücken in der folgenden Zusammenfassung mit je einem Wort/einer Zahl aus:

Von allen befragten Frauen schätzen **1** ....% den schnellen Zugang zu **2** .... und praktischen Informationen im Internet. Sie finden neben **3** .... Reise- und Freizeittipps, aber auch den **4** .... in Selbsthilfegruppen. **5** ....% finden die zeitlich und **6** .... grenzenlose Kommunikation verlockend. Vor allem **7** .... Frauen denken daran, mit einer Freundin im Ausland zu chatten oder nach **8** .... noch einzukaufen. 47% hoffen auf eine Erleichterung ihres **9** .... Besonders die über Dreißigjährigen möchten beispielsweise ihre **10** .... und Behördengänge von zu Hause aus **11** .... Ein Drittel der Befragten will elektronische **12** .... vor allem beruflich **13** .... und somit mehr von zu Hause aus arbeiten. Durch die Vernetzung **14** .... Computer hätten sie die Möglichkeit, Kinder und Beruf **15** .... einen Hut zu bringen. 28% **16** .... im Internet Kontakt zu gleich gesinnten Leuten, die sie im **17** .... Leben nie treffen würden. Da können sie problemlos **18** .... Ideen austauschen.

C *Mündliche Präsentation*

Stellen Sie abschließend Ihre Umfrageergebnisse zusammen und präsentieren Sie diese mündlich in einem Kurzvortrag. Denken Sie daran, die Ergebnisse nicht nur zu präsentieren, sondern dabei auch zu analysieren.

B   Stellen Sie mit Hilfe des Textes Ihre eigene Umfrage zum Thema Internetnutzung zusammen. Befragen Sie sich dann gegenseitig in der Gruppe. Vielleicht können Sie Ihren Fragebogen auch an eine deutsche Schule schicken, um herauszufinden, wie junge Menschen in Ihrem Alter das Internet nutzen.

TAKTIK

Achten Sie bei Präsentationen dieser Art darauf, nicht einfach nur Ergebnisse zu präsentieren. Das wäre GCSE-Standard und außerdem sehr eintönig und langweilig. Die Ergebnisse müssen analysiert werden. Zu diesem Zweck ist es sehr nützlich Vermutungen über die Befragten anzustellen.

Beispiel:
Der Grund dafür/für dieses Ergebnis/für diese überwältigende Mehrheit ist wahrscheinlich . . .
Das hat vermutlich mit . . . zu tun.
Das ist sicherlich mit . . . zu begründen.
Man könnte annehmen, dass . . .
Höchstwahrscheinlich liegt die Begründung dafür in . . .

2.3 *Virtueller Handel*

Das Internet eröffnet zahlreiche Möglichkeiten für den Verbraucher. Manche Prognosen sagen sogar, dass schon in wenigen Jahren die Mehrheit der Menschen im Internet einkaufen wird. Doch ist die Neuigkeit wirklich so toll?

A   Haben Sie oder Ihre Familie schon einmal im Internet eingekauft? Welche Erfahrungen haben Sie gemacht? Welche Vor- und Nachteile hat das Internet-Shopping Ihrer Meinung nach?

Shopping für Kaufhausmuffel

Beim E-Commerce wird Verbraucherschutz klein geschrieben. Neue Gütesiegel für Online-Läden sollen jetzt Mindeststandards garantieren

Drei Computerläden vergeblich nach einem bestimmten Modem abgeklappert? Nur heiße Luft und schmallippige Verkäufer? Da macht Einkaufen keinen Spaß. Rund drei Millionen Deutsche stöbern lieber im Internet nach Software, Büchern und (teuren) Accessoires. Per Mausklick wandern Parfümflakons oder Designerlampen in den virtuellen Warenkorb. Geordert wird per Mail, Formular auf der Website, telefonisch oder per Fax. Die Hälfte der Online-Shopper gibt pro Bestellung bis zu 150 Mark aus, jeder Achte über 500 Mark. Statistisch sollen es pro Kunde und Jahr sogar 5857 Mark sein. Und: Mehr als jeder Zweite will es wieder tun. Erstaunlich, denn ein Paradies für konsumwillige Surfer sind die Internet-Shops gerade nicht. E-Commerce funktioniert häufig noch nach Wildwest-Manier. Da schwirren Kreditkartennummern unverschlüsselt durchs Netz, wird Ware Wochen später oder gar nicht geliefert, und billiger als im realen Warenhaus ist es auch nicht immer.

Harald Summa, Geschäftsführer des Verbandes der Deutschen Internetwirtschaft, eco Electronic Commerce Forum e.V. in Köln, kann „für die meisten Shops nur die Note mangelhaft vergeben". Bislang habe es „kaum Vorteile", im Netz zu bestellen, ärgert sich Summa. Der Verband hat tausend elektronische Kaufläden unter die Lupe genommen. Bei 23 Prozent der Internet-Warenhäuser „fehlen" auf der Website die Allgemeinen Geschäftsbedingungen (AGB). Erst wenn der Kunde sie gelesen hat, ist ein Kaufvertrag rechtsgültig. Ein Viertel der Online-Stores hat keine Warenkorbfunktion, mit der ausgesuchte Artikel gesammelt und vor der virtuellen Kasse zurückgegeben werden können – etwa nach einem Blick auf die horrenden Versandkosten.

Nur knapp jedes fünfte Unternehmen verschlüsselt die Kundendaten im sicheren SSL-Format (Secure Sockets Layer); zu erkennen an dem Security-Schlüssel links unten im Browser-Fenster. Wer trotzdem per Internet zuschlagen will, muss obendrein Geduld haben: 58 Prozent der elektronischen Shops nennen keine verbindlichen Lieferzeiten. Nur jeder fünfte Anbieter verspricht, die Kundenwünsche innerhalb von drei Tagen zu erfüllen.

B   Lesen Sie den ersten Absatz des Textes „Shopping für Kaufhausmuffel" und erklären Sie, welche Informationen zu den folgenden Zahlen gehören:

- 3 Millionen
- 150
- 500
- 5857
- 50%

C   Ersetzen Sie die folgenden Wörter im Text mit einem anderen Wort bzw. einem anderen Ausdruck Ihrer Wahl, ohne dabei den Inhalt des Textes zu verändern.

1 vergeblich
2 stöbern
3 geordert
4 erstaunlich
5 schwirren
6 realen
7 unter die Lupe genommen
8 ausgesuchte
9 horrenden
10 obendrein

D   Lesen Sie jetzt den gesamten Text und listen Sie dabei alle Nachteile des Internet-Shoppings auf.

PRAXIS

Zum Nachschlagen: Passive, p. 150

1 Im ersten Absatz wird der Einkaufsprozess im Internet beschrieben. Dabei werden zweimal Passivkonstruktionen verwendet. Finden Sie beide Sätze.

2 Nutzen Sie die Informationen aus dem ersten Absatz, um das Einkaufen im Internet mit dem Einkaufsvorgang in einem Geschäft zu vergleichen. Verwenden Sie dazu ausschließlich Passivkonstruktionen.

E   *Schriftliche Arbeit*

Stellen Sie sich vor, Sie sind ein(e) enttäuschte(r) Kunde/Kundin des Internethandels. Schreiben Sie einen Brief/eine E-Mail an den Verband der deutschen Internetwirtschaft, in dem Sie sich über die Mängel des Internet-Shoppings beschweren. Benutzen Sie dazu möglichst viele Informationen aus dem Text und auch Ihre eigenen Ideen. Schreiben Sie nicht mehr als 180 Wörter.

2.4 *Sicherheitssysteme*

Immer mehr Geschäfte kann man heutzutage per Computer abwickeln. Doch viele Leute sorgen sich um die Sicherheit ihrer Daten. Lesen Sie hier von neuen Systemen, die diese Sicherheit gewährleisten sollen.

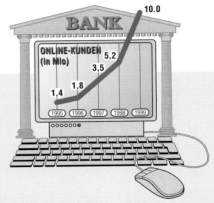

BANKGESCHÄFTE ONLINE
Mehr als 10 Millionen
Deutsche haben sich 1999 per
PC in ihr Konto geklickt

Internet: Neue Sicherheitssysteme

Alles streng geheim!

Unbefugter Zugriff verboten: Intelligente Software und Zusatzgeräte schützen den Computer und versendete Daten vor Missbrauch

Begrenzte Öffnungszeiten und Schalterschlangen sind für viele Schnee von gestern: Mehr als 5 Millionen Deutsche nutzen die Vorteile von Homebanking, klicken sich per PC ins Konto – Tendenz steil steigend. Und die interaktiven Geldgeschäfte werden dank ständig verbesserter Systeme immer sicherer und einfacher.

Die Zauberformel lautet **HOMEBANKING COMPUTER INTERFACE (HBCI)**. Der neue Standard macht Schluss mit dem lästigen Jonglieren von Transaktions- und persönlichen Identifikationsnummern (TAN, PIN). Immer mehr Geldinstitute verwenden ihn, denn HBCI versichert der Bank zusätzlich, dass Überweisung & Co. auch wirklich vom User stammen. Möglich macht das die **DIGITALE SIGNATUR**: Nachrichten, die Sie per PC verschicken, werden dabei verschlüsselt und mit einer „elektronischen Unterschrift" versehen. Was man dazu braucht? Eine **CHIPKARTE** (darauf ist ein persönlicher Code gespeichert), die spezielle Software und ein Kartenlesegerät. Das wird einfach an der PC angeschlossen – schon werden Nachrichten und Daten „vollversiegelt" übers Netz gejagt. Der

Empfänger kann nun sicher sein, dass der Absender authentisch ist, da seine Signatur-Software die codierte Info wieder übersetzt. Wo gibt's die digitale Signatur? Banken, die schon damit arbeiten, bieten das Gesamtpaket ihren Kunden teilweise kostenlos an. Fragen Sie mal nach! Übrigens: Wer auch **PRIVATE E-MAILS** digital codieren möchte, kriegt Sets ab etwa 160 Mark bei der Telekom. Allmählich setzt sich der Standard immer mehr durch, schon bald kann man mit diesem System auch Meldungen an Behörden oder sogar ein Testament an den Notar übermitteln.

A Lesen Sie den Text „Alles streng geheim!" und fassen Sie die wesentlichen Informationen des Textes auf Englisch zusammen.

B Erklären Sie die folgenden Wörter bzw. Ausdrücke im Sinne des Textes mit Ihren eigenen Worten.

1 unbefugter Zugriff
2 begrenzte Öffnungszeiten
3 Schnee von gestern
4 Tendenz steil steigend
5 die Zauberformel
6 lästig(em)
7 werden ... verschlüsselt
8 ein Testament

TAKTIK

Hiermit ist keine wörtliche Übersetzung gemeint (Aufgabe A). Versuchen Sie also, das Wörterbuch nur in Ausnahmefällen zu verwenden. Unterstreichen Sie zuerst alle Wörter, die Sie unbedingt nachschlagen müssen, um diese Aufgabe zu erfüllen, und setzen Sie sich dabei ein Limit, z. B. 10 Wörter im ganzen Text.

C Hören Sie sich die Statistiken darüber an, wie Männer und Frauen ihre Passwörter wählen. Kopieren Sie die folgende Tabelle und füllen Sie sie aus.

Passwörter	Frauen (%)	Männer (%)
Namen von Verwandten		

D *Debatte*

Bereiten Sie gemeinsam mit einem Partner/einer Partnerin ein Rollenspiel zum Thema Homebanking vor. Partner/in A befürwortet diese Entwicklung und erledigt bereits die meisten Bankgeschäfte per Computer. Partner/in B ist dagegen skeptisch. Computergeschäfte sind ihm/ihr zu unsicher.

PRAXIS

Zum Nachschlagen: Adjective endings, p. 143; pronouns, p. 140; articles, p. 138

Lesen Sie nun den letzten Absatz des Artikels und ergänzen Sie dabei die fehlenden Endungen.

Wer auch sein..... PC vor fremd..... Zugang schützen will, ist mit ein..... Fingerabdruckscanner (ab 200 Mark) auf d..... sicher..... Seite. D..... Geräte – nicht größer als ein..... Computermaus – speichern Ihr..... persönlich..... Fingercode, bei jed..... Start wird d..... User auf dies..... „natürlich....." Befugnis gecheckt. Leicht zu knacken..... Passwörter können Sie damit getrost vergessen. Nur wer d..... richtig..... Händchen hat, kann an d..... PC arbeiten – und das sind Sie!

2.5 *Boom in der Computerbranche*

Wie Sie bereits wissen, bestimmen Computer mehr und mehr unser Leben. Doch wer sind die Leute, die hinter all diesen faszinierenden Neuerungen stehen? Welche Berufsbereiche öffnen sich? Lesen Sie hier von einem Beispiel.

A Lesen Sie den ersten Abschnitt des Textes „Die neuen High-Tech-Jobs" und schreiben Sie alle Wörter und Phrasen heraus, die mit der Computerbranche zu tun haben.

Die neuen High-Tech-Jobs:

Stell dir vor, die Branche boomt – und keine Frau geht hin …

Das darf doch wohl nicht wahr sein. Denn: Rund um die Informationstechnologie sind 1,5 Millionen neue Arbeitsplätze in Sicht. Vielseitig, ausbaufähig, gut bezahlt – ideal für Ein- und Umsteigerinnen

Die Zukunft findet längst statt – Zauberwort „Vernetzung": Immer mehr Betriebsbereiche werden durch Hochleistungs-Computer aufgerüstet und miteinander verbunden. Eine globale Wirtschaft braucht immer schnellere internationale Kontakte und Informationen. Kommunikation über Netze beginnt innerhalb der Firmen (Intranet), setzt sich mobil fort (Funknetze) und kennt weltweit keine Grenzen (Internet). Logisch also: Wer solche Kommunkationsnetze aufbauen, integrieren und betreuen kann, hat in Zukunft hervorragende Karten. Ebenfalls gern gesehen ist, wer kompetent die riesigen Datenberge managt, mit denen Firmen heutzutage umgehen müssen.

Vier neue marktgeschneiderte IT-Berufsausbildungen kommen da gerade recht. In unterschiedlicher Gewichtung verbinden sie kaufmännische und technische Qualifikationen miteinander. Mehr als 12 000 Ausbildungsverträge für angehende IT-System-Elektroniker/innen, IT-System-Kaufleute, Fachinformatiker/innen oder Informatik-Kaufleute sind bereits abgeschlossen worden.

B Lesen Sie jetzt den zweiten Teil des Textes (Seite 34), kopieren Sie und ergänzen Sie das folgende Formular mit Angaben zu der erwähnten Person.

Name *Kathrin Sabe*

Alter ....

Schulabschluss ....

Ausbildung ....

Studium ....

Fortbildung ....

erste Arbeitsstelle und Funktion ....

jetzige Stelle und Aufgabenbereich ....

ursprünglicher Berufswunsch ....

PRAXIS

Zum Nachschlagen: Pluperfect, p. 149

1 Finden Sie eine Plusquamperfektform im Text. Schreiben Sie den entsprechenden Satz heraus, übersetzen Sie ihn ins Englische und erklären Sie, warum diese Zeitform hier verwendet wird.

2 Verbinden Sie die folgenden Wortgruppen mit Hilfe der Wörter „nachdem" und „bevor". Dabei sollte ein Teil im Imperfekt und ein Teil im Plusquamperfekt stehen.

Beispiel: das Abitur bestehen – zur Uni gehen

Nachdem ich das Abitur **bestanden hatte**, **ging** ich zur Universität.

a seinen Wehrdienst leisten – seine Ausbildung zum Bankkaufmann beginnen

b ihre Tochter zur Welt bringen – nur noch halbtags arbeiten

c ein Jahr in Frankreich verbringen – fließend Französisch sprechen

d ein Praktikum bei einem Anwalt absolvieren – sich entschließen, Jura zu studieren

e zur Uni gehen – ein Freiwilliges Soziales Jahr absolvieren

f den Beruf wechseln – als Krankenschwester arbeiten

g sich auf seine Karriere konzentrieren – eine große Europareise unternehmen

h nach Berlin umziehen – sein ganzes Leben in einer Kleinstadt leben

KATHRIN SABE, 30, entschied sich nach dem Abi zunächst für eine kaufmännische Ausbildung zur Programmiererin, mit dem Plan, erst anschließend Informatik zu studieren. Neben dem Studium entdeckte und entwickelte sie ihre grafischen Fähigkeiten, entwarf Firmenlogos und Visitenkarten. Obwohl sie das Studium – Informatik mit Medizin im Nebenfach – spannend fand, vermisste sie eine Verknüpfung von Technik und Kreativität. Erst recht, nachdem sie einmal das Internet kennen gelernt hatte. „Ich wusste sehr schnell, dass ich dort meine Erfahrungen und Interessen perfekt einsetzen kann." Sie gab das Studium auf und machte eine einjährige Fortbildung zur Online-Entwicklerin.

Mit Erfolg: Ihr Praktikumsbetrieb – eine Multimedia-Agentur – stellte sie anschließend sofort ein, und schon nach drei Monaten Probezeit übernahm sie die Leitung des gesamten IT-Bereichs. Inzwischen arbeitet sie bei einer größeren Full-Service-Agentur, die Online-Auftritte konzeptualisiert, realisiert und vermarktet. Sie programmiert die verschiedenen Funktionen interaktiver Websites, pflegt das Rechnernetz der Agentur, installiert Software, repariert Hardware. „Ich kann in diesem Beruf Technik und Kreativität prima miteinander kombinieren – in einer verantwortungsvollen Position."

Ihr erstes Rendezvous mit einem Rechner hatte Kathrin Sabe in einem Feriencamp. „Von dem Moment an hat mich der Computer nicht mehr losgelassen." Sie las viel darüber, probierte jede Menge aus, belegte Kurse. „Es hat mir einfach Spaß gemacht, auch weil es eben nicht typisch Mädchen war." Bis sie 16 wurde, wollte sie eigentlich Tierärztin werden. Aber als sie ihren Hund einmal zu einem kleinen ambulanten Eingriff in eine Praxis bringen musste, war ihr klar: „Ich kann das nicht. Operieren, ein Tier womöglich einschläfern. Auch wenn ich weiß, dass man ihm damit hilft." Dafür hilft sie jetzt dem Tierschutzverein bei EDV-Problemen, besorgt Software und will auch für einen Internet-Auftritt sorgen.

C *Mündliche Präsentation*

Fragen Sie eine/n Verwandte(n) oder Bekannte(n) nach ihrem/seinem beruflichen Werdegang (Ausbildung, Stellen, Positionen, Fähigkeiten usw.) und berichten Sie der Gruppe darüber in einem Vortrag von etwa 3–5 Minuten. Versuchen Sie dabei, ein paar Mal das Plusquamperfekt zu verwenden (siehe Praxis, Seite 33).

2.6 *Erfinderwiege*

Die Entwicklung neuer Technologien hat viel mit Erfinderreichtum zu tun. Lesen Sie hier von einer Schule in Bayern mit einem einzigartigen Unterrichtsfach, das die Kreativität der Schüler fördern will.

Heizung im Schuhspanner

Die Schüler eines bayerischen Gymnasiums werden im Unterricht zum Tüfteln animiert – und liefern gleich dutzendweise praktische Erfindungen ab.

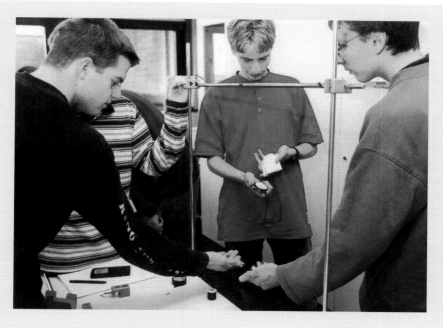

a Schon seit Jahren bietet das Fürstenzeller Gymnasium seinen Schülern das Wahlfach „Erfinden" an – mit erstaunlicher Resonanz. 12- bis 14-Jährige bastelten so hilfreiche Dinge wie einen klemmfreien Reißverschluss oder einen „Bewegungs-trainer" zur Unterstützung der Beinarbeit von Bettlägerigen, eine Abschaltautomatik für Herdplatten oder einen Melder für nicht richtig aufgelegte Telefonhörer.

b Beim Bundeswettbewerb „Jugend forscht" und bei Erfindermessen wie der Iena in Nürnberg gewinnen die Schüler aus Niederbayern mit solchen Ideen regelmäßig Medaillen. Seit der Kunstlehrer Hubert Fenzl im Schuljahr 1983/84 die erste Erfinderklasse anbot, wurden für immerhin 18 Erfindungen aus Fürstenzell Patente erteilt, eine Reihe weiterer Patente sind angemeldet. Die jugendlichen Tüftler brachten der Schule den Ehrennamen „Erfinder-Gymnasium" ein.

Im vergangenen Schuljahr hat für Lehrer Fenzl dessen Kollege Manfred Koser, 50, das seiner Meinung nach „weltweit einzigartige Projekt" übernommen.

c Mit seinen derzeit 40 Schützlingen – 6 davon sind Mädchen – paukt er zunächst einmal Grundkenntnisse der Elektronik und lässt sie kleine Männchen mit Augen aus Leuchtdioden löten. Schon bald aber darf jeder der Kleinen tüfteln, woran er will. Beim Schrauben, Sägen und Löten im Gymnasiumskeller gibt Koser Tipps und achtet auf die Sicherheit, ansonsten sind Fehler durchaus erwünscht, denn, so der Pädagoge, „aus denen lernt man am meisten."

d Der 12-jährige Robert Schießl etwa will eine Innenbeleuchtung für eine Handtasche basteln – beim Öffnen geht ein Lämpchen an, beim Schließen erlischt es automatisch. Lehrer Koser gibt zu bedenken, dass viele Frauen vergessen, ihre Handtaschen zu schließen, was zur Folge hätte, dass die Batterie schnell verbraucht wäre. Robert entschließt sich, noch mal neu zu überlegen.

e Eine goldene Erfinderregel in Fürstenzell lautet: Nur ein winziger Teil ist Inspiration, der Rest Transpiration. So werkelte Iris Koser, 14, die Tochter des Lehrers, fast ein Jahr lang an einem Einhand-Wundpflaster herum, „weil man bei Notfällen oft keinen hat, der einem hilft". Für das Resultat ihrer Mühen, ein Pflaster mit einer integrierten Pappschablone, bekam sie eine Goldmedaille bei der Nürnberger Erfindermesse. Die Schutzrechte sind angemeldet, ein Pflasterhersteller hat bereits Interesse an der Erfindung angemeldet.

f Die 14-jährige Ilone Sinner berichtet: „Wir sollten uns eine Lösung für ein Alltagsproblem ausdenken, das uns besonders stört – und weil es gerade kalt war und regnete, habe ich mir eine möglichst perfekte Methode zum Schuhtrocknen gewünscht." Zusammen mit ihrer Freundin Daniela Nöbauer baute sie einen kleinen elektrischen Heizkörper in einen Holzschuhspanner ein und wärmte zugleich die Sohle mit einer Alu-Platte. Der Clou des Geräts: Feuchtigkeitssensoren messen, wann der Schuh trocken ist, und schalten die Heizung automatisch aus.

A Lesen Sie den Text „Heizung im Schuhspanner" und ordnen Sie jedem Abschnitt eine der folgenden Überschriften zu. Vorsicht! Es gibt mehr Überschriften als Absätze.

1 Aus Fehlern wird man klug
2 Das Basiswissen muss stimmen
3 Fleißige Abiturienten
4 Geld spielt keine Rolle
5 Mittel gegen kalte Füße
6 Schule der Erfinder
7 Von Erfolg gekrönt
8 Was lange währt, wird endlich gut

B Nach eigenen Angaben erwachsen die Erfindungen der Schüler aus Alltagsproblemen. Stellen Sie eine Liste aller im Text erwähnten Erfindungen zusammen und beschreiben Sie dann in je einem Satz das Problem, das durch diese Erfindung gelöst wird.

Erfindung	Alltagsproblem
klemmfreier Reißverschluss	Stoff verhängt sich im Reißverschluss beim Schließen oder Öffnen.

C Was halten Sie von dem Unterrichtsfach „Erfinden"? Diskutieren Sie diese Frage in der Gruppe. Bedenken Sie dabei auch die folgenden Punkte:

- Prüfungen
- Noten
- Kreativität
- Eigenständigkeit
- Lehrplan
- Zeitaufwand
- Erfolgserlebnis

PRAXIS

Zum Nachschlagen: Gerund, p. 137

Im Text finden Sie die folgenden Beispiele des Gerundiums:

- Beim Schrauben, Sägen und Löten im Gymnasiumskeller gibt Koser Tipps…
- …beim Öffnen geht ein Lämpchen an, beim Schließen erlischt es automatisch.
- …habe ich mir eine möglichst perfekte Methode zum Schuhtrocknen gewünscht.

Ergänzen Sie die folgende Zusammenfassung des Textes mit Gerundiumformen (+Artikel). Sie können alle Verben im Text finden (in der richtigen Reihenfolge).

In einem einzigartigen Unterrichtsfach lernen Schüler in Fürstenzell **1** ……… Der Lehrer unterstützt die Klasse bei **2** ……… von Neuerungen. Nicht selten werden diese mit **3** ……… von Preisen und Medaillen belohnt. Auch **4** ……… von Patenten ist nichts Ungewöhnliches. Am Anfang des Kurses steht **5** ……… von Grundkenntnissen, bevor mit **6** ……… begonnen werden kann. Normalerweise sind Alltagsprobleme die Grundlage für **7** ……… neuer Geräte, wie z.B. der Schuhheizung. Diese übernimmt **8** ……… der Schuhsohle und trocknet somit feuchte Schuhe.

2.7 Bundeswettbewerb „Jugend forscht"

Im letzten Text wurde der Bundeswettbewerb „Jugend forscht" erwähnt, der junge Leute dazu ermutigen soll, neue Ideen zu entwickeln. Sehen Sie rechts einen Aufruf aus einer Jugendzeitschrift für Mädchen.

A Lesen Sie die Werbung der Stiftung „Jugend forscht" und ergänzen Sie die folgenden Sätze mit Informationen aus dem Text.

1 Mädchen eignen sich für den Wettbewerb besonders gut, weil…
2 Von den Teilnehmern wird erwartet, dass…
3 Die erfolgreichen Erfinder können…
4 Biologie und Chemie sind nur zwei von…
5 Grundbedingungen für die Teilnahme sind…
6 Mehr Informationen kann man…

B *Mündliche Präsentation*

Nutzen Sie die angegebene Adresse und Internetseite, um mehr Informationen über den Wettbewerb herauszufinden. Stellen Sie eine Präsentation von ca. 3–5 Minuten zusammen.

C *Schriftliche Arbeit*

Wählen Sie eine Erfindung aus dem Text in 2.6 (Seite 35) oder eine eigene Idee und schreiben Sie eine Anmeldung für den Wettbewerb, in der Sie Ihre Neuerung vorstellen (ca. 180 Wörter).

...darum liegen sie bei Jugend forscht voll im Trend. Denn Neugier und Fantasie, Ausdauer, Wissen und jede Menge gute Ideen sind die wichtigsten Voraussetzungen, um am Wettbewerb teilzunehmen. Geforscht werden kann allein, zu zweit oder zu dritt. Es gibt tolle Preise – von der Reise nach Marokko über Zeitschriftenabos bis zum Geldpreis – und viele Freunde zu gewinnen. Zur Auswahl stehen sieben Fachgebiete: Biologie, Chemie, Geo- und Raumwissenschaften, Mathematik/Informatik, Physik, Technik und Arbeitswelt und Tausende interessanter Fragen...

Mädchen sind tierisch neugierig

Hat Knoblauch heilende Wirkung?
Schützt Hautcreme wirklich
vor Umwelteinflüssen?
Was macht den Lippenstift
so blau?
Gibt es eine ökologische
Alternative zu
Insektensprays?
Warum duften einige
Rosen nicht?
Wie glitzern Diamanten
am schönsten?
Was ist das
Geheimnis der
Pyramiden?
Ran an den Winterspeck: Stimmt
die Reklame für Sportgeräte und
Fitnessdrinks?
Wie bringt man Dinge zum Sprechen? –
Arbeitsmittel für Blinde.
Wie sehen die idealen Rollerblades aus?

Mitmachen können alle, die noch keine 22 Jahre alt sind, die Schule besuchen, eine Ausbildung machen oder im ersten Semester studieren.

Anmeldeunterlagen
und Infos gibt es bei der
Stiftung Jugend forscht e.v.
Baumwall 5
20459 Hamburg
Tel.: 040/37 47 09 55
Fax: 040/37 47 09 99
E-Mail: JufoHH@aol.com
oder seht auf unseren Internetseiten nach:
http://www.jugend-forscht.de

jugend ● forscht

2.8 *Belästigung durch Handys* 📖 ✏️ ✒️

Handys, wie die Mobiltelefone in Deutschland genannt werden, erfreuen sich immer größerer Beliebtheit. Wen wundert es da, dass sich viele Leute durch Geklingel und laute Gesprächen belästigt fühlen. Oder sind sie vielleicht nur neidisch?

A Lesen Sie den Text „Einfach mal abschalten" und setzen Sie dabei die folgenden Satzhälften entsprechend zusammen. Vorsicht! Es gibt mehr Satzenden als -anfänge.

1 Etwa 15,4 Millionen Mobiltelefone
2 Mathias Plica
3 Handybenutzer
4 Hermann Bareiss
5 Restaurantbesucher
6 Vornehme Lokale
7 Gäste eines Hamburger Restaurants
8 Münchner Bürger
9 ICE-Züge
10 Bahnkunden

a erforscht das Handyverhalten der Deutschen.
b fühlen sich durch Handys in öffentlichen Verkehrsmitteln gestört.
c haben die Möglichkeit, in handyfreien Zonen zu reisen.
d halten Handygeklingel für äußerst lästig.
e hatten bis vor kurzem Probleme mit dem Handyempfang.
f können die Benutzung von Handys nicht verbieten.
g müssen ihre Handys mit dem Mantel abgeben.
h müssen zwangsläufig Telefongespräche mithören.
i sind im Besitz von Bundesbürgern.
j spricht sich gegen Handys in Restaurants aus.
k verärgern Besucher öffentlicher Gebäude.
l verurteilt Handybenutzung in der Öffentlichkeit.

B Erklären Sie die folgenden Ausdrücke im Sinne des Textes mit Ihren eigenen Worten:

1 Telefonitis mobilis (1. Absatz)
2 Statussymbol (1. Absatz)
3 Gourmet-Tempel (3. Absatz)
4 personalaufwendige Lösung (3. Absatz)
5 Kommunikationsmensch (5. Absatz)
6 Wettbewerbsvorteil (5. Absatz

C Hören Sie jetzt, was Felix und Winfried zur Benutzung von Handys zu sagen haben. Wer von den beiden äußert die folgenden Meinungen? Felix antwortet zuerst.

1 Mobiltelefone sind im Privatleben überflüssig.
2 Man kann ein Handy auch erreichen, wenn es abgeschaltet ist.
3 Kinder betrachten Handys oftmals als Spielzeug.
4 In der nahen Zukunft wird die Mehrheit ein Handy besitzen.
5 Im Berufsleben bieten Handys enorme Vorteile.
6 Handys stören nur in Ausnahmefällen.
7 Es ist praktisch, wenn man bei Notfällen ein Handy bei sich hat.
8 Der Sinn von Handys ist in bestimmten Situationen fragwürdig.

D *Schriftliche Arbeit*

Im Lesetext steht das folgende Zitat: „Wir haben kein Handy-Problem, sondern manche Menschen haben ein Problem mit der Höflichkeit." Diskutieren Sie diese Behauptung in einem Aufsatz von etwa 250 Wörtern.

TELEFONITIS

Das Handy: Wann ist es unverzichtbar, wann wird es zur Sucht und wann ein Ärgernis für Mitmenschen?

EINFACH MAL ABSCHALTEN

Die Deutschen leiden unter Telefonitis mobilis: 25 Millionen Male am Tag klingelt hierzulande ein Handy. Mal trällert „Für Elise" aus der Manteltasche, direkt danach piiiiieeeeepst ein Gerät unerbittlich aus dem Gürtelhalter. Neuester Trend: Techno-Sounds aus dem Schulranzen. Wegen der stetig sinkenden Preise taugt ein Mobiltelefon längst nicht mehr zum Statussymbol. 15,4 Millionen Handys gibt es heute in Deutschland. Statistisch, so schätzt der Münchner Marktforscher Mathias Plica, klingelt jedes zweimal täglich. Und zwei Stunden lang pro Monat hängt der durchschnittliche Mobilfunkkunde am Apparat. Die Menschen um ihn herum nervt das. Sie fordern handyfreie Zonen in Restaurants, Museen oder Kirchen.

„Ich bin für Mittagspausen ohne Erreichbarkeitsmodul", sagt der Gastronom Hermann Bareiss. Er möchte, dass Restaurants „Oasen der Ruhe" bleiben, und da stört einfach das Geklingel. „Wir haben kein Handy-Problem, sondern manche Menschen haben ein Problem mit der Höflichkeit", sagt der Besitzer eines Hotels in Baiersbronn-Mitteltal. „Handybenutzer sprechen meist zu laut oder provozieren geradezu, dass man ihnen am Nebentisch zuhört." Außerdem, so Bareiss, wird per Handy meist nur lauthals dummes Zeug geredet. Doch Schilder „Handys verboten" passen vielleicht in eine Bahnhofsgaststätte – aber nicht in ein Edel-Restaurant.

Im Gourmet-Tempel des Hamburger Hotels Louis C. Jacob direkt am Elbufer wurde eine gute, aber personalaufwendige Lösung gefunden: Die Gäste werden gebeten, ihr Handy an der Garderobe zurückzulassen – eingeschaltet. Ein Mitarbeiter des Hauses macht dann den Gast unauffällig darauf aufmerksam, wenn sein Handy klingelt.

Die Münchner Stadtwerke haben ihre Fahrgäste befragt, ob sie sich von Handy-Gesprächen gestört fühlen. „Mehr als 70 Prozent unserer Kunden antworteten mit Ja", sagt Bettina Hirschheiter, Sprecherin der Stadtwerke in der Isar-Metropole. Also wurde das Telefonieren in der Subway, aber auch in Straßenbahn und Bus verboten. „Außerdem", so Hirschheiter, „lässt sich immer noch nicht genau sagen, ob sich die Strahlung der Handys nicht gefährlich auf die Funkleitsysteme der Verkehrsmittel auswirkt." Jetzt soll eine weitere Umfrage klären, ob sich die Meinung der Fahrgäste geändert hat.

Die Deutsche Bahne verfolgt andere Handy-Ziele. Ihr Sprecher Martin Katz benutzt als „Kommunikationsmensch" gern die kleine Sprechbox – natürlich auch im Zug. Deshalb freute er sich, als er im Februar verkünden durfte, dass der Handy-Empfang in allen ICE-Zügen verbessert wurde. Bis dahin war dank metallbedampfter Scheiben in den Waggons kein Funkempfang möglich. Jetzt wurde in den derzeit 103 Zügen für beide Klassen ein Wagen mit einem Repeater ausgestattet. Dieser verstärkt die Funksignale von D1 und D2 ins Wageninnere hinein. Mitte dieses Jahres sollen dann jeweils fünf Waggons, also der halbe Zug, mit Verstärkern ausgestattet sein. „Wir sehen das auch als Wettbewerbsvorteil gegenüber dem Flugzeug und dem Auto", sagt Katz. Reisende Manager können endlich ungehindert in der Eisenbahn weiterarbeiten.

Stört das nicht den Rest der Bahn-Kunden? „Nein", versichert der Bahn-Mann, „wer will, kann jederzeit einen Platz in der handyfreien Zone buchen." Parallel zur Einführung der Repeater wurden nämlich Ruhezonen eingerichtet, in denen Handy-Gespräche nicht erlaubt sind. Und im Speisewagen sind Telefonate schon lange unerwünscht. „Die Gäste sollen in Ruhe essen können."

2.9 *Weltraumforschung*

Die Erforschung neuer Technologien beschränkt sich schon seit Jahrzehnten nicht mehr nur auf die Erde. Trotzdem hat die Weltraumforschung nichts an ihrer Faszination verloren. Manche Leute meinen jedoch, dass uns die Erde groß genug sein sollte. Hören Sie hier, was Claudia und Kathrin zu diesem Thema meinen.

A Welche grundlegenden Meinungen haben Claudia und Kathrin zum Thema Weltraumforschung? Fassen Sie diese in jeweils ein bis zwei Sätzen zusammen. (Claudia antwortet zuerst.)

B Hören Sie sich die Diskussion noch einmal an und beantworten Sie dabei die folgenden Fragen.

1 Worin besteht Claudias Meinung nach der Nutzen der Weltraumforschung? [3]
2 Warum sucht die Menschheit nach Wegen, die Erde zu verlassen? [2]
3 Wie ist Kathrins Reaktion auf diese Aussage? [2]
4 Was ist der Grundantrieb der Weltraumforschung? [1]
5 Welchen Nutzen hat die Weltraumforschung für das Leben auf der Erde? [4]
6 Was tut die Weltraumforschung für das Selbstwertgefühl der Menschheit? [2]

C Hören Sie sich Claudias erste Aussage mehrmals an und fertigen Sie eine Abschrift an.

D Diskutieren Sie das Thema Weltraumforschung in der Gruppe. Wählen Sie zu diesem Zweck einen Diskussionsleiter, der die Diskussion führen sollte. Machen Sie sich zuerst Notizen von allen Argumenten, die Sie verwenden möchten. Nutzen Sie dazu Informationen aus dem Text, aber auch Ihre eigenen Ideen.

2.10 *Weltraumtourismus*

Wer hat nicht schon einmal davon geträumt, zum Mond zu fliegen?
Laut Zukunftsforschern soll das noch in diesem Jahrhundert
Wirklichkeit werden. Schon jetzt gibt es Pläne für Ferienangebote. Und
wer sich das nicht leisten kann, macht in virtuellen Welten Urlaub.

AB INS ALL

Pauschalreisen zum Mond ab 2050. Und schon jetzt surfen Hunderttausende zu digitalen Welten.
Willkommen im 21. Jahrhundert!

Tief durchatmen! Noch einmal. Dann hebt das Shuttle ab. Die Beschleunigung presst die Touristin in den Sitz. Neun lange Minuten, dann ist sie im All. Und glücklich: Ihre Urlaubsreise zum Mond hat begonnen. Dort hat sie im „Lunar Hilton" gebucht. Mit besonderem Fitness-Programm: Riesenhopser, wegen der geringen Schwerkraft. So eine Reise könnte Mitte dieses Jahrhunderts wahr werden. Sagen Unternehmen, die bereits jetzt an Konzepten für den Weltraum-Tourismus basteln: DaimlerChrysler Aerospace design sich ein Hotel „Galactica", 450 Kilometer über den Wolken. Mit schicken bierdosenförmigen Wohnmodulen. Eröffnung: frühestens 2030. Die Dependance der Hilton-Gruppe soll 5 000 Betten haben, Restaurants und eine multireligiöse Kirche. Andere Konzerne wie Kawasaki in Japan experimentieren mit Raum-Shuttles als Zubringern. Ein bisschen Sorgen bereiten den Anbietern nur noch die Preise. Bei etwa 400 000 Mark für eine Woche Vollpension im „Galactica" rechnet niemand mit einem Massenansturm. Na ja, vielleicht wird's günstiger in der Nachsaison! Nur wann die im All ist, weiß noch keiner so recht. Wem das Universum zu teuer oder zu kalt ist, der reist per Computer durchs Metaversum. Dafür können sich Surfer im Internet die Software kostenlos runterladen. „Active Worlds" zum Beispiel bietet mehr als 600 digitale Welten, von Fantasy-

Mal alles hinter sich lassen: zum Beispiel die Erde

Planeten mit eigenem Klima bis zu Nachbildungen der Realität. Menschen wohnen dort auch – andere Computer-Nutzer, die sich gegen eine Jahresgebühr von 20 Dollar auf diesen Welten ein virtuelles Zuhause bauen. Die cyber-reisenden Touris und die Bewohner werden im Computer durch „Avatare" vertreten, kleine drei-dimensionale Figuren, die mit-einander kommunizieren und sogar Macarena tanzen können. Während die Besucher meist im uniformen Grau herumlaufen müssen, können die Einheimischen wählen, ob sich ihre Avatare ein Hawaii-Hemd anziehen oder lieber das kleine Schwarze. Mein Lieblingsplatz ist die „Bärentopf-Taverne" auf der Welt Alaska. Manchmal, wenn mein Avatar neben dem Kaminfeuer steht und auf die schneebedeckten Berge schaut, träume ich: dass mir meine noch ungeborenen Enkel einmal ein Souvenir vom realen Mond mitbringen – einen blasigen Magma-brocken als Brief-beschwerer.

Infopunkt

Reisetipps

Buchtipp: „Reisen zum Mond", wie man hinkommt und welche Sehenswürdigkeiten man nicht verpassen sollte (Koval, 24,80 DM).

Mondregister: ein Gag des Reiseveranstalters Thomas Cook. Allein in Deutschland haben sich schon 8 000 Interessenten für eine Mondreise auf die unverbindliche (!) Warteliste setzen lassen. Zertifikat gegen zehn Mark. Internet: www.thomascook.de

Das All im Netz: offizielle Seite der Nasa: http://spaceflight.nasa.gov; Zegrahm (Raumflüge): www.spacevoyages.com; das Artemis-Projekt und die Kolonisierung des Mondes: www.asi.org

Drei-D-Welten im Internet: „Active Worlds" (www.activeworlds.com)

A Lesen Sie den Text „Ab ins All" und finden Sie das Gegenteil für folgende Wörter:

1 Verlangsamung
2 gewöhnlichem
3 starken/großen
4 altmodischen
5 Konsumenten

6 Besucherflaute
7 Originale
8 schweigen
9 ausgefallenen
10 Fremden

B Entscheiden Sie nun, ob die folgenden Aussagen richtig (R), falsch (F) oder nicht im Text (N) sind. Berichtigen Sie die falschen Aussagen.

Beispiel: **1** Neun Minuten dauert die Reise von der Erde ins Weltall. Wie lange sie bis zum Mond dauert, wird nicht erwähnt.

1 Die Reise von der Erde bis zum Mond dauert neun Minuten.
2 Die Schwerelosigkeit wird für sportliche Zwecke genutzt.
3 Mondreisen können im 21. Jahrhundert zur Realität werden.
4 Manche Firmen bereiten den Weltraumtourismus schon heute vor.
5 Die Hotelzimmer werden traditionell aussehen.
6 Es gibt schon erste Buchungen für das Hotel.
7 Ein großer Nachteil von Weltraumreisen ist der Preis.
8 Virtueller Tourismus kostet 20 Dollar pro Jahr.
9 „Avatare" können Handlungen ausführen, die reale Menschen auch tun.
10 Bewohner virtueller Welten haben mehr Möglichkeiten als Touristen.

C Stellen Sie einen Reiseprospekt für das Hotel „Galactica" zusammen. Nutzen Sie dazu die Informationen aus dem Text, aber auch Ihre eigenen Ideen. Beachten Sie vor allem die folgenden Punkte:

• An- und Abreise
• Unterkunft
• Einrichtungen
• Freizeitangebote (für die ganze Familie)
• Ausflüge
• Verpflegung

D *Mündliche Präsentation*

Sehen Sie sich noch einmal den zweiten Teil des Textes an. Wie ist Ihre Meinung zum Thema virtueller Tourismus? Stellen Sie einen Kurzvortrag von ca. 2–3 Minuten zusammen, in dem Sie dieses Thema vorstellen.

PRAXIS

Zum Nachschlagen: Subjunctive, p. 150

Im Text können Sie eine Konjunktivform finden:

So eine Reise **könnte** Mitte dieses Jahrhunderts wahr werden.

Schreiben Sie einen Text von etwa 10–15 Sätzen unter dem Titel „Eine imaginäre Reise ins Weltall". Nutzen Sie dazu auch die Informationen aus Ihrem Reiseprospekt aus Aufgabe C.

2.11 *Unterhaltsame Wissenschaft*

Immer mehr Fernsehsendungen bringen den Zuschauern die Wunder neuer Erfindungen nahe. Lesen Sie hier vom wachsenden Interesse und Angebot an Wissenschaftssendungen im deutschen Fernsehen.

WISSEN IST QUOTE

TV-TREND

Fernsehen macht neuerdings schlauer – ebenso lehrreiche wie unterhaltsame Wissenschaftssendungen sind schwer im Kommen

Ein neuer Trend breitet sich machtvoll auf sämtlichen Kanälen aus: Edutainment – Wissenschaftsfernsehen mit Pfiff. Mit dem guten alten Telekolleg hat das Ganze nicht mehr viel zu tun: Da kleben heute Moderatoren kopfüber an der Decke, virtuelle Reporter berichten aus der Zukunft, der Urknall wird per Computeranimation rekonstruiert, Astronauten-Trainings verlost... Die drögen Zeiten sind vorbei: Wissenschaft im Fernsehen ist spannend und spektakulär, und vor allem – sie macht Spaß!

Animiert duch den Erfolg des ZDF-Klassikers „Abenteuer Forschung" haben auch die Privaten jede Menge Science-Magazine aus der Taufe gehoben: „Welt der Wunder" (Pro 7), „Planetopia" (Sat. 1), „Future Trend" (RTL), „Zukunft und Technik" (ntv), „Galileo" (Pro 7), „Tomorrow" (ntv), „History" (Pro 7) – Wissenschaft bringt eben Quote.

„Bildung ist zur Zeit das Megathema", so Ulrike Leutheusser von der Wissenschaftsredaktion des Bayerischen Fernsehens, „die ständige Präsenz von Technik und nicht zuletzt das Internet haben dazu geführt, dass in unserer Gesellschaft ein viel größeres Interesse für Technik und Wissenschaft besteht als je zuvor." Und es ist nicht nur die Bildungselite, die sich für Wissenschaftsthemen interessiert.

80 Prozent der Zuschauer von Wissenschaftssendungen haben kein Abitur, so das Ergebnis einer Studie des Bayerischen Rundfunks.

„In einer Welt, die immer komplexer und undurchschaubarer wird, sind Verständlichkeit und Glaubwürdigkeit besonders gefragt", erklärt Ranga Yogeshwar, Moderator des Wissenschaftsmagazins „Quarks & Co", den neuen Wissensdurst der Gesellschaft.

Viele der Magazine stellen daher bewusst keine überhöhten Ansprüche an die Zuschauer, sondern erklären wissenschaftliche Phänomene verständlich und nachvollziehbar. Die „Sendung mit der Maus" für Erwachsene sozusagen. Die beliebtesten Themen: Astronomie, Naturkatastrophen, Tiere, Zukunftsforschung und alles, was mit Wasser zu tun hat. Aber die Öffentlich-Rechtlichen überlassen ihr ureigenes Feld Wissenschaft keineswegs den Privaten. Wo Letztere mit schnellen, spektakulären Bildern, jungen, smarten Moderatoren und aufwendigen Computeranimationen locken, setzen ARD und ZDF auf wissenschaftliche Kompetenz, journalistisches Können und vor allem auf Bandbreite. Insgesamt wirken die öffentlich-rechtlichen Sendungen meist eine Spur seriöser als ihre privaten Konkurrenten. Dies mag daran liegen, dass die Moderatoren bei Pro 7 und Co.

zwar hübscher sind, die von ARD und ZDF aber offenbar besser verstehen, wovon sie reden. Und das merkt man. Eines aber ist allen Science-Magazinen gemeinsam – man lernt auf jeden Fall was. Fast wie in der Schule. Nur: Hier klappen die Experimente.

A Lesen Sie den Text „Wissen ist Quote" und finden Sie die Entsprechungen für die folgenden Ausdrücke bzw. Definitionen.

1 witzig, unkonventionell
2 Entstehung des Universums
3 eingeführt, ins Programm aufgenommen
4 Leute mit Universitätsabschluss
5 Person, die ein Programm präsentiert
6 setzen nicht zu viel Vorwissen voraus
7 Kinderprogramm der ARD
8 staatliche Fernsehkanäle
9 Vielfältigkeit
10 ein bisschen

B   Lesen Sie den Text noch einmal und beantworten Sie die folgenden Fragen.

1 Inwieweit unterscheiden sich moderne Wissenschaftssendungen von ihren Vorgängern?

2 Warum gibt es plötzlich so viele Wissenschaftssendungen im Fernsehen?

3 Wer sieht diese Sendungen?

4 Was schätzen Zuschauer am meisten?

5 Wie werden die Sendungen präsentiert?

6 Inwieweit unterscheiden sich die Wissenschaftssendungen von öffentlich-rechtlichen und privaten Sendern?

7 Inwieweit unterscheiden sich die Moderatoren?

8 Was ist ein Vorteil aller Sendungen?

C   Die Schülerzeitung Ihrer Partnerschule bittet Sie, einen Artikel über Wissenschaftssendungen im britischen Fernsehen zu schreiben (ca. 180 Wörter). Beachten Sie dabei die folgenden Punkte:

• Angebot
• Inhalt
• Präsentation
• Popularität
• Ihre eigene Einstellung

Infopunkt

Die besten Sendungen

QUARKS & CO
Die preisgekrönte unter den Wissenschafts-sendungen. Interessant, spannend, witzig. WDR3, alle 14 Tage, Dienstag 21.00 Uhr und Samstag 11.45 Uhr

MAX Q
*Spielerische Magazinsendung für Jugendliche. Zielgruppengerecht.
BR 3, alle 14 Tage, Sonntag 15.30 Uhr*

ABENTEUER FORSCHUNG
*Der Klassiker – interessante Themen, außergewöhnliche Bilder, höchstes Niveau.
ZDF, monatlich, Mittwoch 21.00 Uhr*

WELT DER WUNDER
*Hier kracht's gern mal. Wissenschaft peppig und leicht verständlich aufbereitet.
Pro 7, Sonntag 19.00 Uhr*

GLOBUS
*Gut gemachtes Magazin mit spannenden Themen aus Forschung und Technik.
ARD, 16-mal im Jahr, Mittwoch 21.45 Uhr*

PRAXIS

Zum Nachschlagen: Comparatives, p. 144

1 Finden Sie die sieben Komparativformen, die im Text vorkommen.

2 Finden Sie die deutschen Entsprechungen für folgende Adjektive im Text und im „Infopunkt".

  a exciting
  b spectacular
  c understandable
  d comprehensible
  e costly, lavish
  f witty
  g playful
  h unusual
  i lively
  j well made

3 Übersetzen Sie jetzt mit Hilfe dieser Adjektive den folgenden Text ins Deutsche:

Today's science programmes are far more exciting and lively than their predecessors. The reasons for this are more lavish and spectacular ideas. More understandable and wittier presentations attract a bigger audience. More unusual topics and pictures are presented in more playful animations. Younger viewers are attracted by better made and more comprehensible experiments.

Arbeit: jetzt und in der Zukunft

*I*n dieser Einheit untersuchen wir, wie sich die Welt der Arbeit verändert und welchen Einfluss diese Veränderungen auf unser zukünftiges Leben ausüben werden.

Zuerst hören wir etwas über die Arbeitslosigkeit, und dann befassen wir uns mit Streitfragen wie Zeitverträge und Betteln und untersuchen positive aktuelle und zukünftige Initiativen.

In dieser Einheit werden Sie Ihre Kenntnisse der folgenden grammatischen Punkte erweitern können:

- Relativ- und Nebensätze *(relative and subordinate clauses)*
- Modalhilfsverben *(modal verbs)*
- Präpositionen *(prepositions)*
- Zukunft *(future)*
- Vollendete Zukunft *(future perfect)*
- Imperativ *(imperative)*
- Reflexive Verben *(reflexive verbs)*
- Perfekt und Imperfekt *(perfect and imperfect)*
- Genitiv *(genitive)*

3.1 *Arbeitslosigkeit*

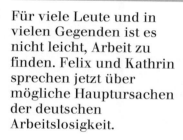

Für viele Leute und in vielen Gegenden ist es nicht leicht, Arbeit zu finden. Felix und Kathrin sprechen jetzt über mögliche Hauptursachen der deutschen Arbeitslosigkeit.

A Wie sagt man Folgendes im ersten Teil des Gesprächs?

1 What are the main causes of it?
2 Germany is in the midst of very large structural changes.
3 Prime Minister Thatcher closed many mines.
4 many subsidised sectors
5 We are slowly getting rid of these sectors.
6 The number of unemployed went up with the change.
7 That keeps returning in waves.
8 The level of business activity drops.

B Schreiben Sie die zweite Hälfte der Diskussion zwischen Felix und Kathrin ab.

PRAXIS

Zum Nachschlagen: Relative and subordinate clauses, p. 155

Übersetzen Sie folgende Sätze ins Deutsche. Der Hörtext wird Ihnen dabei helfen.

1 I think Britain found itself in a fix.
2 When Prime Minister Blair developed a new system…
3 I think that the number of employers has gone down.
4 I have read that it disappears time and time again.
5 I knew that had been normal.
6 …that inflation has strengthened this still further.
7 I don't know whether I can work with them.
8 …because people could afford it in Northern Europe.
9 …because it was far too obvious in Austria.

Infopunkt

Entwicklung der Arbeitslosigkeit 1975–99

Arbeitsmarkt Jobsuche wird zum Dauerproblem

Westdeutschland

2.770

1.074   Arbeitslose in 1.000

1975   1999

Arbeitslosenquote in Prozent	
4,7	9,9

Anteil an allen Arbeitslosen in Prozent	
Langzeitarbeitslose	
9,0	36,7
Empfänger von Arbeitslosengeld	
61,7	43,4
Empfänger von Arbeitslosenhilfe	
12,2	36,9
Durchschn. Dauer der Arbeitslosigkeit in Wochen	
16,2	29,5

1999: Durchschnitt Dezember 1998 bis November 1999
Anteile: jeweils im September
Ursprungsdaten: Bundesanstalt für Arbeit

3.2 *Zeitverträge*

Wegen der ökonomischen Lage bevorzugen viele deutsche Arbeitgeber befristete Arbeitsverträge. Wie in Großbritannien und Frankreich gibt es immer weniger Dauerstellen, weil es viel leichter ist, Arbeitsplätze abzubauen, wenn die Verträge befristet sind. Hier nehmen wir die aktuelle Lage in Deutschland unter die Lupe.

PRAXIS

Zum Nachschlagen: Modal verbs, p. 152

1 Im Text stehen sieben Beispiele von Modalhilfsverben. Können Sie sie finden?

2 Füllen Sie die Lücken in den folgenden Sätzen aus. Gebrauchen Sie die jeweils passende Form von „können", „sollen" oder „dürfen".

a Bevor Sie einen befristeten Vertrag unterschreiben, ……… Sie sich über Ihre Rechte erkundigen.

b Ein Arbeitgeber ……… einen Angestellten nur aus sehr guten Gründen entlassen.

c Gewisse Verträge ……… nicht verlängert werden.

d Wenn Sie gefeuert werden, ……… Sie bei einem Arbeitsrechtler Rat suchen.

e Einen befristeten Vertrag ……… man als eine gute Gelegenheit sehen, einen Betrieb ohne Verpflichtungen kennen zu lernen.

Zwei Jahre fest im Sattel?

Worauf Sie bei befristeten Anstellungen unbedingt achten sollten

Befristete Verträge haben Hochsaison: Schon jetzt hat jeder zehnte Arbeitnehmer nur noch eine Anstellung auf Zeit, Tendenz steigend. Der Berliner Arbeitsrechtler Alexander Burger erklärt, was dabei zulässig ist: Befristete Verträge können für die

Dauer von bis zu zwei Jahren ohne Angabe von Gründen abgeschlossen werden. Innerhalb dieser Zeit darf dreimal verlängert werden: Werden Sie z. B. für ein Projekt erst mal für ein halbes Jahr eingestellt, darf dreimal jeweils ein halbes Jahr drangehängt werden. In begründeten Fällen können befristete Verträge auch länger als 24 Monate laufen, z. B. wenn Sie als Erziehungsurlaubsvertretung arbeiten. Übrigens: Betriebe mit bis zu fünf Arbeitnehmern dürfen befristete Verträge auch ohne besonderen Grund für mehr als zwei Jahre abschließen. Sie sind befristet angestellt? Ist eine „ordentliche Kündigung" nicht ausdrücklich im Zeitvertrag vorgesehen, können Sie nicht gefeuert werden. Ausnahme: schwere Vergehen wie Diebstahl oder ständiges Zuspätkommen.

A   Lesen Sie den Artikel „Zwei Jahre fest im Sattel?" und notieren Sie alle Schlüsselwörter zum Thema Arbeit in Ihr Vokabelheft.

B   Beantworten Sie folgende Fragen.

1 Welcher Prozentsatz von Arbeitnehmern hat eine Anstellung auf Zeit?
2 Wie lange kann so ein Vertrag normalerweise dauern?
3 Und wie oft kann man ihn verlängern?
4 Was für Unternehmen können Verträge für mehr als zwei Jahre abschließen?
5 Unter welchen Umständen kann man auf der Stelle gefeuert werden?

3.3 *Betteln mit Diplom*

Alles Wissen über Obdachlosigkeit bleibt graue Theorie, solange man nicht selber auf der Straße sitzt. Meint zumindest Sabine Bauer, 29-jährige Studentin an der Berliner Fachhochschule für Verwaltung und Rechtspflege. Sie hat ein „Bettel-Diplom" gemacht.

A Hören Sie das Interview mit Sabine an und füllen Sie die Lücken in dieser Abschrift mit je einem Ausdruck aus den Kästchen aus.

Bereichen	Bereicherung
danach	da Nacht
Ecke	Ecken
engagiert	engagiere
erfinden	erfunden
kreativer	kreativ
makabres	makabrer
Obdachlose	Obdachlosen
Pflichtfächer	Lichtfächer

Redakteur	Redakteurin
renoviert	renovieren
Studium	Studie
Tipps	tippen
Ulm	um
Verachten	Verachtung
Verdienst	Dienst
verkaufen	verkauften
zog	saug

Sabine, woher kam die Idee?

SABINE BAUER: Von einem **1** .... der Berliner Obdachlosenzeitung „Straßenfeger", den wir für eine **2** .... über Obdachlosigkeit befragt haben. Als zukünftige Beamte im gehobenen **3** .... werden wir später fast alle beim Sozialamt arbeiten und auch mit **4** .... zu tun haben. Ich fand

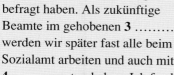

es wichtig, mal die andere Seite zu sehen. Ich **5** .... mir also Schmuddeljeans und ein altes Batik-Shirt an und ging mit einem „Dozenten" vom „Straßenfeger" los. Der gab mir **6** .... zum Betteln und hinterher auch Noten.

Noten fürs Betteln?

Ja. Es gab drei **7** .... „Sitzung halten" – also dasitzen und betteln, „Kirchenstich" – einen Pfarrer **8** .... Geld bitten, und die Zeitung „Straßenfeger" in der U-Bahn **9** .... Beim Betteln sollte man möglichst **10** .... sein und nicht nur mit der Mitleids-Tour kommen. Ich habe eine tragische Familiengeschichte **11** ....

Und 12 .... sind Sie heim ins Federbett. Ist das nicht nur ein 13 .... Gag?

Nein. Ich habe die Erfahrung als **14** .... empfunden. Am schlimmsten war das Betteln am Berliner Alexanderplatz: Ich saß allein in einer zugigen **15** .... Für die meisten Leute war ich Luft. Andere zeigten mir deutlich ihre **16** .... Jetzt gebe ich Bettlern öfter Geld oder kaufe den „Straßenfeger". Und ich **17** .... mich – zusammen mit anderen Studenten habe ich ein Obdachlosenheim **18** ....

Wer kennt sie nicht? Kein Abend im Straßencafé, kein Weg zur U-Bahn, ohne dass einer der (meist männlichen) Verkäufer vorbeikommt: „Guten Abend, der neue "Straßenfeger", für nur zwei Mark – oder ham Sie vielleicht 'ne kleine Spende über?" Seit 1995 vom Verein „mob – Obdachlose machen mobil" herausgegeben, ist der „Straßenfeger" eine monatlich erscheinende Zeitung von Obdachlosen, aber nicht nur für Obdachlose.

Der in Berlin mit einer Auflage von 30 000 Exemplaren erscheinende "Straßenfeger" ist ein selbstverwaltetes Projekt von Betroffenen. Wer beim „Straßenfeger" mitmacht, nimmt sein Leben selbst in die Hand und verlässt die passive Opferrolle: Sei es durch den Verkauf der Zeitung, durch das Schreiben von Artikeln, durch die Mitarbeit im Verein oder Aktionen in der Öffentlichkeit. Ohne Zeitungsprofis, sondern mit Menschen, die trotz ihrer Armut und/oder ihrer Sucht, bereit sind, professionell zu arbeiten.

Von den zwei Mark Verkaufspreis geht eine Mark an den Verkäufer oder die Verkäuferin, und die andere an den Verein. Und der beschränkt sich keinesfalls nur auf die Zeitung: Nachdem – vor allem im Winter – die Redaktionsräume des „Straßenfegers" immer wieder als Notunterkünfte genutzt werden, hat der Verein jetzt zwei Wohnungen in Friedrichshain renoviert, um Obdachlosen jeweils für ein paar Monate die Möglichkeit zu bieten, zur Ruhe zu kommen, Ämter- und Behördengänge zu erledigen, über Therapiemöglichkeiten nachzudenken oder etwas in Sachen Job, Schule oder Ausbildung zu unternehmen.

B *Schriftliche Arbeit*

Entweder:
Stellen Sie sich vor, Sie sind Sabine. Schreiben Sie einen Artikel für den „Straßenfeger", um die Leser auf die Probleme der Obdachlosen aufmerksam zu machen (250 Wörter).

Oder:
Ein „makabrer Gag" oder eine lohnende Erfahrung? Diskutieren Sie, ob dieses „Bettel-Diplom" eine gute Idee ist oder nicht (250 Wörter).

3.4 *Zivildienst: unter Androhung?*

In Deutschland müssen junge Männer nach ihrem Schulabschluss Militär- oder Zivildienst machen. Seit einigen Jahren wählen mehr junge Erwachsene den Zivildienst als das militärische Gegenstück. Das hat aber zu Problemen geführt: Wegen Geldschwierigkeiten will die Regierung die Anzahl von Zivildienststellen stark reduzieren.

Angst vor der Lücke

Jede fünfte Zivildienststelle will das Familienministerium bis 2003 einsparen. Schon im nächsten Sommer kann es auf Pflegestationen dramatisch werden.

Der junge Mann auf Burg Altena hat sich bisher vor keiner Arbeit gedrückt. Wann immer Zimmer und Toiletten in Deutschlands ältester Jugendherberge gereinigt werden müssen, Geschirr gespült oder in der sauerländischen Kleinstadt am Fuße der Burg für das Abendessen eingekauft werden soll, packt der Zivildienstleistende Habib Youssofy, 20, nach dem Urteil von Herbergsmutter Hendrine Groothusen „ordentlich mit an".

Ein paar hundert Kilometer nördlich, in der Jugendherberge im schleswig-holsteinischen Niebüll, serviert der Zivildienstleistende (Zivi) Moritz Müller, 20, Kindern ihr Lieblingsgericht: Nudeln mit Tomatensauce und Hackbällchen. Ohne den gelernten Koch, der auch Türen streicht und die Zimmer putzt, „könnten wir den Laden dichtmachen", sagt Herbergsvater John Isernhagen.

So kann es kommen. Vom 1. Juli nächsten Jahres an will Bundesfamilienministerin Christine Bergmann (SPD) die Kosten für die im Jahresdurchschnitt 138 000 Zivis drastisch senken und unter anderem ihre Zahl bis zum Jahr 2003 auf 110 000 verringern: bereits in diesem Haushaltsjahr sollen 15 000 Kriegsdienstverweigerer weniger einberufen werden.

Weil die Ministerin den Rotstift vor allem bei den Zivi-

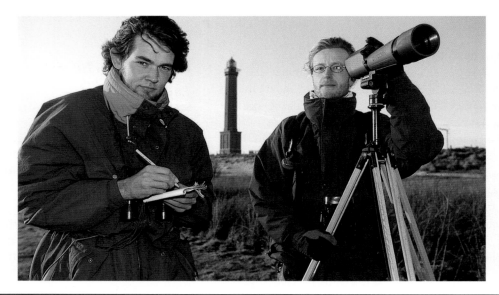

Null Bock auf die Bundeswehr
Zivildienstleistende im Jahresdurchschnitt in Tausend

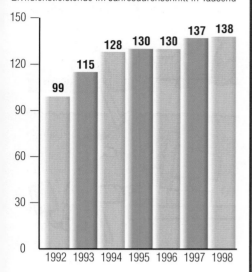

Arbeitsplätzen in Handwerk und Verwaltung sowie in der Grünpflege ansetzen will, sind die Stellen der 1 800 Zivildienstleistenden in den 604 deutschen Jugendherbergen, so Bernd Dohn vom Deutschen Jugend herbergswerk, „akut von der Streichung bedroht". Etliche der kleinen Herbergen mit weniger als 40 Betten wie auf Burg Altena und in Niebüll stünden ohne die billigen Arbeitskräfte „vor dem Aus".

A Lesen Sie den Text „Angst vor der Lücke". Welche Details beschreiben…

1 Habib Youssofys Engagement?   [3]
2 Moritz Müllers Anpassungsfähigkeit?   [2]
3 die schwierige Zukunft für Zivildienstbewerber und
   -bewerberinnen?   [3]

B Übersetzen Sie den letzten Absatz (ab „Weil die Ministerin"…) ins Englische.

C *Mündliche Präsentation*

Bereiten Sie mit einer Partnerin bzw. einem Partner schriftlich eine mündliche Präsentation zu den Hauptpunkten im Bericht vor. Fügen Sie auch Ihre eigene Ideen dazu. Machen Sie eine Kassettenaufnahme von Ihrem Gespräch, sobald Sie damit zufrieden sind.

D *Schriftliche Arbeit*

Sie machen einen Sandwichlehrgang in Deutschland und haben den Bericht in der deutschen Presse gelesen. Sie sind der Meinung, dass das Zivildienstsystem einen wichtigen Beitrag zum sozialen Wohl leistet, und Sie sind gegen die Kürzung von Zivildienststellen.

Schreiben Sie einen Brief (250 Wörter) an das Bundesfamilienmininisterium, worin Sie Ihren Standpunkt erklären. Nehmen Sie dazu das Material aus Ihrer mündlichen Präsentation zu Hilfe.

TAKTIK	PRAXIS
Um Ihrer Präsentation (Aufgabe C) eine logische Reihenfolge zu geben, könnten Sie zusammen Antworten zu den folgenden Fragen ausarbeiten.	**Zum Nachschlagen:** Prepositions, p. 146

TAKTIK

1 Welche Beispiele von Dienststellen für Zivildienstleistende sind im Text angegeben?
2 (a) Laut dem Bericht und (b) Ihrer Meinung nach was für einen Beitrag zur Gemeinschaft leisten solche junge Erwachsene?
3 Was hat Bundesfamilienministerin Bergmann vor?
4 Erklären Sie den Grund für den „Rotstift".
5 Glauben Sie, dass die Ministerin Recht hat? Erklären Sie Ihre Argumentation.

PRAXIS

1 Ohne den Bericht noch einmal zu lesen, ergänzen Sie die Lücken in den folgenden Ausdrücken mit den passenden Adjektivendungen.
  a vor kein..... Arbeit
  b in d..... sauerländisch..... Kleinstadt
  c an d..... Fuße d..... Burg
  d nach d..... Urteil
  e in d..... Jugendherberge
  f ohne d..... gelernt..... Koch
  g von d..... 1. Juli an
  h in d..... Jahresdurchschnitt
  i unter ander.....
  j bis zu d..... Jahr
  k vor all.....
  l bei d..... Zivi-Arbeitsplätzen
  m in d..... Grünpflege
  n in d..... 604 deutsch..... Jugendherbergen
2 Übersetzen Sie mit Hilfe der Ausdrücke aus Aufgabe 1 folgende Ausdrücke ins Deutsche.
  a in the lively city
  b according to his judgement
  c without the calm referee
  d up to the end
  e in caring for the old part of town
  f in the 16 European countries

3.5 *Beruf 2020*

Wie wird das Berufsleben im Jahr 2020 sein? Hier äußern Experten ihre Meinung über Veränderungen in der Arbeit und die Rolle der Technologie.

A Hören Sie den ersten Teil des Berichts ein paar Mal an, beantworten Sie dann folgende Fragen.

1 Was ist der Name der Sendung?
2 Werden wir laut Kay Bünese im Jahre 2020 mehr oder weniger arbeiten?
3 Was wird länger und was wird kürzer sein?
4 Was sieht Marianne Wellershoff als die Ausnahme?
5 Geben Sie drei Beispiele von Elementen der „Patchwork-Karriere".
6 Was geht in dieser neuen Welt mit der Globalisierung der Wirtschaft Hand in Hand?

B Ergänzen Sie die Lücken in dieser Abschrift der Meinungen von Kay Bünese, Marianne Wellershoff und Susanne Weingarten, die im ersten Teil sprechen.

KB Wir werden mehr arbeiten. Doch weil wir glückliche Kühe sind, geben wir auch gern mehr Milch. Die personelle Ausstattung der **1** .... wird unter dem ständig wachsenden Kostendruck **2** .... werden, damit steigen die Anforderungen an **3** .... und Effektivität, der Rhythmus wird schneller, die **4** .... länger, die Beschäftigungsverhältnisse kurzfristiger. Der dadurch entstehende **5** .... wird jedoch durch zunehmende Freiheiten abgefedert. Offenere **6** .... mit mehr Eigenverantwortung, Arbeitgeber, die verstärkt auf das Arbeitsumfeld **7** ...., zunehmend freie Beschäftigungsverhältnisse mit Wechsel zwischen projektbezogenen Stoßzeiten und längeren **8** .... dazwischen, flexiblere Tages- und Wochenarbeitszeitmodelle, **9** .... und die Möglichkeit zu Hause zu arbeiten, steigern das Gefühl, gern und **10** .... zu arbeiten. Apropos Arbeit zu Hause: Das gewohnte Büro als Gravitationszentrum des Berufs wird **11** ...., denn ein Videoscreen ist auch 2020 kein dauerhaft befriedigender Ersatz für den persönlichen **12** ....

MW Im Jahr 2020 ist der sozial gesicherte Vollzeitarbeitsplatz die **13** .... In der neuen Dienstleistungsgesellschaft wird die Patchwork-Karriere zur Norm: Zeitarbeit, **14** ...., Teilzeitjobs, mobile Arbeitsplätze, **15** .... Arbeitszeiten, Sabbaticals. Wir arbeiten nicht mehr in hierarchischen Strukturen, sondern projektbezogen. **16** .... wird daher nicht durch Aufstieg in der Hierarchie definiert, sondern durch die Bedeutung der **17** ....

SW Die Globalisierung der Wirtschaft, verbunden mit der digitalen Vernetzung der Arbeitswelt, macht klassische Unternehmenstrukturen **18** ...., da sie zu wenig flexibel sind, um auf neue Anforderungen zu **19** .... Stattdessen gründen sich kleine, **20** .... Firmen. Von dieser Entwicklung profitieren vor allem Frauen, die in einer flexiblen, **21** .... Lebens- und Arbeitsplanung ohnehin **22** .... sind.

C Hören Sie den zweiten Teil des Programms an und schreiben Sie kurze Notizen zu den folgenden Punkten.

- Erwerbsparität   [4 Punkte]
- Dienstleistungen   [4 Punkte]
- Die einzige Ausnahme
                            [2 Punkte]
- Die Entwicklung der Informationstechnologie
                            [4 Punkte]
- Das Verteilen der Arbeit
                            [4 Punkte]

PRAXIS

Zum Nachschlagen: Future, p. 149; future perfect, p. 149

1 Sehen Sie sich Ihre Abschrift von Aufgabe C an. Die Experten sagen voraus, wie die Arbeitswelt im Jahre 2020 sein wird. Schreiben Sie zehn ihrer Voraussagen ab.

Beispiel: Die personelle Ausstattung der Unternehmen **wird** dünner **werden**.

2 Jetzt schreiben Sie die Sätze in der vollendeten Zukunft, um zu sagen, was bis 2020 passiert haben wird.

Beispiel: Die personelle Ausstattung der Unternehmen **wird** dünner **geworden sein**.

3.6 *Wann drehen Sie im Job durch?*

Viele Faktoren üben einen Einfluss darauf aus, ob man im Job glücklich ist oder nicht. Aber auch in schwierigen Situationen kann man gelassen und zielbewusst arbeiten.

A Sehen Sie sich die Statistiken unten an. Wann sind Sie **glücklich** in einem Job? Schreiben Sie die Punkte um, so dass sie eine positive Arbeitssituation beschreiben.

Beispiel: Wenn die Teamarbeit klappt.

Welche Punkte (negative und positive) haben Sie schon in Ihrem Teilzeitjob oder beim Praktikum erlebt? Schreiben Sie über ein paar Beispiele aus Ihrer eigenen Erfahrung.

B Schreiben Sie eine **englische** Kurzfassung von den bedeutendsten Punkten im Bericht. (150 Wörter, 20 Punkte)

C Erfinden Sie mit einem Partner/einer Partnerin einen kurzen Dialog zwischen zwei Arbeitern/Arbeiterinnen. Eine(r) beschwert sich über seinen/ihren Job, wobei der/die andere versucht, Lösungen vorzuschlagen. Verwenden Sie Redewendungen aus dem Bericht.

PRAXIS

Zum Nachschlagen: Imperative, p. 151

Folgende Imperativformen erscheinen im Bericht. Geben Sie jeweils die „du" und „ihr"-Formen.

1 Bleiben Sie cool.
2 Setzen Sie auf Power.
3 Erledigen Sie alles.
4 Mobilisieren Sie innere Stimmungsmacher.
5 Notieren Sie alle guten Seiten des Jobs.
6 Reinigen Sie die Luft.
7 Suchen Sie diesen Ort auf.
8 Gehen Sie in Stress-Situationen hinein.
9 Versuchen Sie Minipausen einzubauen.
10 Tanken Sie Gelassenheit.
11 Variieren Sie Ihr Arbeitstempo.

Job JOURNAL

„EINFACHER TRICK – UND SOGAR ROUTINE-ARBEIT MACHT SPASS"
✓ STRESS-KILLER

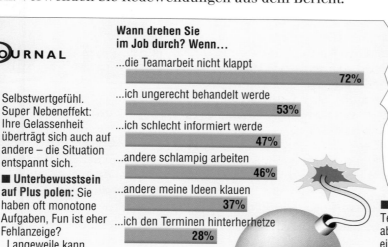

Wann drehen Sie im Job durch? Wenn…

…die Teamarbeit nicht klappt	72%
…ich ungerecht behandelt werde	53%
…ich schlecht informiert werde	47%
…andere schlampig arbeiten	46%
…andere meine Ideen klauen	37%
…ich den Terminen hinterherhetze	28%
…ich mein Ziel aus den Augen verliere	14%
…der Chef mich kritisiert	12%
…wichtige Gespräche anstehen	5%
…der Computer seinen Geist aufgibt	2%

Selbstwertgefühl. Super Nebeneffekt: Ihre Gelassenheit überträgt sich auch auf andere – die Situation entspannt sich.

■ Unterbewusstsein auf Plus polen: Sie haben oft monotone Aufgaben, Fun ist eher Fehlanzeige. „Langeweile kann auch stressen", erklärt Ruhe-Experte Wilson. Oft fehlt der Spaßfaktor, und die Gelassenheit bleibt automatisch auf der Strecke. Gerade deshalb: Bleiben Sie cool, und setzen Sie auf Power. Ob Sie Tabellen abtippen oder Akten ablegen – erledigen Sie alles so perfekt wie möglich. „Diese Konzentration bringt Spaß, und Routinejobs nerven plötzlich gar nicht mehr", fand Wilson heraus. Weiterer Trick von ihm: Mobilisieren Sie innere Stimmungsmacher. Notieren Sie alle guten Seiten des Jobs, z. B. Aufstiegsmöglichkeiten, gute Stimmung im Team, positives Kunden-Feedback. So stabilisieren Sie den Kurs nach vorn.

■ Umfeld positiv aufladen: Störfaktoren wie Telefon-Dauerklingeln können Sie zwar nicht abstellen, persönliche Stress-Downer dagegen einsetzen aber schon: z. B. freundliche optische Akzente wie einen Blumenstrauß auf dem Schreibtisch. Oder reinigen Sie die Luft mit Salzkristallen (gibt's im Kaufhaus). „Sie geben wichtige negative Ionen ab. Man wird ruhig und ist gleichzeitig voller Energie", sagt Wilson. Sein Spezialrezept: ein Ruheraum zum Auftanken, z. B. die Teeküche. Suchen Sie diesen Ort zunächst nur auf, wenn Sie sich gut fühlen. Haben Sie so den Raum positiv „eingerichtet", gehen Sie in Stress-Situationen für einige Minuten hinein. Das Ruhegefühl stellt sich dann ganz schnell wieder ein.

■ Pausen-Taktik: Nach rund zwei Stunden Arbeit nimmt die Leistungsfähigkeit ab. Ideal: eine 20-Minuten-Pause. Im Joballtag ist das schwierig! Versuchen Sie, wenigstens Minipausen (5 Minuten) einzubauen: Tanken Sie Gelassenheit für „Hoch-Zeiten", indem Sie ganz bewusst atmen. Variieren Sie Ihr Arbeitstempo: nach sehr zügigem Werkeln ruhig mal einen Gang runterschalten.

3.7 „*Ich wollte mich völlig neu orientieren*"

Wir haben schon von der „Patchwork-Karriere" gehört. Heutzutage wird es immer leichter, den Beruf zu wechseln und vielleicht dabei seine wirkliche Leidenschaft zu entdecken. So ging es zum Beispiel Natascha Engelmann.

POWERFRAU

Echte Bilderbuchkarriere

Mit Business-Cartoons bringt Natascha Engelmann Firmen-Infos locker rüber

Journalistin – für andere ein Traumjob. Doch Natascha Engelmann, die nach ihrem Germanistik- und Philosophiestudium für Tageszeitungen schrieb und in Presseabteilungen arbeitete, fand das gar nicht. „Zu viel Routine am Schreibtisch. Ich wollte mich völlig neu orientieren", erinnert sie sich. Und nutzte dazu nach der Geburt ihrer Tochter den Erziehungsurlaub, schrieb sich an der Düsseldorfer Kunstakademie ein. Dort entdeckte sie endlich ihre wirkliche Leidenschaft – den Trickfilm. „Er ist die ideale Mischung aus Wort, Bild und Bewegung", schwärmt das Multitalent. Um sich das Zweitstudium finanzieren zu können, arbeitete sie als Model, führte Kollektionen von Versace und Dior auf dem Laufsteg vor. Alles nicht ganz einfach als allein erziehende Mutter. Aber die Künstlerin verdankt ihrer Tochter viel: „Sie hat mir schon immer Kraft gegeben – und Inspiration. Vor allem durch ihre direkte Art. Sie bringt die Dinge auf den Punkt." Genau so sind auch Natascha Engelmanns Comic-Geschichten: pointiert. Und das kommt an – große Firmen wurden auf sie aufmerksam, schnell setzte ihr Stil sich durch.

Heute arbeitet die 35-Jährige als freie Comic-Zeichnerin und dreht Trickfilme, u. a. für Viva, IBM und Sony. Ob Werbung oder Illustrationen für Firmenmagazine – Natascha Engelmanns Business-Cartoons bringen Farbe ins Berufsleben. Mit bunten Fantasiefiguren erklärt sie z.B. via CD-ROM das neue Fahrkartensystem der Berliner Verkehrsbetriebe und gestaltet auch die Tickets dazu. „Über meine Comics müssen die Leute lachen." Und das ist gut so, denn schließlich weiß sie aus eigener Erfahrung, dass der Spaß im Büro oft zu kurz kommt.

A Notieren Sie alle Vokabeln, die mit dem Arbeitsleben zu tun haben.

B Vervollständigen Sie jeden Satz mit je einem Wort.

1 Für Natascha Engelmann war der Journalismus kein ....
2 Deshalb suchte sie eine ganze neue ....
3 Sie entdeckte ein besonderes Talent für den ....
4 Beim Trickfilm gebraucht man Bild, Bewegung und ....
5 Natascha wurde Model, um das Geld für ihre neue Karriere zu ....
6 Nataschas Tochter war für sie eine ....
7 Natascha gestaltet pointierte ....
8 Sie ist erfolgreich wegen ihres ....
9 Sie arbeitet oft für weltbekannte ....
10 Ohne Nataschas Cartoons hätte das Berufsleben weniger ....

3.8 *Heimarbeitsfrust!*

Heimarbeit hat auch ihre Probleme, wie viele Freiberufler herausfinden, die Motivationsschwierigkeiten haben. In die Luft starren, Schubladeninhalte ordnen ... was würde **Sie** davon abhalten, mit der Arbeit anzufangen?

Wer braucht da noch eine Putzfrau?

Wer zu Hause arbeitet, wird von der Freiheit überwältigt. Beate bekennt sich zu ihrer Disziplinlosigkeit.

Beate: Früher wäre ich ohne Putzfrau nicht ausgekommen. Bei Bürozeiten von 8.30 bis 18 Uhr plus Terminen am Abend war eigenhändiges Saubermachen nun mal nicht möglich. Dafür wanderten jährlich rund 2 800 Mark in die Tasche meiner Putzfrau, und ich sparte mir dafür die Reise in die Karibik.

Heute ist das anders. Da sitze ich um 7.30 Uhr am Schreibtisch (manchmal sogar bis Mitternacht) und putze mit Begeisterung selbst. Dafür gibt es eine ganz einfache Erklärung. Ich schreibe freiberuflich zu Hause. Und bin bereits Spezialistin im Abwehren akuter Frustattacken, die allein arbeitende Leute regelmäßig überfallen.

Das hilft bei Heimarbeitsfrust, sagt Psychologe Thomas Kaiser von der Uni Hamburg:

1. Extrem wichtig sind Außenkontakte. Wenn man Ärger hat, sollte man bei Kollegen im Büro oder anderen Heimarbeitern Dampf ablassen statt vor sich hinzubrüten. Das Verständnis Gleichgesinnter ist oft viel wichtiger als die Lösung des Problems.

2. Sobald man die Anzeichen einer Frustattacke wahrnimmt, sollte man erst mal andere Tätigkeiten erledigen, um die Routine zu unterbrechen – oder einfach mal spazieren gehen.

3. Die Arbeit kann durch einen gut eingeteilten Zeitplan erleichtert werden. Es ist jedoch wichtig, kleine Ziele und Belohnungen einzubauen. So hat man viele kleine Erfolgserlebnisse und kein schlechtes Gewissen, wenn man mal eine Pause einlegt.

4. Leute, die von zu Hause aus arbeiten sollten ihre Freiheit nutzen, mal bummeln gehen oder Sport treiben, wenn andere im Büro sitzen. Die Leistung zählt, nicht die Arbeitszeit.

Buchtipp: Barbara Eder, „Ratgeber Telearbeit", Humbold Verlag, 16,90 Mark

---

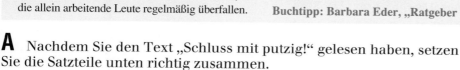

A Nachdem Sie den Text „Schluss mit putzig!" gelesen haben, setzen Sie die Satzteile unten richtig zusammen.

1 Beate lässt
2 Weil sie ihre Putzfrau bezahlen musste,
3 Beate ist als
4 Sie könnte anderen Personen
5 Von äußerster Wichtigkeit
6 Dampf soll man auch
7 Spazieren gehen hilft dabei,
8 Die Hauptsache
9 Ein Zeitplan, ja, aber
10 Wenn Sie daheim arbeiten,

a beim Abwehren akuter Frustattacken helfen.
b nutzen Sie Ihre Freizeit!
c bei Mitarbeitern ablassen.
d nicht mehr putzen.
e Frustattacken abzuwehren.
f mit eingebauten Zielen und Belohnungen.
g ist, die Routine zu durchbrechen.
h konnte sie nicht in Urlaub fahren.
i mehr als die Leute im Büro zu arbeiten.
j sind auch Außenkontakte.
k Freiberuflerin tätig.

PRAXIS

Zum Nachschlagen: Perfect and imperfect, p. 148

Schreiben Sie die folgenden Aussagen um, so dass sie die Vergangenheit beschreiben. Gebrauchen Sie:

a Perfekt   b Imperfekt

1 Heute ist das anders.
2 Da sitze ich um 7.30 Uhr am Schreibtisch.
3 Ich putze mit Begeisterung selbst.
4 Ich schreibe freiberuflich zu Hause.
5 Ich bin Spezialistin im Abwehren akuter Frustattacken.
6 Das hilft bei Heimarbeitsfrust.
7 Extrem wichtig sind Außenkontakte.
8 Sobald man die Anzeichen einer Frustattacke wahrnimmt...
9 So hat man viele kleine Erfolgserlebnisse.
10 ...,wenn andere im Büro sitzen.

B *Mündliche Präsentation*

Stellen Sie sich vor, Sie sind die Autorin des Buchs „Ratgeber Telearbeit", das in diesem Artikel erwähnt wird. Sie machen eine Präsentation in einer Buchhandlung, um zu erklären, an wen Ihr Buch gerichtet ist und wie es helfen kann (2–3 Minuten).

C *Schriftliche Arbeit*

Schreiben Sie einen Brief an die Zeitschrift; Sie waren als Heimarbeiter(in) total frustriert, aber seitdem Sie diesen Artikel gelesen haben, haben Sie neue Strategien gefunden und sind bei der Arbeit viel glücklicher.

3.9 *Die Zukunft der Arbeit*

Angestellt? Arbeitslos? In dieser Einheit haben wir uns ausführlich mit dem Thema Arbeit beschäftigt. Aber was wird „Arbeit" wohl in 20 Jahren heißen? Und was wird Berufstätigkeit im Jahre 2020 oder 2030 bedeuten?

Wie wir arbeiten werden

Vollbeschäftigung? Schon abgeschminkt. Der klassische Acht-Stunden-Tag? Ein Auslaufmodell. Das 40-jährige Dienstjubiläum? Auch vorbei. Der Arbeitsalltag von morgen ist überall Thema Nummer eins.

1 Wir sind keine Hellseher – aber eines wissen wir genau: Die Zukunft ist launisch. Sie wird unsere Arbeit und unser Leben auf den Kopf stellen. Fragen wir uns doch heute schon kopfschüttelnd: Weißt du noch – damals? Erinnerst du dich an das eherne Motto, das über jedem Lebenslauf stand? Eine Ausbildung! Ein Beruf! Eine Rente!

2 Und weißt du noch? Als der Wecker klingelte um sechs, die Arbeit um acht begann und um vier der Feierabend. Vierzig Jahre lang derselbe Trott! Bezahlt wurde – weißt du's noch? – die achtstündige körperliche Anwesenheit. Der Klönschnack und die Kaffeepause. Himmlische Zeiten! Himmlische Zeiten? Mal ehrlich, das war doch immer auch ein bisschen wie Knast.

Weniger Urlaub. Mehr Geld.
Oder umgekehrt?

3 Es gibt Unternehmen, in denen die Zukunft schon begonnen hat. Bei Siemens wurde die Vertrauensgleitzeit eingeführt. Den Mitarbeitern einer Arbeitsgruppe ist es selbst überlassen, wie sie ihre Arbeitszeit organisieren. Sie können, in Absprache mit ihrem Team, mal mehr arbeiten und mal weniger. Mal drei Stunden – und mal zwölf.

4 Und die Mitarbeiter der Mannheimer Versicherungs AG entscheiden, nach Absprache mit ihrem Vorgesetzten, selbst darüber, wie viel sie in den kommenden zwölf Monaten arbeiten wollen. Die Devise heißt: weniger Urlaub – mehr Geld. Mehr Freizeit – weniger Geld. Wir entdecken die erste Variante künftiger Arbeit: Die Organisatoren unserer Arbeitszeit sind wir selbst.

Umdenken. Umlernen.
Wach bleiben fürs Neue.

5 Wer in Umbruchzeiten in die Zukunft sehen will, dem hilft der Blick in die Vergangenheit. Der Aufstand der Weber im 19. Jahrhundert war ein verzweifelter Protest gegen eine neue Technologie, die den Arbeitern die Arbeit nahm. Der Aufstand wurde zerschlagen. Es hat Tote gegeben. Und zertrümmerte Maschinen. Aber den Einzug der neuen Technik in die Fabrikhallen konnte niemand mehr aufhalten: Die Webmaschine verdrängte den Webstuhl.

6 Sagen wir's mit Hölderlin. „Wo aber Gefahr ist, wächst das Rettende auch." Neue Berufe entstanden. Neue Arbeitsplätze. Neue Industriezweige. Neue Waren, neue Bedürfnisse.

A   Welcher Titel passt zu welchem Absatz?

a Den Überblick behalten!
b Wie lange willst du überhaupt arbeiten?
c Die rosarote Brille
d In etlichen Ländern produziert
e Lern' alles um!
f Die Technologie hat immer gesiegt
g Die Zukunft muss anders sein
h Den Fortschritt können wir nicht stoppen
i In der Not kommt Hilfe
j Etliche Firmen haben schon die Zukunft eingeführt

B   Füllen Sie die Lücken in dieser Kurzfassung des Artikels aus.

Einst hatte man einen Beruf für das ganze **1** .... und arbeitete 40 Jahre lang acht Stunden pro Tag. Aber das wird bald **2** .... sein. Bei einigen Firmen ist es schon möglich, für sich zu **3** ...., wie, wo und wie lange man arbeiten wird. Und das **4** .... daran: Je mehr man arbeitet, desto mehr **5** .... man. Wenn wir der technischen Revolution Widerstand leisten, wird das System uns **6** .... Aber das Bild ist gar nicht so traurig, da allerlei neue **7** .... und Berufe entstehen, worin es auch viel Kooperation unter **8** .... Ländern gibt und Hersteller, Designer und **9** .... aus weit entfernten Teilen des Globus **10** .... können.

C   Schreiben Sie einen Aufsatz zum Thema Zukunft der Arbeit. Gebrauchen Sie das Material im Artikel, Informationen von anderen Teilen der Einheit, und auch Ihre eigenen Ideen. (250 Wörter)

7 Jeder Umbruch, das scheint ein Naturgesetz zu sein, fordert seine Opfer. Damals die Weber – heute wir. Auch wir werden die Entwicklung, die wir über die Schlagworte Rationalisierung und Globalisierung begriffen haben, nicht aufhalten.

8 Die Folgen bringen Orio Giarini und Patrick M. Liedtke* in einem neuen Bericht an den „Club of Rome" auf den Punkt: Sicher an der Zukunft der Arbeit ist nur, dass es den Beruf fürs Leben nicht mehr geben, dass unser Arbeitsalltag – im wahrsten Sinne des Wortes – auf dem Kopf stehen wird. Wir werden das Experiment wagen müssen: umlernen und umdenken. Wach sein und wach bleiben für alles, was neu ist. Denn durch den Rückzug in den Schmollwinkel katapultieren wir uns nur selbst ins Aus.

9 Wenn wir aus der dicken Suppe der Unübersichtlichkeit auf den Tellerrand krabbeln, übersehen wir die ganze Brühe. Was da brodelt, mag uns gefallen oder nicht – weggucken ist immer die schlechteste Lösung.

10 Sperren wir also die Augen auf. Da sehen wir zum Beispiel ein neues, altes Produkt: ein Auto. Ein Kind der Globalisierung. Der Hersteller sitzt in Japan, der Designer in Paris. Der Konstrukteur in Deutschland. Die Werbeagentur in New York. Die Datenverarbeitung in Indien. War das ein Blick in die Zukunft? Nein, das ist schon Gegenwart.

*„Wie wir arbeiten werden. Der neue Bericht an den Club of Rome", 39,80 Mark, Hoffmann und Campe

PRAXIS

Zum Nachschlagen: Genitive, p. 140

1 Die folgenden Genitivausdrücke erscheinen im Artikel. Vervollständigen Sie die Phrasen, ohne den Text noch einmal zu lesen.
   a die Mitarbeiter ein..... <u>Arbeitsgruppe</u>
   b die Mitarbeiter d..... Mannheimer <u>Versicherungs AG</u>
   c die erste Variante künftig..... <u>Arbeit</u>
   d die Organisatoren unser..... <u>Arbeitszeit</u>
   e der Aufstand d..... <u>Weber</u>
   f der Einzug d..... neuen <u>Technik</u>
   g ein Kind d..... <u>Globalisierung</u>
2 Jetzt Schreiben Sie die Ausdrücke um, indem Sie folgende Substantive gebrauchen, statt der unterstrichenen.
   a Konsortium
   b Büro
   c Kompromiss
   d Zeitplan
   e Bund
   f Programm
   g Zeitalter

Einheit 4
Die inklusive Gesellschaft

*I*nwieweit kann die deutsche Gesellschaft als „inklusiv" bezeichnet werden? Ist Deutschland schon auf dem Weg zur Gleichberechtigung für Frauen, für Personen, die aus einem anderen Kulturkreis stammen, und für behinderte Personen? Und welchen Beitrag kann der deutsche Bürger zur Gesellschaft leisten?

In dieser Einheit werden Sie Ihre Kenntnisse der folgenden grammatischen Punkte erweitern können:

- Zukunft *(future)*
- Konjunktiv mit „wenn" *(subjunctive with* wenn*)*
- Konditional Perfekt *(conditional perfect)*
- Reflexive Verben *(reflexive verbs)*
- Relativsätze *(relative clauses)*
- Adjektivendungen *(adjective endings)*
- Perfekt, Plusquamperfekt, Imperfekt *(perfect, pluperfect, imperfect)*
- Trennbare/untrennbare Verben *(separable/inseparable verbs)*

4.1 *Die Ansichten über Familie*

Wie würde ein/e Deutsche(r) den Begriff „Familie" definieren? Und wie stehen die deutschen Politiker dazu? Lesen Sie dieses Interview mit der Familienministerin Bergmann.

„Familie ist, wo Kinder leben"

Familienministerin Bergmann sorgt sich um Nachwuchs der Gesellschaft

Berlin – Bundesfamilienministerin Christine Bergmann (SPD) fordert eine bessere Unterstützung für Lebensgemeinschaften mit Kindern – egal, in welcher Form diese Gemeinschaft als Familie zusammenlebt.

a Familie ist überall dort, wo es Kinder gibt – diese Formulierung hat ja auch die CDU-Vorsitzende Angela Merkel von uns übernommen. Familie ist dort, wo Erwachsene mit Kindern zusammenleben. Das kann in ganz unterschiedlichen Formen geschehen, also die traditionelle Familie mit Trauschein, die ohne Trauschein, allein Erziehende, Pflegefamilien und noch einige andere. Die Form der Familie hat sich erweitert, aber alle Formen sind für uns gleichwertig. Wichtig ist in diesen Lebensgemeinschaften, ob sich die Kinder geborgen fühlen, ob sie lernen in einer Gemeinschaft zu leben, ob sie ein Selbstwertgefühl bekommen.

b Ja. Es gibt bei vielen jungen Menschen einen großen Wunsch nach Kindern. Wir müssen alles daran sestzen, ihnen diesen Wunsch möglich zu machen, auch wenn sie zum Beispiel nicht heiraten wollen.

c Da sind zwei Dinge ganz wichtig. Den ersten Schritt sind wir gerade gegangen – dass wir deutlich machen, dass die Erziehung nicht nur Sache der Frauen ist. Oft ist es ja so, dass einer der beiden Partner – meistens die Frau – wegen der Geburt eines Kindes den Job aufgibt. Wenn sie das will, ist das in Ordnung. Wenn nicht, müssen wir Mutter oder Vater die Möglichkeit

geben, weiter zu arbeiten. Daraus resultieren ja oftmals auch finanzielle Probleme. Wir haben daher gerade das Bundeserziehungsgeldgesetz verabschiedet. Jetzt können beide Partner Erziehungsurlaub, verbunden mit dem Rechtsanspruch auf Teilzeitarbeit, nehmen.

d Der zweite Punkt ist die Kinderbetreuung. Wie bringt man den Job und eine anständige Betreuung unter einen Hut? Da gibt es Defizite, und die liegen eindeutig in den alten Bundesländern. Im Westen gibt es viel zu wenige Kinderkrippen, Ganztagsschulen oder wenigstens verlässliche Halbtagsschulen. Da können alle mitmachen, aber besonders gefragt sind hier die Kommunen und die Länder. Hier zeigt sich, dass unsere Gesellschaft, also zum Beispiel Politik und Wirtschaft, insgesamt viel kinderfreundlicher werden muss.

e Die Frage, ob es Kindern schadet, wenn sie in eine anständige Betreuungstätte kommen, ist in den alten Bundesländern ein ideologisches Problem. Es gibt ja Kommunen, die das Geld hätten, um auf diesem Gebiet viel mehr zu tun. In Ostdeutschland haben wir eine lange Erfahrung, da gibt es diese Diskussion gar nicht, ebensowenig wie in Schweden oder Frankreich. Aber ich bin mir sicher, das wird sich auch in den alten Ländern ändern.

A   Lesen Sie die Antworten der Ministerin und ordnen Sie sie den richtigen Fragen und Aussagen des Interviewers zu.
1 Sie sprachen bei der Familienförderung von zwei wichtigen Punkten.
2 Was verstehen Sie als Familienministerin unter dem Begriff Familie?
3 Wie fördert man am besten eine junge Familie, in der Vater und Mutter weiterhin ihrem Job nachgehen wollen?
4 Es reicht sich aber offenbar nicht aus, wenn die Bundesfamilienministerin so etwas fordert. Denn es tut sich ja nach wie vor zu wenig.
5 Wenn Sie also über Familienförderung reden, reden Sie über all diese verschiedenen Formen?

B   Lesen Sie die folgende Zusammenfassung der Ansichten der Ministerin. Sie enthält viele Fehler. Korrigieren Sie die Fehler.

Die Familienministerin will vor allem die traditionelle Familie fördern. Sie glaubt, nur ein Ehepaar mit Kindern kann als Familie bezeichnet werden. Wichtig ist, dass das Kind diszipliniert wird. Viele junge Menschen wollen keine Kinder. Frauen sollten ihren Job aufgeben, sobald sie schwanger sind, und im heutigen Deutschland dürfen nur Frauen Erziehungsurlaub nehmen. In den neuen Bundesländern gab es fast keine Kinderbetreuung. In den alten Bundesländern glaubt man, dass es dem Kind gut tut, in eine Betreuungsstätte zu kommen. Nach der Meinung der Ministerin brauchen die Deutschen nichts zu ändern, da sie schon kinderfreundlich genug sind.

C   Die heutige deutsche Gesellschaft ist multikulturell; viele Deutsche haben einen Partner bzw. eine Partnerin aus einem anderen Kulturkreis. Kathrin und Claudia besprechen das Thema Familie und wie unterschiedlich die Ansichten darüber sein können.
Die folgende Tabelle enthält Schlüsselvokabeln aus dem Hörtext, aber in anderen Formen. Füllen Sie die Tabelle aus, bevor Sie das Gespräch anhören.

Substantiv	Verb	Adjektiv	Englisch
Abstimmung (f)			
	betrachten		
Anziehung (f)			
	einengen		
Oberfläche (f)			
	unterscheiden		
	ähneln		
		gegensätzlich	
		widergespiegelt	

D   Schreiben Sie eine englische Kurzfassung von den Hauptideen im Hörtext.

Infopunkt

Binationale Eheschließungen in Deutschland

Binationale in Deutschland sind ein Teil unserer Gesellschaft. Offene Grenzen, Urlaubs-, Arbeits- und Studienaufenthalte im Ausland sowie die Anwesenheit von MigrantInnen und Flüchtlingen lassen die Zahl der binationalen Eheschließungen in Deutschland weiter steigen.

   1998 wurden bei einer Gesamtzahl von 417 420 Hochzeiten 66 054 binationale Ehen geschlossen, das sind 15,8%. Bei 59 229 Eheschließungen (14,2%) war ein/e deutsche/r Partner/in beteiligt (1997: 14.5%); bei 4 531 Ehen hatten die Partner unterschiedliche Staatsangehörigkeiten, aber keine/r von ihnen die deutsche. Somit war auch 1998 jede sechste Eheschließung eine binationale.

www.verband-binationaler.de

PRAXIS

Zum Nachschlagen: Future, p. 149

Politiker reden ziemlich oft über die Zukunft! Sehen Sie sich folgende Aussagen der Ministerin an:

Unsere Gesellschaft muss viel kinderfreundlicher werden.
Ich bin mir sicher, das wird sich . . . ändern.

Stellen Sie sich vor, Sie sind Mitglied einer politischen Partei, die sich sehr für das Thema Familie interessiert. Schreiben Sie ein kurzes Manifest, um zu erklären, was Ihre Partei auf diesem Gebiet machen wird.

4.2 *Sie ist blind. Sie ist taub. Sie ist glücklich.*

Wie ist es, in unserer Gesellschaft blind oder taub zu sein? Und wie ist es, blind *und* taub zu sein? Was für Anstrengungen machen wir, damit unsere taubblinden Mitmenschen gleichberechtigt sein können?

Lesen wir jetzt über Klara Tauchelt, die taubblind ist, aber auch entschlossen ist, sich und andere glücklich zu machen. Der Auszug beschreibt die Erfahrungen eines Journalisten, Peter Schneider, der versucht hat, zwölf Stunden als Taubblinder zu leben.

Klara Tauchelt,

inzwischen eine Frau von 30 Jahren, ist verheiratet und lebt mit ihrem – sehenden und hörenden – Mann Christian Tauchelt, 28, in Hamburg.

Christian, der sein Referendariat an einer Blindenschule macht, sieht sich nicht als Klaras Lebenslehrer. „Ich bin ihr Mann, nicht ihr Pädagoge. Wir sind ein sehr normales Paar." Ein bisschen zärtlicher vielleicht, bedingt durch den dauernden Körperkontakt über die Hand, einen Körperkontakt, den so alltäglich wohl nur wenige Paare praktizieren.

In ihrer beschränkten Welt hat sich Klara Tauchelt auf das Wesentliche konzentriert: auf die Bewältigung ihres praktischen Alltags und auf das unmittelbar Menschliche, das, was direkt zu Herzen geht. Sie macht ihren Haushalt – Kochen, Putzen, Abwaschen – so perfekt wie nur irgendeine gute Hausfrau. Was ihr Stolz ist.

Ich habe damals versucht, mich in Klaras Welt einzufinden. Hab' mich einen Tag lang mit Augenbinde und Ohrstopseln blind und taub gemacht, um in diese „No-World" einzudringen, diese Nicht-Welt, wie Helen Keller, die berühmteste Taubblinde der Welt, es bezeichnet hat. Die Zwölfstundenreise in Klaras Welt geriet ganz schnell zu einem Absturz ins Bodenlose. Kein Horrortrip – viel schlimmer: ein Abgleiten in das Gefängnis des eigenen Körpers. Nach drei Stunden schon war da kein „Peter Schneider" mehr, war da nur noch ein bewusstseinsloser Körper, auf den – ich? – beschränkt war. Gewisse Höreindrücke, die bei intaktem Hörnerv immer noch da waren, störten bald, belästigten mich in meiner Nicht-Welt, in der ich – es? – wie ein Embryo von der Welt abgeschottet schwebte.

Wenn da Klara nicht gewesen wäre, die mich an ihrer Hand durch diesen Tag führte, mich zum Unterricht mitnahm, zum Essen, zur Arbeit in der Korbflechterei, mich ständig ermahnte und ermunterte – hätte ich den Tag in irgendeiner Ecke verbracht, die Arme um die Knie geschlungen, still mich selbst wiegend; von links nach rechts, von vorn nach hinten. So, wie ich es bei anderen Taubblinden beobachtet hatte.

A Lesen Sie den Text und suchen Sie Beispiele von:

- zusammengesetzten Substantiven (wie „die Blindenschule") [5]
- Adjektiven, die als Substantive gebraucht werden (wie „das Bodenlose") [3]
- Wörtern, die mit Wahrnehmung und Gefühlen zu tun haben (wie „sehenden") [8]

Schreiben Sie die Wörter auf und übersetzen Sie sie ins Englische.

B Finden Sie im Text die Aussagen, die darauf hindeuten, dass...

1 Christian genau weiß, was er für Klara ist.
2 die Natur ihrer Beziehung mehr Zärtlichkeit bringt.
3 Klara sich auf das unmittelbar Menschliche konzentriert.
4 der Journalist ein resoluter Mensch ist.
5 das Experiment nicht leicht war.
6 es nicht so schwierig ist, seine Persönlichkeit zu verlieren.
7 Peter Schneider das Experiment ohne Klara nicht geschafft hätte.
8 Taubblinde sich von der Welt ausgeschlossen fühlen können.

C Gebrauchen Sie Redensarten aus der Meinungsliste auf Seite 128, um Ihre Reaktionen auf folgende Aussagen zum Text mündlich auszudrücken.

Person A   äußert eine der Meinungen, als ob das ihre/seine eigene Meinung wäre.
Person B   reagiert darauf. Sobald Sie die Liste durchgearbeitet haben, tauschen Sie die Rollen!

1 Christian sollte Pädagoge für seine Frau werden.
2 Klara und Christian sind wirklich ein normales Paar.
3 Klara versucht nicht, zu viel zu erledigen.
4 Sie hat keinen Grund, stolz zu sein.
5 Peter Schneiders Experiment hatte keinen Sinn.
6 Sein Versuch war von Nutzen.
7 Das war kein echtes Experiment, weil Klara ihm geholfen hatte.

D Übersetzen Sie den letzten Absatz des Berichts ins Englische.

PRAXIS

Zum Nachschlagen: Subjunctive and conditional perfect with *wenn*, p. 150

Gegen Ende des Textes finden wir einen wenn-Satz:

Wenn da Klara nicht gewesen **wäre**..., **hätte** ich den Tag in irgendeiner Ecke verbracht...

Bilden Sie aus folgenden Satzpaaren wenn-Sätze:

Wenn +:	Folge:
1 Christian war nicht da.	Klaras Leben war viel schwieriger.
2 Klara war nicht behindert.	Sie hatten eine nicht so zärtliche Beziehung.
3 Klara macht ihren Haushalt nicht so perfekt.	Sie war nicht stolz.
4 Der Journalist war nicht zu Klara gekommen.	Er hatte weniger Verständnis gehabt.
5 Wir hatten diesen Bericht nicht gelesen.	Wir hatten auch weniger verstanden.
6 Klara und Christian waren nicht zusammen.	Sie hatten vielleicht ein nicht so glückliches Leben.

4.3 *Die Rolle der Eltern*

Was heißt denn Gleichberechtigung
in der Familie? Sollten die Rollen
der Eltern gleich sein? Hören wir
jetzt, was Claudia und Winfried
darüber zu sagen haben.

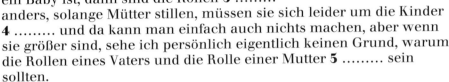

A Ergänzen Sie die Lücken in der
Abschrift des ersten Teils des Gesprächs.

Alex   Aehm, Claudia, du hast ja schon
eigene Erfahrung mit **1** .... Was ...
was sind so deine Meinungen zu den
Rollen der verschiedenen Elternteile?
Sollten die **2** .... sein oder sind die
Rollen doch noch sehr verschieden?

Claudia   Ich glaub', dass wenn ein Kind
ein Baby ist, dann sind die Rollen **3** ....
anders, solange Mütter stillen, müssen sie sich leider um die Kinder
4 .... und da kann man einfach auch nichts machen, aber wenn
sie größer sind, sehe ich persönlich eigentlich keinen Grund, warum
die Rollen eines Vaters und die Rolle einer Mutter **5** .... sein
sollten.

Alex   Aber, ist das wirklich so? Ich meine, es wird immer groß
6 ...., die Väter sollen die Rolle der Mütter – aehm, die, die
Rollen der Väter und Mütter sollten sich doch sehr **7** ...., aber in
Wirklichkeit ist das doch kaum der Fall, oder?

Claudia   Ich denke, es gleicht sich mehr und mehr aus. Die meisten
Mütter **8** .... sich zwar immer noch, dass wenn sie sich mit ihren
Kindern beschäftigen, sie dann **9** .... noch das Haus aufräumen
und das Essen abspülen, wohingegen die Väter sich hinsetzen und
mit ihren Kindern Lego spielen oder Bilderbücher lesen oder sonst
was und damit die **10** .... als Freizeit ansehen und die Mütter die
Kinderzeit als Arbeitszeit ansehen. Aber, ich denke, dass Väter in
[der] Zwischenzeit doch wesentlich mehr **11** .... und das auch
als ihre Pflicht sehen – im Gegensatz als Last, wie vielleicht früher.

Winfried   Das sehe ich ganz genauso. Ich glaube auch, dass da ein
gewisses – ein **12** .... oder eine, na ja, eine **13** .... dieser
beiden, ehemals sehr unterschiedlichen, Rollen im Moment
stattfindet. Wichtig scheint mir nur zu sein, dass **14** .... ist, dass
die Kinder mehr oder weniger einen Ansprechpartner haben, der
aber nicht **15** .... wechselt, sondern der über längere Zeit dann
den – die Bezugsperson darstellt. Ob das jetzt dann der Vater ist oder
die Mutter, ist dann relativ egal – oder sogar eine, ja, **16** ...., die
sich aber dann möglicherweise, oder, oder das wär' dann zu
begrüßen, **17** .... um die Kinder kümmert, so dass dort eine
wirkliche Beziehung dann zwischen dem Kind und zwischen der
Erziehungsperson **18** .... werden kann.

Claudia   Ich glaub' nicht, dass das stimmt, 'n Kind kann auch
mehrere **19** .... haben, es kann auch 'ne **20** .... Bindung an
den Vater und an die Mutter haben. Es muss nicht ein Elternteil
sein, das sich ausschließlich um ein Kind kümmert, und Kinder
können viele Leute als Bezugspersonen haben und auch gleich gern
haben und trotzdem noch **21** .... und **22** .... Kinder sein.

B Übersetzen Sie Claudias Worte ins Englische von „Ich denke, es gleicht sich..." bis „wie vielleicht früher".

C   *Mündliche Präsentation*

Hören Sie sich das Gespräch (ersten Teil) noch einmal an und notieren Sie die Punkte, die am besten zu Ihren Einstellungen passen. Bereiten Sie eine kurze Präsentation Ihrer Ideen vor und nehmen Sie sie auf Kassette auf.

D Was sollten die Rollen der Elternteile sein, wenn beide arbeiten? Hören Sie jetzt den zweiten Teil des Gesprächs, in dem Claudia und Winfried dieses Thema besprechen, und dann beantworten Sie folgende Fragen.

1 Welche Auswirkungen kann es auf das Kind haben, wenn beide Eltern arbeiten?
2 Was kann auch passieren, wenn die beiden Eltern einen Beruf haben?
3 Wer sonst könnte eine Art Elternteil werden?
4 Warum sollte das der Fall sein?
5 Was ist vielleicht ein Vorteil an Kindergärten?
6 Warum hat Winfried eine andere Meinung dazu?

TAKTIK

Wenn Sie mehr Hilfe brauchen (Aufgabe C), sehen Sie sich die Meinungsliste auf Seite 128 an.

PRAXIS

Zum Nachschlagen: Reflexive verbs, p. 151

Der Hörtext enthält mehrere reflexive Verben (z. B. sich kümmern). Machen Sie eine Liste, dann füllen Sie die Lücken in den folgenden Sätzen jeweils mit einem der Verben aus.

1 Ich war so müde nach der Arbeit – ich habe .... einfach ....
2 Viele junge Mütter ...., dass sie keine Zeit für sich selbst haben.
3 Wir sollten .... wirklich mit diesem Thema näher ....
4 Sie sind zwar Schwestern, ... aber fast gar nicht.
5 Ich brauche jemanden, der .... um die Kinder .... könnte.
6 Obwohl das jetzt nicht gerecht scheint, wird es .... wieder ....

Infopunkt

Wie ist Ihre Familie?

Wer sorgt in der Familie für das Einkommen, die Kinder, den Haushalt? Gibt es in eurem Land viele Mütter, die arbeiten?

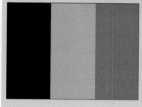

Sicher gibt es viele Frauen, die arbeiten und sich eine Existenz aufbauen, doch leider noch zu wenige. In Deutschland gibt es zu wenige Kindergartenplätze und deshalb können viele Mütter nur halbtags oder gar nicht arbeiten. Meistens „ernährt" der Vater die Familie und führt sie auch an. Wir nennen ihn „Familienoberhaupt". In manchen Familien kann es aber auch vorkommen, dass beide Elternteile berufstätig sind und die Kinder bei den so genannten „Nannys" untergebracht sind. Wenn die Kinder schon zur Schule gehen und sie nicht mehr auf Kindermädchen angewiesen sind, nennt man sie Schlüsselkinder (allein zu Hause). Den Haushalt führen zum größten Teil die Mütter oder engagierte Haushälterinnen.

Normalerweise sorgt der Vater für das Einkommen einer Familie, aber immer mehr Mütter arbeiten jetzt und sie sehen sich immer mehr als Ernährerinnen. Oft arbeiten Mütter nur in Teilzeitjobs, damit sie für ihre Kinder sorgen können. Vielleicht stellen Eltern während der Wochentage eine Tagesmutter an. Dann können beide Eltern arbeiten, wenn sie das wollen. Die ganze Familie kümmert sich um den Haushalt. Die Kinder räumen ihre Zimmer auf und vielleicht spülen sie nach den Mahlzeiten. Wenn sich die Eltern es leisten können, stellen sie eine Putzfrau an.

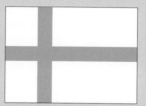

In den meisten finnischen Familien sorgen beide Eltern für das Einkommen. Im Allgemeinen teilen Mutter und Vater die Haushaltsarbeiten und Kinderpflege. Dies ist natürlich sehr persönlich, weil in einigen Familien die Mutter die ganze Zeit „am Herd steht". Meistens arbeiten beide Eltern und es gibt in der finnischen Gesellschaft nicht so viele Hausfrauen.

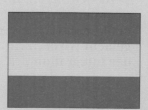

Es gibt immer mehr Frauen, die arbeiten. Das Einkommen kommt von beiden, Müttern and Vätern, obwohl auch heutzutage die traditionelle Rollen noch gültig sind: Der Vater sorgt für die Wirtschaftsfragen und die Mutter befasst sich mit der Familie und dem Haushalt. Aber sie arbeiten selbstverständlich zusammen.

Heutzutage genießen die Frauen die gleiche Möglichkeiten in der Arbeitswelt; trotzdem gibt es einige Schwierigkeiten, angestellt zu werden: zum Beispiel wenn sie schwanger sind, weil sie dann „krank" (Mutterschaft) geschrieben sind.

www.goethe.de

4.4 *Minderheiten in Deutschland*

Der Erfolg einer multikulturellen Gesellschaft steht und fällt mit der Einstellung der Menschen zu anderen Kulturen und Rassen. Alex, Winfried und Felix sprechen jetzt über die Integration von Ausländern in Deutschland.

A   Hören Sie sich den ersten Teil des Gesprächs an. In jeder Wortgruppe fehlt ein Wort. Füllen Sie die Lücken aus.

Gesellschaft .... kann	denn im .... heutzutage
ist .... auf dem Weg	Sprache nicht ...., dann
dass .... die Geisteshaltung	sich immer .... fühlen
kommt .... zum einen	Witze, die .... Leute
wesentlich .... ist	wird sich .... fühlen
die .... ist zu können	man den .... nicht verstanden
Leuten .... zu können	denkt dann ...., dass
von normal, ... kann	gelacht wird. .... denke ich schon
oder .... auch andere	der Integration .... ist

B   Wie sagt man in diesem Teil des Hörtextes...?

1 compared with Great Britain
2 to becoming a multicultural society
3 one of the most important elements
4 communication is almost exclusively through
5 if people laugh at jokes
6 cut off from the rest of society
7 in the same circle of friends
8 the level of education
9 to make easy contact(s)
10 in their own culture

C   Hören Sie sich den zweiten Teil des Gesprächs an. Wie gut sind Ihre Vokabelkenntnisse? Finden Sie die deutschen Ausdrücke für folgende englische Wörter im Hörtext.

1 to integrate
2 perfect(ly)
3 to notice
4 asylum seekers
5 foreigners
6 to adjust/adapt to
7 attitude
8 to respect
9 to try
10 similar
11 reciprocal
12 fellow citizens
13 detected/noticed
14 correctly
15 enrichment

D   Hören Sie diesen Teil noch einmal gut an und vervollständigen Sie folgende Sätze.

1 In Deutschland leben einige Türken in der...
2 Türken, die gut Deutsch sprechen, sind sehr gut...
3 20-jährige Asylbewerber haben es...
4 Ausländer, die sich integrieren möchten, sollten sich dem deutschen Leben völlig...
5 Die Deutschen sollten sich auch mehr...
6 Die Deutschen sollten die religiösen Sitten der Einwanderer...
7 Aber Ausländer sollten ihrerseits viele Anstrengungen machen, die deutsche...
8 Die beiden Seiten sollten...
9 Ausländer in Deutschland haben auch rechtliche...
10 Fremde Kulturen bringen zum Volk eine Art...

E   *Schriftliche Arbeit*

„Ein gegenseitiges Aufeinander-zugehen". Schreiben Sie einen Artikel für eine Schülerzeitung für jüngere Schüler, um zu erklären:

• was Deutschland Ausländern anzubieten hat
• wie Ausländer Deutschland und das deutsche Leben bereichern können.

Schreiben Sie etwa 250 Wörter.

Infopunkt

Ausländer in Deutschland

Nachdem im Jahr 1998 die Zahl der Ausländer in Deutschland erstmals seit längerer Zeit rückläufig war, setzte sich der langfristige Aufwärtstrend im Jahr 1999 fort. Ende 1999 wurden 7 343 591 Personen mit nichtdeutscher Staatsangehörigkeit im Bundesgebiet registriert, rund 24 000 (0,3%) mehr als 1 Jahr zuvor. Obwohl die Wanderungsstatistik für das Jahr 1999 noch nicht vollständig vorliegt, zeichnet sich schon jetzt – ebenfalls im Gegensatz zum Jahr 1998 – ein deutlicher Wanderungsgewinn ab: Im Zeitraum Januar bis November ergibt sich ein positiver Saldo von rund 125 000 Ausländern, die die Grenzen des Bundesgebiets überschritten haben, nachdem in den Jahren 1997 und 1998 die Fortzüge leicht die Zuzüge übertroffen hatten. Auffallend ist vor allem, dass bei nahezu konstanten Zuzügen die Zahl der Fortzüge drastisch zurückzugehen scheint.

Ausländische Wohnbevölkerung in Deutschland

Bürger aus	31.12.1998	31.12.1999
Türkei	2 110 223	2 053 564
BR Jugoslawien*	719 474	737 204
Italien	612 048	615 900
Griechenland	363 514	364 354
Bosnien–Herzegowina	190 119	167 690
Kroatien	208 909	213 954
Spanien	131 121	129 893
Portugal	132 578	132 623
Marokko	82 748	81 450
Tunesien	24 549	24 000
Mazedonien	46 167	49 420
Slowenien	18 412	18 648
Anwerbestaaten gesamt	**4 639 862**	**4 588 700**
Polen	283 604	291 673
Österreich	186 159	186 090
Iran	115 094	116 446
USA	110 680	111 982
Vietnam	85 452	85 362
Sonstige Nationalitäten	1 899 742	1 963 338
Ausländer insgesamt	**7 319 593**	**7 343 591**

* Serbien, Montenegro (im AZR als Jugoslawien geführt)

www.isoplan.de

PRAXIS

Zum Nachschlagen: Relative clauses, p. 155

Stellen Sie jeweils einen Teil aus A, B und C zusammen, um Sätze zu bilden. Vergessen Sie die Kommas nicht!

Beispiel: Türken, die jetzt in der 2. oder 3. Generation hier leben, sind schon sehr gut integriert.

A
Witze
Einige meiner Freunde
Ganze Viertel
Türken
Asylanten
Die rechtlichen Pflichten
Die positiven Aspekte

B
in denen Ausländer ansiedeln
die durch fremde Kulturen reingebracht werden
die im Alter von 20 nach Deutschland kommen
die andere Leute machen
die einfach anfallen
die aus dem Ausland kommen
die jetzt in der 2. oder 3. Generation hier leben

C
haben mehr Schwierigkeiten, sich zu integrieren
sollten betont werden
werden nie von Deutschen besucht
müssen wahrgenommen werden
würde ich als integriert ansehen
sind schon sehr gut integriert
kann man ohne gute Sprachkenntnisse nicht verstehen

4.5 *Bildung zu mehr Toleranz*

Rassismus und Fremdenfeindlichkeit sind leider zunehmende
Probleme in Europa. Die engagierte österreichische Zeitschrift
„Südwind" hat diesem Thema eine Ausgabe gewidmet und versucht
dabei, die antirassistische Bildung zu fördern. Lesen wir zuerst einmal,
was eine Untersuchung von der EU-Rassismus-Beobachtungsstelle
neulich herausgefunden hat.

thema
ANTIRASSISTISCHE BILDUNG

Kein „elitärer Zeigefinger"

Im Dezember des letzten Jahres wurde von der EU-Rassismus-Beobachtungsstelle, die in Wien ihren Sitz hat, eine Untersuchung veröffentlicht. Darin wurde die Haltung der europäischen Bevölkerung zu Fremdenfeindlichkeit und Rassismus von 1989 mit jener von 1997 verglichen. Kurz: Die Ergebnisse sind Besorgnis erregend. Die Situation hat sich verschärft. Der Rassismus hat zugenommen.

Fast 33 Prozent der befragten Personen geben offen zu, entweder „ziemlich rassistisch" oder „sehr rassistisch" zu sein. Die Befragung aus dem Jahr 1997 zeigt – wesentlich mehr als jene des Jahres 1989 – die Besorgnis der europäischen Bevölkerung über ihre eigene Lage sowie ihre Ängste vor der Zukunft. Ausländer werden zunehmend als Bedrohung und unerwünschte Wesen wahrgenommen.

Die Bekämpfung von Rassismus und Fremdenfeindlichkeit sind nur noch von 22 Prozent der EU-Bürger/innen als wichtige politische Aufgabe genannt worden (1989: von 36 Prozent). Die Umwelt gibt den größten Anlass zur Sorge. Als neue gesellschaftliche Probleme werden gennant: Drogen, Aids und die Versorgung der älteren Bevölkerung.

Der Verwaltungsratsvorsitzende des Beobachtungszentrums, Jean Kahn, warnte in einer Pressekonferenz in Brüssel vor dem Anwachsen rechtsextremer und fremden-feindlicher Parteien in mehreren EU-Staaten. Als Beispiele nannte er Österreich und Belgien. Er äußerte die Befürchtung, die Stärke dieser Parteien habe Einfluss auf das gesamte politische Klima. Auch andere politische Parteien seien ihretwegen geneigt, ausländer-feindliche Positionen zu übernehmen. Das sagte Kahn im Dezember!

Das Thema dieser Ausgabe des SÜDWIND-Magazins ist die antirassistische Bildung, die Bildung zu mehr Toleranz (um es positiv auszudrücken). Klar formulieren es Fachleute: Bildung kann nicht Management von Katastrophen sein. Bildung kann keine kurzfristigen Erfolge schaffen. Und vor allem, Bildung allein schafft nicht die nötigen Veränderungen. Sie liegen in der Verantwortung des gesamten Gemeinwesens.

Aber Bildung ist heute trotzdem stärker gefordert denn je. Junge Menschen müssen Vertrauen in sich selbst und in die Zukunft entwickeln können. Es gilt, starke, in sich ruhende Identitäten zu ermöglichen, die das Andere/den Anderen nicht zur Förderung des eigenen Selbstbewusstseins bekämpfen müssen. Das geht nicht mit dem „elitären Zeigefinger". Eine Erziehung von oben ist nicht gefragt. Emanzipatorische Bildung ist angesagt. Methoden dafür gibt es genug.

A Übersetzen Sie folgende Ausdrücke ins Englische:

1 eine Untersuchung wurde veröffentlicht
2 die Haltung der europäischen Bevölkerung zu Rassismus
3 die Ergebnisse sind Besorgnis erregend
4 werden als Bedrohung wahrgenommen
5 gibt den größten Anlass zur Sorge
6 warnte vor dem Anwachsen
7 er äußerte die Befürchtung
8 habe Einfluss auf das gesamte politische Klima
9 ihretwegen geneigt, ... zu
10 keine kurzfristigen Erfolge schaffen
11 stärker gefordert denn je
12 emanzipatorische Bildung ist angesagt

B Lernen Sie die deutschen Ausdrücke aus Aufgabe A auswendig und verwenden Sie sie für das folgende Rollenspiel.

Situation: **Person A** ist der/die Prüfer(in) und **Person B** der/die Kandidat(in) bei einer mündlichen Prüfung zum Thema Rassismus.

A Woher kommen Ihre Statistiken?
B [*A sociologist in Berlin has just published the results of a study.*]
A Wozu hat er diese Untersuchung gemacht?
B [*In order to compare European people's attitude to racism with that of 1989.*]
A Was hat er herausgefunden?
B [*Almost a third of those sampled admitted openly that they had prejudices against black people.*]
A Die EU-Bürger wollen aber die Fremdenfeindlichkeit bekämpfen, oder?
B [*Some do, but only 22% named it as an important political task.*]
A In welchen Ländern wachsen rechtsextreme Parteien?
B [*In several states, including Austria and Belgium.*]
A Genügt Bildung nicht, die Probleme zu lösen?
B [*Education alone cannot bring about the necessary changes.*]

PRAXIS

Zum Nachschlagen: Adjective endings, p. 143

Ohne den Text wieder anzusehen, setzen Sie die fehlenden Adjektive in die Lücken.

1 des .... Jahres (letzt)
2 hat .... Sitz (ihr)
3 die Haltung der .... Bevölkerung (europäisch)
4 die Ergebnisse sind Besorgnis .... (erregend)
5 33 Prozent der .... Personen (befragt)
6 über .... Lage (ihr, eigen)
7 als .... Aufgabe genannt (wichtig, politisch)
8 die Umwelt gibt den .... Anlass (größt)
9 .... Probleme werden genannt (neu, gesellschaftlich)
10 das Anwachsen .... und .... Parteien (rechtsextrem, fremdenfeindlich)
11 Einfluss auf das .... Klima (gesamt, politisch)
12 Bildung kann .... Erfolge schaffen. (kein, kurzfristig)

Infopunkt

Über den Südwind

Seit 20 Jahren berichtet das SÜDWIND-Magazin (vormals EPN) als einziges Monatsmagazin in Österreich über Entwicklungen in den Ländern und Regionen des Südens. Das Magazin wird vom Verein Südwind-Entwicklungspolitik herausgegeben.

Das SÜDWIND-Magazin informiert Sie hintergründig und aktuell über die sozialen, politischen, wirtschaftlichen, ökologischen und kulturellen Entwicklungen in den Regionen und Ländern des Südens, die Beziehungen zwischen Nord und Süd sowie die Aktivitäten der österreichischen Entwicklungspolitik.

Über Aufklärung und Berichterstattung hinaus fungiert das SÜDWIND-Magazin aber auch als das wesentliche Kommunikationsmedium der entwicklungspolitisch interessierten Öffentlichkeit: Das SÜDWIND-Magazin greift neue Themen und Auseinandersetzungen auf und vermittelt auch praktische Handlungsmöglichkeiten in diesem Bereich.

Im Forum-Teil lesen Sie von Menschen und Projekten, im Welt-Teil finden sich Reportagen und Analysen und im Service-Teil schließlich nützliche Tipps und Informationen, um selbst aktiv zu werden oder an Kulturveranstaltungen teilnehmen zu können.

www.oneworld.at/suedwind.magazin

4.6 *Wie Bürger eingreifen können*

Wenn es um den Erhalt eines alten Stadtviertels geht, um Spielplätze für Kinder oder Schutz vor Rasern: Bürger können mitreden – und so vor Ort direkt in Gemeindebeschlüsse eingreifen.

Bürgerinitiativen – wie sie funktionieren

Von Politikverdrossenheit keine Spur: Auf 60 000 schätzen Experten die Zahl der freien Gruppierungen (Bürgerinitiativen), die sich vor Ort engagieren. Von fehlenden Kindergartenplätzen oder Schulwegampeln bis zur Verhinderung einer Mülldeponie – mit gezielten Aktionen setzen die Initiativen ihr Ziel oft durch. Die wichtigsten Möglichkeiten, über die Bürgerinitiativen Einfluss nehmen können:

● **Bürgerantrag/Bürgerbegehren:** Dadurch wird der Gemeinderat dazu gezwungen, ein Thema zu debattieren – etwa wenn eine Grünfläche zum Parkplatz werden soll.

Voraussetzung: Der Antrag muss von genügend Wahlberechtigten per Unterschrift unterstützt werden (je nach Gemeinde zwischen 5 und 20 Prozent). Entscheidungszwang besteht für die Gemeinde zwar nicht, aber das Thema ist auf dem Tisch. Bürgeranträge sind nicht in jedem Bundesland möglich.

● **Bürgerentscheid:** Eines der jüngsten Beispiele: das Münchner Tunnelprojekt. Per Abstimmung konnten die Bürger darüber entscheiden. In 11 von 16 Bundesländern gibt es diese direkte Eingreifmöglichkeit bei größeren Vorhaben, für die die Gemeinde zuständig ist. Voraussetzung, damit die Sache ins Rollen kommt: genügend Unterschriften (meist 10 Prozent aller Wahlberechtigten). Zweite Hürde: eine ausreichend hohe Wahlbeteiligung (außer in Bayern).

● **Anhörung:** Im Vorfeld großer Projekte, etwa der Planung einer Schnellstraße, können Anwohner eine Initiative starten und in den Entscheidungsgremien der Gemeinde ihre Argumente vortragen.

● **Vereine/Institutionen:** Wenn sich eine Bürgerinitiative dauerhaft für ein bestimmtes Thema, z. B. für ein bedrohtes Naturschutzgebiet, einsetzen will, empfiehlt sich die Gründung eines gemeinnützigen Vereins. Vorteile: Spenden sind steuerlich absetzbar. Auch an öffentliche Zuschüsse kommt man leichter heran. Außerdem gerade bei Umweltfragen zu empfehlen: Zusammenarbeit mit Institutionen und Experten.

A Lesen Sie den Artikel und schreiben Sie zwölf Schlüsselwörter oder -ausdrücke auf. Zum Beispiel: Bürgerinitiative, eingreifen, engagieren…

Vergleichen Sie Ihre Liste mit einem Partner/einer Partnerin und arbeiten Sie eine gemeinsame Liste aus.

B Lesen Sie über dieses Beispiel einer Bürgeraktion und setzen Sie die Bilder in die richtige Reihenfolge.

BEISPIEL TEMPO-30-ZONE: SO WIRD EINE AKTION ERFOLGREICH DURCHGEFÜHRT

a

DAS PROBLEM: Anwohner wollen eine Straße, in der Kinder spielen, zur verkehrsberuhigten Zone machen. Brief an die Gemeinde bleibt unbeantwortet.

b

1. SCHRITT Mit anderen Betroffenen Kontakt aufnehmen. Gemeinsam einen Vorschlag erarbeiten. Ergebnis: Alle sind für Tempo 30.

c

2. SCHRITT Information des betroffenen Viertels durch ein Flugblatt. Das Schreiben sollte Ansprechpartner nennen und zu einem Info-Abend einladen.

d

3. SCHRITT Veranstaltung eines Info-Abends. Nachdem die Strategie festgelegt ist, erfolgt ein formloser Zusammenschluss zu einer Bürgerinitiative.

e

4. SCHRITT Forderungen abfassen, von möglichst vielen unterzeichnen lassen. Adressaten sind Bürgermeister und Gemeinderat. Kopie an lokale Medien.

f

5. SCHRITT Bei bekannten Mitgliedern des Gemeinderats telefonisch nachhaken. Bei Medieninteresse eventuell Veranstaltung einer Pressekonferenz.

g

6. SCHRITT Die Gemeinde schlägt statt Tempo 30 Ampeln bzw. Zebrastreifen vor. Die Bürger stimmen ab: Die Mehrheit ist nicht einverstanden.

h

DIE LÖSUNG: Das Ziel ist erreicht. Die Gemeindeverwaltung lässt sich nach harten Verhandlungen überzeugen: Die Straße wird zur Tempo-30-Zone.

PRAXIS

Zum Nachschlagen: Past tenses, pp. 148–149.

Der Bericht wurde im Präsens geschrieben. Schreiben Sie jeden Satz unten ins Perfekt, Plusquamperfekt und Präteritum um.

Beispiel:
Experten **schätzen** die Zahl der freien Gruppierungen.
Experten **haben** die Zahl der freien Gruppierungen **geschätzt**.
Experten **hatten** die Zahl der freien Gruppierungen **geschätzt**.
Experten **schätzten** die Zahl der freien Gruppierungen.

1 Die Initiativen setzen ihr Ziel durch.
2 Dadurch wird der Gemeinderat dazu gezwungen.
3 Bürgeranträge sind nicht in jedem Bundesland möglich.
4 In 11 von 16 Bundesländern gibt es diese direkte Eingreifmöglichkeit.
5 Spenden sind steuerlich absetzbar.
6 Man kommt leichter heran.
7 Ein Brief an die Gemeinde bleibt unbeantwortet.
8 Alle sind für Tempo 30.
9 Die Gemeinde schlägt Ampeln vor.
10 Die Straße wird zur Tempo-30-Zone.

C Übersetzen Sie folgende Wiederbearbeitung der Ideen des Hauptartikels ins Deutsche.

All German citizens can have their say and exert an influence on local authority decisions. If your initiative is supported by enough voters, the local council may be obliged to discuss a project in open session and targeted action can achieve your goal. In most German states, there exists the possibility of direct participation in larger projects, provided that something like 10 per cent of the signatures of all those on the electoral roll are collected.

D *Schriftliche Arbeit*

Ein Kind in Ihrer Straße ist in einem Autounfall schwer verletzt worden. Schreiben Sie einen Brief (250 Wörter) an die Ortszeitung, in dem Sie eine Tempo-30-Initiative für Ihr Stadtviertel fordern. Nehmen Sie die Ausdrücke im Bericht zur Hilfe.

4.7 *Aktioncourage*

Lesen wir jetzt über ein Projekt der Organisation Aktioncourage, deren Ziel ist, die Diskrimierungen ethnischer Minderheiten zu beseitigen.

A Lesen Sie den Text über das Projekt von Aktioncourage und beantworten Sie dann die Fragen.

1 Was machten die zehn Polizisten genau?
2 Was war das Ziel des Projekts?
3 Warum glauben viele, die Polizei sei rassistisch?
4 Inwiefern war das Projekt erfolgreich?
5 Was ist die Hoffnung der Projektveranstalter?

B Lesen Sie den Infopunkt über Aktioncourage. Verwenden Sie dann die Informationen in den beiden Texten, um die Ziele der Organisation und dieses Projekts auf Englisch zusammenzufassen.

PRAXIS

Zum Nachschlagen: Separable and inseparable verbs, p. 151

Im Artikel kommen einige trennbare und ein untrennbares Verb vor. Finden Sie zwei trennbare und zwei untrennbare Verben, schreiben Sie sie auf und schreiben Sie dann für jedes Verb einen neuen Satz.

Infopunkt

Aktioncourage – die Organisation

Wir möchten Ihnen kurz unsere Geschichte erzählen und Ihnen dann einige wichtige Informationen rund um unsere Organisation geben.

Woher kommen wir?
AKTION**COURAGE** e.V. wurde 1992 angesichts eines immer aggressiver werdenden Rassismus in Deutschland gegründet. Heute gehören dem Verein bereits 60 lokale und regionale Einzelorganisationen an oder sind mit ihm assoziiert.

Wer sind wir?
AKTION**COURAGE** e.V. ist ein Bündnis von Bürgerinitiativen und Einzelpersonen, die sich aktiv für ein friedliches Miteinander von Menschen verschiedener Nationalität und unterschiedlicher kultureller Hintergründe einsetzen.
AKTION**COURAGE** e.V. ist ein gemeinnütziger Verein, der sich größtenteils aus privaten Spenden finanziert und völlig unabhängig von politischen Parteien und Organisationen ist.

Was machen wir genau?
AKTION**COURAGE** e.V. verfolgt mit seiner Arbeit das Ziel, die Diskriminierungen ethnischer Minderheiten zu beseitigen und ihre Integration zu erleichtern.
AKTION**COURAGE** e.V. setzt sich nicht nur mit den besonders schweren Fällen von Fremdenfeindlichkeit und Gewalt in unserer Gesellschaft auseinander, sondern geht auch gegen den unscheinbareren, aber von vielen Betroffenen als nicht weniger verletzend empfundenen alltäglichen Rassismus vor.

Unsere Anschrift lautet:
AKTION**COURAGE** e.V.
Postfach 26 44
53016 Bonn

Tel: 0228 - 21 30 61
Fax: 0228 - 26 29 78
info@aktioncourage.org

An diesem Zeichen können Sie uns erkennen:

Unter diesem Titel veranstalteten AKTION**COURAGE** e.V. und Polizei Bonn ein gemeinsames Projekt in der ehemaligen Bundeshauptstadt. Vom 11. b zum 15. März wohnten zehn Polizisten in ausländischen Familien, nahmen dort ihre Mahlzeiten ein, begleiteten die Einwanderer bei Behördengängen oder Einkäufen, besuchten mit ihnen Veranstaltungen und verbrachten die restliche Zeit mit intensiven Gesprächen und Diskussionen.

Dem Projekt vorausgegangen waren Überlegungen, wie das Verhältnis zwischen deutschen Polizisten und hier lebenden Angehörigen ethnischer Minderheiten verbessert werden kann. Seit den Hetzjagden auf Ausländer in Hoyerswerda, Rostock und Magdeburg und den Polizeiübergriffen gegen Ausländer in Hamburg, Berlin und Frankfurt stehen zumindest Teile der Polizei in dem Ruf, fremdenfeindlich und rassistisch zu sein.

Trotz alledem wäre es falsch, Polizisten als Rassisten zu brandmarken und sie in eine rechte Ecke zu stellen. Solche Ausgrenzungen bewirken gewiss keine

Grüne gehen fremd – Fremde sehen grün

„Nach zwanzig Dienstjahren bin ich jetzt zum ersten Mal in der Wohnung eines in Deutschland lebenden Ausländers gewesen. Schade, dass ich nicht schon vorher eine solche Erfahrung machen konnte. Sie wird mir helfen, in Zukunft meinen Dienst noch besser zu versehen."
Ein Polizeibeamter während der Projektwoche

„Bis zu diesem Projekt habe ich wirklich geglaubt, alle deutschen Polizisten seien Rassisten."
Ein Einwanderer am Schluss der Projektwoche

Einstellungs- oder Verhaltensänderungen. Der Weg bei diesem Projekt ist der des konstruktiven Dialogs: Polizisten und Einwanderer sollen miteinander ins Gespräch gebracht werden, damit sie auch einmal den Alltag und die Probleme des jeweils anderen kennen lernen und, angereichert durch diese Perspektive, in Zukunft besser miteinander umgehen.

Grüne gehen fremd – Fremde sehen grün soll keine einmalige Sache bleiben. Daher ist dieser Leitfaden auch als Aufforderung nicht nur an AKTION**COURAGE** e.V. Gruppen, sondern an alle Menschen- und Bürgerrechtsorganisationen gedacht, ein solches Projekt in ihrem Umfeld durchzuführen.

Einheit 5
Gesetz und Politik

Politik ist ein Thema, das die unterschiedlichsten Reaktionen hervorruft. Die einen diskutieren leidenschaftlich darüber, die anderen wenden sich gelangweilt ab. Lesen und hören Sie in dieser Einheit, was junge Deutsche dazu zu sagen haben. Und was passiert, wenn man mit dem Gesetz oder dem eigenen Gewissen in Konflikt gerät? Hier finden Sie einige Erfahrungsberichte.

In dieser Einheit werden Sie Ihre Kenntnisse der folgenden grammatischen Punkte erweitern können:

■ Präpositionen *(prepositions)*
■ Passiv *(passive)*
■ Konjunktiv *(subjunctive)*
■ Infinitiv mit „zu" *(infinitive with zu)*
■ Wortstellung [Inversion] *(word order [inversion])*
■ Adjektive als Substantive *(adjectives as nouns)*
■ Adjektivendungen *(adjective endings)*
■ Verben mit Präpositionen *(verbs with prepositions)*
■ Komposita „da-" + Präpositionen *(da- + preposition compounds)*
■ Kasusendungen *(case endings)*

5.1 *Politikumfrage*

Ist Politik ein interessantes Thema für junge Leute? Die Meinungen dazu sind gespalten. Sehen Sie sich die Ergebnisse einer Umfrage unter jungen Frauen in Deutschland an. Wie stehen sie zu Politik und Politikern? Können Sie ihre Ansichten teilen?

A Lesen Sie die Umfrageergebnisse und finden Sie die folgenden Wörter und Ausdrücke zum Thema Politik im Fragebogen.

1 to participate in elections
2 to miss elections
3 to vote
4 (political) party
5 to take part in demonstrations
6 member
7 trades union
8 to become involved in politics
9 to inform oneself
10 crime
11 social justice/fairness
12 politician(s)
13 government
14 power
15 state
16 to have a political opinion
17 citizen(s)
18 democracy

Haben Sie bisher an allen Wahlen teilgenommen?

Bei allen Wahlen teilgenommen	**62%**
Auch mal Wahlen ausgelassen	**29%**
Noch nie gewählt	**9%**

Wählen Sie immer dieselbe Partei?

Ja	**51%**
Auch mal gewechselt	**47%**

Auf welche Weise beschäftigen Sie sich mit Politik?

✚ Ich beteilige mich an Demonstrationen	**20%**
✚ Ich bin Mitglied einer Gewerkschaft	**14%**
✚ Ich bin Mitglied von Greenpeace, Amnesty o. ä.	**12%**
✚ Ich bin Mitglied einer Partei	**6%**
✚ Ich bin in einer Bürgerinitiative	**3%**

Würden Sie sich gern stärker politisch engagieren?

Ja	**26%**
Nein	**70%**
Weiß nicht	**4%**

B Füllen Sie mit Hilfe der Informationen aus dem Text die folgende Tabelle aus:

Prozentsatz, der...	%
...unregelmäßig zu Wahlen geht	
...einer Partei treu bleibt	
...sich an der Arbeit politisch engagiert	
...zu beschäftigt ist, um sich für Politik einzusetzen	
...sich im Hörfunk politisch informiert	
...meint, ein Politiker müsse immer die Wahrheit sagen	
...meint, Entscheidungen der Regierung beeinflussen zu können	
...meint, Politik sei zu schwer zu begreifen	
...es für nötig hält, einen politischen Standpunkt zu vertreten	
...Politik für lebensfremd hält	

C *Mündliche Präsentation*

Führen Sie nun diese Umfrage in Kleingruppen durch. Sammeln Sie dann die Ergebnisse der ganzen Klasse und präsentieren Sie diese in einem Kurzvortrag.

TAKTIK

Nehmen Sie die unten stehenden Ausdrücke zu Hilfe um die Ergebnisse der Umfrage zu präsentieren.

Die Statistik zeigt, dass...	*The statistics show that...*
85% der Schüler...	*85% of the pupils...*
Die Mehrheit ist für (+ Akk.)...	*The majority is for...*
Die Minderheit ist gegen (+ Akk.)...	*The minority is against...*
Die Hälfte/Ein Drittel/Ein Viertel (V)...	*Half/A third/A quarter...*
Jeder zweite/dritte/vierte Schüler...	*One in two/three/four pupils...*
...lehnt (+ Akk.) ab	*...disagrees/is against*
...stimmt (+ Dat.) zu	*...agrees with...*
...steht (+ Dat.) kritisch gegenüber	*...is critical of...*
...hat eine positive/negative Einstellung zu (+ Dat.)	*...has a positive/negative attitude towards...*
...befürwortet...	*...agrees with/is for...*
Auf der einen Seite (V)...	*on the one hand...*
Auf der anderen Seite (V)...	*on the other hand...*

Warum engagieren Sie sich nicht?

✦ Keine Zeit	*66%*
✦ Bisher noch nicht das Richtige gefunden	*15%*
✦ Weiß nicht, wohin ich mich wenden soll	*8%*
✦ Bin zu faul	*4%*

Wie informieren Sie sich über Politik (regelmäßige Nutzung)?

✦ Fernsehnachrichten	*65%*
✦ Politikteil der Tageszeitung	*28%*
✦ Nachrichten und politische Beiträge im Radio	*26%*
✦ Diskussionen mit Freunden und Familie	*21%*
✦ Politische TV Sendungen	*12%*
✦ Politische Magazine wie „Spiegel", „Focus"	*4%*

Welches sind Ihrer Meinung nach die dringendsten politischen Probleme in Deutschland?

✦ (Jugend-) Arbeitslosigkeit	*84%*
✦ Umweltschutz	*17%*
✦ Kriminalität, innere Sicherheit, Drogen	*13%*
✦ Soziale Probleme/soziale Gerechtigkeit	*12%*
✦ Mehr für Kinder und Jugendliche tun	*10%*

Welche Eigenschaften sind für einen guten Politiker sehr wichtig bzw. wichtig? (Mehrfachnennungen möglich/Auswahl)

✦ Verantwortungsbewusst sein	*100%*
✦ Ehrlich sein	*99%*
✦ Teamfähig sein	*98%*
✦ Zukunftsorientiert sein	*98%*
✦ Durchsetzungsfähig sein	*97%*
✦ Bürgernah sein	*97%*
✦ Zielstrebig sein	*93%*
✦ Sachlich und rational sein	*85%*
✦ Gut reden können	*84%*
✦ Eine starke persönliche Ausstrahlung haben	*83%*
✦ Einfühlsam sein	*80%*
✦ Kreativ sein	*78%*
✦ Sich in den Medien gut darstellen	*72%*
✦ Humorvoll sein	*62%*
✦ Spontan und emotional sein	*51%*
✦ Keine Schwächen zeigen	*27%*
✦ Jung sein	*10%*
✦ Gut aussehen	*5%*

Wie beurteilen Sie folgende Aussagen? (Auswahl)

Leute wie ich haben sowieso keinen Einfluss darauf, was die Regierung tut

Stimme eher zu	*57%*
Stimme eher nicht zu	*42%*

Den Parteien geht es nur um Macht

Stimme eher zu	*72%*
Stimme eher nicht zu	*27%*

Politik ist so kompliziert geworden, dass man oft nicht richtig versteht, worum es geht

Stimme eher zu	*74%*
Stimme eher nicht zu	*26%*

Alles in allem kann man darauf vertrauen, dass der Staat das Richtige für die Bürger tut

Stimme eher zu	*25%*
Stimme eher nicht zu	*73%*

Ich halte es für sehr wichtig, dass man eine eigene politische Meinung hat

Stimme eher zu	*96%*
Stimme eher nicht zu	*4%*

Politik hat mit mir und meinem Leben nichts zu tun

Stimme eher zu	*22%*
Stimme eher nicht zu	*75%*

Zu wenige Bürger engagieren sich in der Politik

Stimme eher zu	*78%*
Stimme eher nicht zu	*19%*

Es genügt, wenn man in einer Demokratie regelmäßig zur Wahl geht

Stimme eher zu	*17%*
Stimme eher nicht zu	*81%*

5.2 *Gespräch über Politik*

Sicherlich gibt es auch in Ihrer Klasse unterschiedliche Einstellungen zum Thema Politik. Hören Sie sich ein kurzes Streitgespräch zwischen zwei jungen deutschen Frauen, Susanne und Michaela, an. Mit welcher der beiden Frauen können Sie sich eher identifizieren?

A Hören Sie sich den ersten Teil des Gesprächs an. Was sind die grundlegenden Einstellungen der beiden Frauen zur Politik? Susanne spricht als Erste.

B Hören Sie sich den Text noch einmal an und finden Sie die deutschen Entsprechungen für die folgenden Ausdrücke:

1 I have no idea, as yet.
2 It is pointless.
3 to some extent
4 completely convinced
5 rather stupid
6 to join a party
7 that's the least
8 Such criticism doesn't bother me.
9 That's how most people think.
10 who is responsible for that

PRAXIS

Zum Nachschlagen: Prepositions, p. 146

1 Die folgenden Verben und Adjektive sind dem Hör- und dem Lesetext (Seite 73) entnommen. Ergänzen Sie jeweils die passende Präposition mit entsprechendem Kasus.

Hörtext:

(etwas) verstehen	sich interessieren ....
bestimmen	wichtig ....
eintreten	verantwortlich ....
sich informieren	

Lesetext:

sich zwängen	reden ....
halten	(etwas) zu tun haben ....

2 Füllen Sie nun die Lücken im folgenden Text mit den oben stehenden Wörtern aus und vervollständigen Sie die fehlenden Endungen (Vorsicht! Eine Lücke bleibt leer.)

Viele Politiker beklagen sich, dass die heutige Jugend oft nichts .... Politik .... will. Statt dessen .... sie sich meist nur .... ihr... persönlich... Interessen. Parteien werden Jugendliche immer weniger .... Doch sind die Parteien nicht selbst .... dies... Situation? Viel zu selten .... Politiker .... Jugendliche.... Deshalb .... sie auch nichts .... d... Probleme... junger Leute. Diese wiederum .... die etablierten Parteien .... altmodisch. In den letzten Jahren ist immer weniger Nachwuchs .... d... Parteien .... Junge Leute wollen sich nicht mehr .... veraltet... Rollenbilder .... und .... ihr... eigen... Leben .... Die Lage kann sich nur verbessern, wenn sich beide Seiten mehr .... einander ....

C Lesen Sie nun die Fortsetzung der Diskussion zwischen Susanne und Michaela. Beantworten Sie dann die folgenden Fragen ausführlich.

1 Warum interessieren sich viele junge Leute nicht für Politik?
2 Welche Themen sollten Politiker aufgreifen?

Achtest du darauf, was Parteien für junge Leute tun?

MICHAELA: Doch, das ist mir schon wichtig. Aber leider gibt es da wenig zu entdecken. Manche Politiker machen selbst auf jugendlich, zwängen sich in die Lederjacke und tanzen Techno wie Lafontaine auf dem Jugendparteitag der SPD. Dieses Anbiedern ist total peinlich.

SUSANNE: Demnächst tanzt Kohl noch auf der Love-Parade! Das will doch kein Jugendlicher. Ich glaube, viele Politiker halten Jugendliche für doof.

MICHAELA: Stimmt. Ich habe wegen unserer Hilfsaktionen ein paar Mal mit Politikern geredet. Zugehört haben sie mir zwar, aber es kam mir oft so vor, als ob sie mich gar nicht ernst nehmen. Als ich zum Beispiel mit „Schüler helfen leben" den Wiederaufbau von Schulen in Bosnien organisieren wollte, kamen von vielen Politikern nur Bemerkungen wie: „Ach, ist ja niedlich – aber wisst ihr, dass da Krieg ist?" Nur ganz wenige haben uns unterstützt, der SPD-Politiker Hans Koschnick zum Beispiel, der ja selbst als EU-Administrator in Mostar war. Aber die Gespräche mit anderen Politikern waren nur enttäuschend. Deswegen regt es mich auch so auf, wenn man immer den Jugendlichen vorwirft, sie hätten Bock auf nichts. Man müsste die Politik ändern und nicht die Jugendlichen. Die Politik ist doch total jugendverdrossen!

Was müsste sich ändern?

SUSANNE: Die Politiker müssten sich echt für uns interessieren. Wie wir drauf sind, was wir denken. Mit meinem Leben, mit dem Leben meiner Freunde hat keine Bundestagsdebatte etwas zu tun. Die Drogenprobleme in der Techno-Szene zum Beispiel – Politiker kapieren doch gar nicht, was da abläuft. Nur mit Verboten ist da nichts zu ändern.

Welche Themen sollten denn eurer Meinung nach angepackt werden?

MICHAELA: Soziale Gerechtigkeit. Aber im Moment sieht es für mich so aus, dass Politiker gar nicht richtig regieren, sondern immer nur reagieren: „O Gott, hier ist wieder ein Haushaltsloch, da kürzen wir mal schnell ein paar Sozialleistungen." Und gegen die Arbeitslosigkeit müsste viel, viel mehr getan werden.

SUSANNE: Aber würde man das der CDU/CSU und der FDP noch glauben? Da kommt doch gleich dieses Vorurteil: Das hat die Regierung ja schließlich selbst verbockt. Deswegen interessieren sich viele in meinem Alter nicht mehr für Politik: Wir glauben den Politikern einfach nichts mehr.

D Lesen Sie den Text noch einmal und erklären Sie dann die folgenden Wörter bzw. Ausdrücke aus dem Text mit Ihren eigenen Worten auf Deutsch.

1 machen auf jugendlich
2 Bock auf nichts (haben)
3 jugendverdrossen
4 Bundestagsdebatte
5 soziale Gerechtigkeit
6 Haushaltsloch

E *Schriftliche Arbeit*

Schreiben Sie einen Bericht für die Schülerzeitung Ihrer deutschen Partnerschule (ca. 250 Wörter), in dem Sie das Verhältnis britischer Jugendlicher zur Politik beschreiben, und versuchen Sie, eine Erklärung dafür abzugeben. Verwenden Sie dazu Ideen und Vokabeln aus dem Text, aber auch Ihre eigenen Gedanken.

5.3 *Jugendliche als Politiker*

Wir haben bereits einige
Meinungen zur
Politikverdrossenheit unter
Jugendlichen gehört und
gelesen. Einige junge Leute sind
so unzufrieden mit Politikern,
dass sie selbst politisch aktiv
werden. Wie erfolgreich kann das
sein? Hören Sie hier das Beispiel
von drei jungen Stadträten in
Deutschland.

A Hören Sie sich das Interview mit den jungen Stadträten an. Ordnen
Sie dabei die unten stehenden Aussagen den einzelnen Personen zu.
Die Namensliste ist in der richtigen Reihenfolge.

1 Holger	**a** Unsere Entscheidung fiel während der Faschingszeit.
2 Matthias	
3 Christine	**b** Jugendliche in unserem Ort interessieren sich kaum für Politik.
4 Christine	
5 Holger	**c** Ich bin unsicher, welcher Partei ich beitreten könnte.
6 Christine	
7 Christine	**d** Wir haben sehr viele Sitzungen.
8 Holger	**e** Ziemlich viele junge Leute sind in der CDU aktiv.
9 Holger	
10 Christine	**f** Als Bürgermeister muss man mindestens 23 Jahre alt sein.
11 Christine	
12 Matthias	**g** Plötzlich interessieren sich auch die Parteien für Jugendpolitik.
13 Holger	

h Bundeskanzler zu werden, ist nicht mein Plan.

i Ich wollte schon immer Bürgermeister werden.

j An die Medienaufmerksamkeit haben wir uns schon gewöhnt.

k Um Wählerstimmen zu werben, haben wir Tausende von Briefen an die Einwohner verteilt.

l Wir haben schon verschiedene Veränderungsvorschläge gemacht.

m Der Gruppenzwang ist ein Grund für die geringe Wahlbeteiligung.

n Ich bevorzuge Lokalpolitik.

o Es gibt bei uns mehr Einrichtungen für alte Leute als für Jugendliche.

B   Die folgenden Verben sind dem Hörtext entnommen. Bilden Sie mit den Substantiven im Kästchen sinnvolle Wortgruppen. Die Substantive können mehrfach verwendet werden.

   Schreiben Sie anschließend einen kurzen Text (ca. 180 Wörter) über die Organisation von Wahlen in Ihrer Stadt/Ihrem Land.

> Bürgerbriefe Bürgermeister Interessenten
> Jugendzentrum Kandidat Land Partei Stadt
> Stimmen Wähler Wählervereinigung
> Wahlkampf Wahlurne Wahlzettel

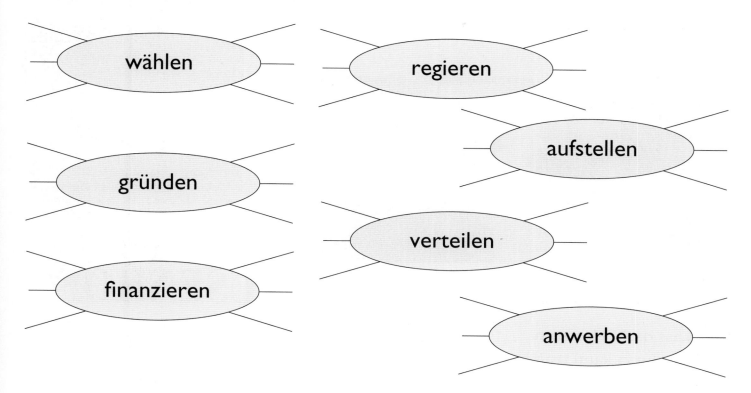

wählen

regieren

gründen

aufstellen

verteilen

finanzieren

anwerben

C   Stellen Sie sich vor, Sie seien ein(e) Jungpolitiker(in) in Ihrer Region. Welche Vorschläge würden Sie einbringen? Stellen Sie zuerst eine Liste zusammen. Sammeln Sie dann Argumente für Ihre Vorschläge, um die Gruppe von Ihren Ideen zu überzeugen. Wer ist der beste Politiker/die beste Politikerin?

PRAXIS

Zum Nachschlagen: Passive, p. 150

Im Text finden Sie die folgenden drei Passivstrukturen. Um welche Zeitformen handelt es sich jeweils?

Das Jugendzentrum neben der Stadthalle, das gerade dicht **gemacht worden ist**, **soll** wieder **eröffnet werden**. Außerdem **soll** Zülpich endlich wieder an die Bahnlinie **angeschlossen werden**.

Identifizieren Sie in jedem der folgenden Sätze das Subjekt, streichen Sie es und schreiben Sie die Sätze so um, dass sie im Passiv stehen. Achten Sie dabei auf die Zeitformen.

1 Wir haben bis nachts um halb zwei Plakate geklebt.
2 Und wir haben 8 000 Bürgerbriefe verteilt.
3 Die CDU wollte sogar ein Jugendzentrum in einem Container errichten.
4 Unseren ersten Antrag haben wir schon eingebracht.
5 Das einzige Kino hat die Volksbank gekauft.
6 Da kann man nicht so viel bewegen wie hier in der Stadt.

5.4 *Tatort Schule*

Terror auf dem Pausenhof – an deutschen Schulen nimmt die Gewalt weiter zu. Fast jedes Kind hat schon einmal Mobbing-Erfahrungen gemacht, mindestens eines von zehn wird über längere Zeit ernsthaft schikaniert. Lesen Sie hier einen Bericht über das Ausmaß des Problems und wie man versucht, es zu lösen.

TERROR AUF DEM PAUSENHOF

„Lass das!" Mut zum Neinsagen kann trainiert werden. Das typische Mobbing-Opfer ist ängstlich und unsicher und signalisiert, dass es sich wenig zutraut

Können Sie sich noch an Ihre Schulzeit erinnern? An Prügeleien, Peinlichkeiten und gehänselte Mitschüler? Vielleicht waren Sie ja selbst betroffen. Mobbing in der Schule ist an sich eine alte Sache, nur früher sagten wir „Schikanieren" dazu. Neu sind Schlagzeilen wie „Schüsse auf dem Pausenhof", „Von Mitschülern erpresst" oder „Aus Angst vor Mitschülern in den Tod". Sie dokumentieren, wie sehr die Brutalität unter Kindern und Jugendlichen zugenommen hat. 1996 verzeichnete die Polizei in Deutschland 130 000 Gewalttaten, die von Kindern begangen wurden. Bei einer Untersuchung zur Hamburger Jugendkriminalität vom vergangenen Jahr gab jeder dritte Neuntklässler an, in der Schule Opfer von Gewalt geworden zu sein. Im Bundesdurchschnitt gelten bereits fünf Prozent der Drei- bis Sechsjährigen als gewalttätig und aggressiv.

Boxen, treten oder mit körperlicher Gewalt drohen, Geld, Kleidung oder Hausaufgaben erpressen – all das fällt unter Mobbing. Aber es sind keine Waffen oder Fäuste nötig, um jemanden zu quälen. Wie Erwachsene mobben auch Kinder mit Worten, beschimpfen und verhöhnen, verbreiten Gerüchte, schreiben verletzende Dinge an die Tafel oder schließen andere Kinder aus der Gemeinschaft aus. Ein 12-jähriger Realschüler wurde über Monate wegen seines kleinen Wuchses gehänselt. Erst riefen die Mitschüler ihn „Zwergerl", dann rempelten sie ihn an, um sich mit gespielter Reue zu entschuldigen, sie hätten ihn übersehen. Schließlich hängten sie ihn wiederholt aus dem Klassenfenster „um ihn zu strecken". Eine 16-Jährige, die mit den teuren Markenklamotten ihrer Klassenkameraden nicht mithalten konnte, wurde aufgefordert – verbal und durch anonyme Briefchen –, die Schule zu verlassen, weil sie das Niveau senken würde. Auf dem Nachhauseweg wurde eine 13-Jährige von älteren Mädchen gezwungen, sich vor einer Gruppe Jungen auszuziehen – die Liste ist endlos.

Wer mobbt? Wer wird gemobbt?

Mädchen und Jungen setzen beim Mobben unterschiedliche Mittel ein. In den ersten Schuljahren verwenden Jungen fast ausschließlich körperliche Gewalt, erst später greifen sie auf Psycho-Methoden zurück. Mädchen nutzen vorrangig Hinterlist und Intrige als Instrument, um zu verletzen, aber auch bei ihnen ist die Hemmschwelle, zuzuschlagen, gesunken. Die Opfer werden in der Regel wiederholt und länger als ein halbes Jahr tyrannisiert. Mädchen werden von Tätern beiderlei Geschlechts aufs Korn genommen, Jungen vorwiegend von Jungen. Tatorte sind hauptsächlich der Pausenhof, Aufenthaltsräume, Toiletten, die Flure, das Sportgelände oder der Nachhauseweg.

A Finden Sie im Text die deutschen Entsprechungen für die folgenden Wörter bzw. Ausdrücke zum Thema „Mobbing".

 1 fight/punch-up
 2 to tease
 3 to harass
 4 brutality
 5 to commit an act of violence
 6 victim
 7 violent
 8 aggressive
 9 to kick
10 to threaten with physical violence
11 to blackmail
12 to torture
13 to swear at/abuse
14 to mock/deride
15 to spread rumours
16 to jostle
17 to force
18 craftiness/deceitfulness
19 to hurt/injure
20 to tyrannise

B Welche der folgenden Wortgruppen beschreiben ein Mobbing-**Opfer** und welche einen **Täter**?

- ängstlich
- bricht schnell in Tränen aus
- darf zu Hause keine Schwäche und Gefühle zeigen
- empfindsam
- erhöht aggressiv
- hat ein negatives Selbstbildnis
- hat keine Lust zur Schule
- hat oft Probleme im familiären Bereich
- irgendwie auffällig (z. B. zu dick, zu klein, Sprachfehler)
- kann auf Attacken nicht reagieren
- körperlich schwächer
- körperlich stärker
- manchmal ungelenk
- oft gute/r Schüler/in
- seine/ihre Eltern halten Schikane für eine Form von Stärke
- signalisiert, wertlos zu sein
- unsicher
- wehrt sich nicht
- weniger aggressiv

Nutzen Sie diese Wortgruppen, um Mobbingtäter und -opfer in je einem kurzen Text zu beschreiben. Achten Sie dabei auf möglichst abwechslungsreiche Satzstrukturen.

E Übersetzen Sie nun die folgende Zusammenfassung des Texts ins Deutsche:

More and more pupils are nowadays affected by bullying. The aggression amongst young people seems to be increasing all the time. The acts of violence are varied and not always physical. To mock a victim repeatedly or to spread nasty rumours is at least as hurtful as beating. Girls especially use verbal violence to bully their classmates. Over the last few years, however, they have become physically more violent, too. A modern method from the USA now aims to help solve the problem in German schools.

C Welche Ratschläge würden Sie einem Mobbingopfer geben? Stellen Sie ein Wandposter zur Beratung für eine deutsche Schule zusammen.

TAKTIK

Benutzen Sie für diese Aufgabe die Informationen aus Aufgabe B, z. B. „signalisiert, wertlos zu sein" – Signalisiere mehr Selbstbewusstsein.

D Sehen Sie sich den Infopunkt zu Mediation an. Wie könnte solch ein Schlichtungsgespräch verlaufen? Wählen Sie einen der im Text erwähnten Fälle von Mobbing aus und schreiben Sie ein mögliches Gespräch zwischen Opfer, Täter und Schlichtungsperson auf.

PRAXIS

Zum Nachschlagen: Infinitive with *zu*, p. 153

Finden Sie im Text alle Sätze mit einem Infinitiv mit „zu". Schreiben Sie diese ab und übersetzen Sie sie ins Englische. Unterstreichen Sie die Infinitive und vergleichen Sie deren Position mit dem Verb im Englischen.

Beispiel:
Bei einer Untersuchung zur Hamburger Jugendkriminalität vom vergangenen Jahr gab jeder dritte Neuntklässler an, in der Schule Opfer von Gewalt geworden <u>zu sein</u>.

In a study of youth crime in Hamburg last year, one in three pupils of year 9 admitted <u>having been</u> a victim of crime at school.

5.5 *Berlins strengster Lehrer*

Wie bereits im letzten Text zu lesen war, werden die Zustände an manchen Schulen immer schlimmer. Die zunehmende Gewalt ist Besorgnis erregend. Lesen Sie hier, wie ein neuer Direktor das Chaos an einer Berliner Hauptschule beseitigt hat.

Berlins strengster Lehrer hat seine Schüler voll im Griff

„Hier habe ich das Sagen!" Michael Rudolph duldet in seiner Schule keinen Ungehorsam

So stellen wir uns die ideale Schule vor: Kein Schüler kommt zu spät zum Unterricht, keiner schwänzt, alle machen brav ihre Hausaufgaben. Ein Wunschtraum? Nein, diese Schule gibt es wirklich: An der Carl-Friedrich-Zelter-Oberschule in Berlin-Kreuzberg herrschen, verglichen mit anderen Pennen, **geradezu paradiesische Zustände**. Das liegt am Rektor. Michael Rudolph (46) sagt von sich: „Ich bin der strengste Lehrer Berlins." Und das Sonderbarste daran: **Die Schüler sind sogar noch stolz auf ihn** und grüßen ihn freundlich.

Als Michael Rudolph im Herbst 1996 die Leitung der Hauptschule übernahm, regierte das Chaos. Schülerbanden terrorisierten Mitschüler und Lehrer, Prügeleien, Erpressung und Raub waren an der Tagesordnung. In einigen Klassen schwänzten regelmäßig zwei Drittel der Schüler.

Der neue Rektor griff durch. Wer Schuleigentum beschädigt, wird zur Kasse gebeten. **Wer nicht spurt, findet sich beim Schrubben der Toiletten wieder.**

Hartnäckige Schwänzer werden angezeigt. Und Eltern, die Vorschub leisten, gleich mit. Ihnen droht Beugehaft. Rudolph erinnert sich: „Einmal versprach ein Schüler. ‚Ich schwänze bestimmt nie wieder, aber **schicken Sie bitte meinen Vater nicht in den Knast!**'"

Bei Gesetzesübertretungen wird die Polizei gerufen, Gewalttäter fliegen von der Schule. Rudolphs Motto: „Eine Gesellschaft funktioniert nur, wenn sich alle an die Regeln halten. Die Schüler müssen lernen, dass jeder Regelverstoß Konsequenzen hat."

Warum ihn die Kinder trotzdem mögen? **Weil er immer ein offenes Ohr für sie hat.**

„Er ist ein prima Pauker", sagt ein Schüler. „Herr Rudolph ist streng. Aber ich glaube, seine Härte tut uns allen gut."

A Was ist eine Hauptschule?

B Finden Sie im Text die Entsprechungen für die folgenden Wörter bzw. Ausdrücke:

1 unter Kontrolle
2 versäumt die Schule
3 artig
4 Schulen
5 gewaltsamer Diebstahl

6 fanden regelmäßig statt
7 muss bezahlen
8 der Polizei gemeldet
9 Gefängnis
10 Lehrer

C Machen Sie je eine Liste zu den Zuständen an der Carl-Friedrich-Zelter-Oberschule,
1 bevor Michael Rudolph Direktor wurde
2 seitdem er Direktor ist.

Was macht Ihrer Meinung nach eine gute Schule aus? Beschreiben Sie die Zustände, die Ihnen zusprechen würden.

D Welche Strafen werden im Text erwähnt? Finden Sie diese angemessen? Machen Sie eine Liste von Verstößen/Vergehen in der Schule, die bestraft werden müssen. Stellen Sie sich vor, Ihre Gruppe ist das Lehrerkollegium an der Hauptschule im Text. Sie haben eine Sitzung und diskutieren angemessene Bestrafungen für jedes Vergehen.

Beispiel: Schwatzen im Unterricht – Nachsitzen

PRAXIS

Zum Nachschlagen: Word order (inversion), p. 154

Sehen Sie sich die folgenden Sätze aus dem Text noch einmal genau an und schreiben Sie sie ab:

• Wer Schuleigentum beschädigt, wird zur Kasse gebeten.
• Wer nicht spurt, findet sich beim Schrubben der Toiletten wieder.

Unterstreichen Sie die Verben und erklären Sie, was an der Verbstellung besonders ist und warum.
Formulieren Sie ähnliche Sätze mit Hilfe Ihrer Ideen aus Aufgabe D.

Beispiel: Wer im Unterricht schwatzt, muss eine halbe Stunde nachsitzen.

5.6 *Frauen in Angst vor Gewalt*

Wer kennt die Situation nicht? Es ist spät geworden, und nun muss man im Dunkeln allein nach Hause gehen oder fahren. Ein mulmiges Gefühl. Ist das normal? Geht es allen Menschen so und warum eigentlich? Lesen Sie hier einen Bericht über die Erfahrungen von jungen Studentinnen in Deutschland.

„Dann fange ich einfach an zu laufen ...“

„Es ist doch klar, dass man, wenn es dunkel ist, Angst hat...“ Die 23 Jahre alte Sabine ist über die Frage, warum sie sich nachts bedroht fühlt, fast entrüstet. „Das fängt damit an, dass ich in der Stadt nur im Parkhaus direkt an der Kasse parke, um nicht allein aus- und einsteigen zu müssen. An der Kasse ist alles erleuchtet, ansonsten bist du einsam und verlassen. Es ist mir auch schon passiert, dass ich ’ne halbe Stunde rumgekurvt bin, bis endlich ein Platz in Kassennähe frei wurde.“ Und mit einer Portion Skepsis meint die Jurastudentin: „Jetzt gibt es überall diese Frauenparkplätze, kameraüberwacht. Aber weiß ich denn, ob da wirklich immer einer am Monitor sitzt...?“ Früher hatte Sabine ständig ein Taschenmesser dabei. Das war ihr zu unsicher, weil sie dem Täter damit schnell eine Waffe hätte zuspielen können. Deshalb trägt sie inzwischen ein Reizgasfläschchen mit sich herum. Zu ihrer Beruhigung. „Wenn nachts jemand auf meiner Straßenseite geht, frag’ ich mich, warum der auf meiner Seite geht, was der wohl von mir will. Wenn ich abends mit dem Zug nach Hause gefahren bin – das mache ich inzwischen nicht mehr – hab’ ich mich immer gefragt, warum setzt sich der Typ jetzt

Dunkle Aufgänge, verlassene Parkdecks ... die Angst geht immer mit

gerade in mein Abteil. Ich hatte jedesmal tierische Angst, es war grausam.“ Und: „Wenn du abends irgendwo hingehst, dann überlegst du dir genau, welchen Weg du nimmst. Also, bevor ich abends am Bahnhof entlanggehe, laufe ich lieber einen Umweg von ein paar Minuten...“

Wie krass das Erzählte wirklich ist, wird deutlich, wenn man(n) überlegt, welche Konsequenzen solche Ängste bei vielen Studentinnen haben, wie sehr sie dadurch eingeschränkt und eingeengt werden. Sabine ist kein Einzelfall. Tatsache ist: Die meisten Frauen kennen diese oder ähnliche Situationen. Eine repräsentative Umfrage unter 1 320 Frauen im Alter ab 14 Jahren („Brigitte“ 1992) ergab: Neun von zehn Frauen geht es wie Sabine. Sie nehmen Umwege in Kauf, statt durch bedrohlich erscheinende Gegenden zu gehen. Über die Hälfte (55,5 Prozent) der Befragten fährt abends nicht mit S- oder U-Bahn. Etwa die gleiche Anzahl (52,7 Prozent) geht im Dunkeln nicht allein aus dem Haus.

A Was empfinden Sie als bedrohlich? Sammeln Sie in der Gruppe möglichst viele Situationen, die Sie beängstigend finden. Gibt es Unterschiede zwischen Mädchen und Jungen?

bedrohliche Situationen

dunkle, einsame Parkhäuser

B Finden Sie im Text alle Vorsichtsmaßnahmen, die man treffen kann, um sich gegen mögliche Gewalttäter zu schützen. Ergänzen Sie die Liste mit Ihren eigenen Ideen und Erfahrungen.

C Lesen Sie den Text noch einmal durch. Ergänzen Sie dann die folgenden Sätze, so dass sie Informationen aus dem Text wiedergeben.

1 Für Sabine ist es offensichtlich, im Dunkeln…
2 Sie parkt ihr Auto immer direkt an der Kasse, damit sie nicht…
3 Frauenparkplätze sind ihrer Meinung nach…
4 Statt eines Taschenmessers hat Sabine jetzt immer…
5 Sie ist verunsichert, wenn nachts jemand…
6 Abends fährt sie jetzt nicht mehr…
7 Sie vermeidet es auch,…
8 Die Konsequenzen dieser Ängste sind, dass das Leben von Frauen…

D Lesen Sie nun einen Bericht über Berit, eine andere junge Frau, die sich in einer bedrohlichen Situation wiederfand. Oder hat sie sich das vielleicht nur eingebildet? Ihr/e Lehrer/in hat die zweite Hälfte des Berichts. Verfassen Sie jedoch erst einmal Ihre eigene Version.

Zwölf Uhr nachts. Berit sitzt in der U-Bahn Linie 66 vom Bonner Hauptbahnhof in Richtung Siegburg. Am Wochenende war die 20-jährige Studentin bei ihren Eltern. Schon im Bahnhof hat es angefangen: Plötzlich war die Angst da, von irgendeinem besoffenen Typen angequatscht zu werden. Wie reagieren? Aber im Bahnhof waren noch genügend Menschen gewesen, die Berit Sicherheit gaben: Der Aufseher von den Stadtwerken, Fahrgäste, vor allem andere Frauen. Jetzt sitzt die Erstsemesterin mit drei jungen Männern allein im Wagen.

Infopunkt

Gewalt gegen Frauen

Woher kommt die Angst? Vor allem, warum in erster Linie Angst vor fremden Männern? Das Infoheft des „Notruf e.V." der Bonner Initiative „Frauen gegen Gewalt" stellt klar: Nur ein Bruchteil der Vergewaltigungen werden vom „bösen Mann aus dem Busch" begangen. Viel öfter kommt es zum „date-rape", zur Vergewaltigung durch jemanden, den das Opfer zumindest schon einige Stunden lang kannte. Und mit Abstand die meisten Vergewaltigungen passieren im Bekanntenkreis: in der Familie, in der Beziehung, in der Ehe… Insgesamt werden vier von fünf Vergewaltigungen durch einen der Frau bekannten Täter begangen. Diese Zahlen sind nicht neu. Warum kommt es also fast ausschließlich draußen, in der Dunkelheit, zu Angstsituationen? Alberto Godenzi schreibt in seinem Buch „Bieder, brutal", es sind die Medien mit ihren Horrorgeschichten. Da werden Frauen von „wildfremden" Männern vergewaltigt. Und fast immer passiert es draußen, auf der Straße, im Park, draußen eben. Tatsache ist aber, dass mindestens zwei Drittel aller Vergewaltigungen in der Wohnung des Täters, der Frau oder im Auto geschehen. Zu jeder Tages- und Nachtzeit.

PRAXIS

Zum Nachschlagen: Adjectives as nouns, p. 145; adjective endings, p. 143

1 Übersetzen Sie die folgenden Sätze aus dem Text und achten Sie dabei besonders auf die unterstrichenen Wörter.

  a Wie krass das Erzählte wirklich ist, wird deutlich, wenn man(n) überlegt, welche Konsequenzen solche Ängste bei vielen Studentinnen haben.

  b Über die Hälfte der Befragten fährt abends nicht mit S- oder U-Bahn.

2 Ergänzen Sie im folgenden Text die fehlenden Endungen.

  Zwei Frauen sitzen am späten Abend in der S-Bahn. D..... Verängstigt..... schaut sich immer wieder nervös nach d..... männlich..... Mitreisend..... um, während d..... Selbstbewusst..... in ihr Buch versunken ist. An der nächsten Station steigen zwei Betrunken..... ein, die sich zwischen d..... Verängstigt..... und d..... Selbstbewusst..... setzen, sehr zum Entsetzen d..... Verängstigt..... D..... Betrunken..... versuchen, mit d..... Verängstigt..... und d..... Selbstbewusst..... ein Gespräch anzufangen. D..... Selbstbewusst..... gibt d..... Betrunken..... jedoch deutlich zu verstehen, dass sie an einem Gespräch nicht interessiert ist. Sie kann die Verlegenheit d..... Verängstigt..... fühlen und wechselt mit ihr gemeinsam das Abteil. An der Endstation ruft d..... Selbstbewusst..... ein Taxi für d..... Verängstigt..... , damit diese ganz beruhigt nach Hause fahren kann.

E *Schriftliche Arbeit*

Diskutieren Sie in einem Aufsatz von ca. 250 Wörtern das folgende Zitat aus einem Buch über Gewalt gegen Frauen: „Von Frauen wird gesellschaftlich verlangt, dass sie bestimmte Situationen meiden; gewisse Plätze sind zu gewissen Zeiten für sie einfach nicht statthaft. Und eine Frau, die sich dort abends trotzdem allein aufhält, ist doch wohl auch selbst schuld…?"

5.7 *Die Frau von der Mordkommission*

Zu Verbrechen gehören nicht nur Opfer und Täter, wie in den letzten Aufgaben zu hören und zu lesen war, sondern auch die Polizei. Lesen Sie hier einen Bericht über die Kommissarin Ilona Scholz, die sich als Frau in einer Männerdomäne behauptet.

Schon eine Spur, Frau Kommissarin?

Ilona Scholz ist die einzige Frau Deutschlands, die eine Mordkommission leitet. Ihr Einsatzgebiet ist Berlin. Ihre Spezialität: Fälle mit schwieriger Beweisführung

AUF DEM WEG ZU EINEM VERHÖR: 90 PROZENT ALLER MORDE DECKT DAS TEAM DER KRIPO-FRAU AUF

„Delikte am Menschen" steht lapidar am Tor des Landeskriminalamtes 41 im Stadtbezirk Schöneberg. Berlin hat neun Mordkommissionen, Ilona Scholz leitet seit acht Jahren die achte, sieben Männer und eine Sekretärin sind ihr unterstellt. Arbeitet sie an einem spektakulären Fall, kann sie sich darauf verlassen, dass vom Dach des Hauses gegenüber ein RTL-Team in ihr Büro filmt. Wenn die Leute sie früh in der U-Bahn anstarren, weiß sie, dass „Bild" sie wieder mal aufs Titelbild gepflastert hat. Die 40-jährige große, schlanke Frau sorgte für Schlagzeilen, weil sie Morde aufklärte, bei denen die Beweisführung ungewöhnlich schwierig war. Wie bei der 21-jährigen Mutter aus Marzahn, die ihr drei Monate altes Baby in der Wuhle ertränkte, aber sehr überzeugend angab, dass Skins ihren Säugling entführt hätten. Nur zwanzig Minuten des Tat-Tages fehlten in ihrer Beschreibung. Ilona Scholz begann zu bohren. Ein knallhartes neunstündiges Verhör brachte die junge Mutter schließlich zum Geständnis.

Ilona Scholz, die ihr Jurastudium nach vier Semestern abbrach, weil es so furchtbar trocken war, dann Kriminologie studierte und heute noch von einer Medizinerausbildung träumt, kam nach der Wiedervereinigung auf ihren Posten. Nach der Wende war die Gründung von zwei neuen Berliner Mordkommissionen erforderlich. Die damals 32-Jährige wurde gefragt, ob sie die achte leiten möchte. Das war ungewöhnlich. „Sie glauben nicht, was die Männerwelt im Haus für ein Geschrei machte. Manche, die scharf auf den Posten waren, haben mich nicht mehr gegrüßt, andere haben darauf gelauert, dass mir mal ein Fehler unterläuft, den sie mir ankreiden können, wieder andere versuchten, meine Arbeit zu boykottieren. Und es gab haufenweise dumme Sprüche wie: ‚Immerhin hat sie schöne Beine.' Da blieb mir nur zu sagen: ‚Ja, meine Herren, aber da kommen Sie nicht ran.'" Sie merkte sehr schnell, dass sie mehr leisten musste als ein Mann, um gleichermaßen anerkannt zu sein. Bessere Berichte schreiben, mehr Vernehmungen durchführen, größeren Einsatz zeigen. Inzwischen haben sich die Männer an sie gewöhnt. Ihr Mitarbeiter Robert Klemm, der erst seit einem Jahr bei der achten ist, kennt es nicht anders. Hier hat eben eine Frau den Hut auf. „Sie ist resolut, setzt sich durch. Aber sie ist einfühlsamer, als ich es bei bisherigen Chefs kennen gelernt habe, hat auch mal ein Ohr für private Probleme und sorgt für eine gute Atmosphäre."

A   Was fällt Ihnen zum Thema Kriminalkommissar/in ein? Sammeln Sie in der Gruppe Ihre Ideen.

Morde aufklären

B Lesen Sie jetzt den Text und entscheiden Sie, ob die folgenden Aussagen richtig (R), falsch (F) oder nicht im Text (N) sind.

1 Ilona Scholz ist Vorgesetzte von acht Personen.
2 Die Medien zeigen großes Interesse für ihre Arbeit.
3 Die Morde ihrer Kommission sind einfach aufzuklären.
4 Skins haben ein Baby entführt.
5 Die junge Mutter brach in Tränen aus.
6 Ilona hat einen Studienabschluss.
7 Sie wollte nie Ärztin werden.
8 Die Wiedervereinigung hat ihr zu ihrer Stelle verholfen.
9 Anfangs waren die Männer über eine Frau Kommissarin empört.
10 Ihre Anerkennung musste sie sich hart erarbeiten.

C Erklären Sie in Ihren eigenen Worten auf Deutsch, was die folgenden Wörter bzw. Ausdrücke im Sinne des Textes bedeuten.

1 Mordkommission (1. Absatz)
2 anstarren
3 Beweisführung
4 bohren
5 Geständnis

6 nach der Wende (2. Absatz)
7 die scharf auf den Posten waren
8 haben darauf gelauert
9 Vernehmungen
10 hat ... den Hut auf

D *Schriftliche Arbeit*

Schreiben Sie eine kurze Biografie/einen Lebenslauf von Ilona Scholz. Markieren Sie dafür zuerst alle wichtigen Informationen im Text und bringen Sie diese in eine chronologische Reihenfolge. Erfinden Sie Details, um die Lücken (z. B. Familie, private Interessen usw.) auszufüllen.

PRAXIS

Zum Nachschlagen: Verbs with prepositions, p. 154; „da" + preposition compounds, p. 147

Im Text finden Sie die folgenden zwei Sätze:

Arbeitet sie an einem spektakulären Fall, kann sie sich **darauf** verlassen, dass vom Dach des Hauses gegenüber ein RTL-Team in ihr Büro filmt. (1. Absatz)

..., andere haben **darauf** gelauert, dass mir mal ein Fehler unterläuft, den sie mir ankreiden können, ... (2. Absatz)

1 Erklären Sie, warum die Präposition „auf" in beiden Sätzen in Verbindung mit „da-" erscheint.
2 Im Text kommen die folgenden Verben vor. Finden Sie die dazugehörigen Präpositionen mit entsprechendem Kasus.

- arbeiten
- sich verlassen
- sorgen
- bringen

- träumen
- scharf sein
- lauern
- sich gewöhnen

3 Bilden Sie mit Hilfe der folgenden Ausdrücke und den Präpositionen aus Aufgabe 2 für jedes Verb zwei Sätze. Entscheiden Sie jedes Mal, ob die Präposition mit „da-" verbunden wird oder nicht.

Beispiel:
Wir arbeiten daran, diesen Mord aufzuklären.
Wir arbeiten an einem schwierigen Fall.

a arbeiten... – diesen Mord aufklären/ein schwieriger Fall
b sich verlassen... – du/du bist pünktlich
c sorgen... – genug Vorrat ist im Kühlschrank/gute Stimmung
d bringen... – auf den Tischen tanzen/Lachen
e träumen... – berühmt werden/eine Karriere als Schauspieler
f scharf sein... – unsere Pizza/zur Party gehen
g lauern auf... – seine Gelegenheit/wir gehen aus dem Haus
h sich gewöhnen... – alles/jeden Morgen um 6 Uhr aufstehen

5.8 *Zivilcourage*

Wie verhält man sich eigentlich, wenn man andere Menschen in
Gefahr sieht? Soll man helfen? Muss man immer helfen? In
Deutschland gibt es eine ziemlich genaue Gesetzesvorlage zu diesem
Thema. Doch das heißt leider nicht, dass alle Leute wissen, wie man
sich in jeder Situation verhalten muss.

A   Hören Sie zunächst, wie Felix und Kathrin Zivilcourage
beschreiben, und füllen Sie dabei die Lücken in der Abschrift des
Gespräches aus.

Claudia   Was ist Zivilcourage denn eigentlich?

Felix   Ich würde einen Teil der Zivilcourage auf jeden Fall insofern
  1 ...., dass man, wenn man **2** .... oder etwas Ähnliches auf
  der Straße sieht, dass man dort in gewisser **3** .... eingreift. So,
  jetzt stellt sich natürlich die Frage, **4** .... sollte man da
  eingreifen? Meiner Meinung nach sollte man nicht soweit gehen,
  dass man **5** .... eigene Gesundheit oder sein eigenes Leben aufs
  6 .... setzt, sondern man sollte halt so eingreifen, dass es
  demjenigen, der attakiert **7** ...., hilft, aber man trotzdem nicht in
  eigene Gefahr gerät. Das heißt vielleicht, man sollte die Polizei
  rufen, man sollte andere Leute **8** .... animieren, einem zu helfen,
  die Situation zu beseitigen, oder was **9** ....

Kathrin   Das mit der Polizei rufen, ist, glaube ich, ein gutes
  10 ...., weil ich zum Beispiel schon oft **11** .... hab' bei
  Unfällen, das alle Leute stehen bleiben, schauen – und keiner tut
  was. Keiner ruft die Polizei, keiner versucht, dem Verletzten zu
  helfen, alle schauen nur und denken, **12** .... wird's schon
  machen. Und das ist so eine Grundeinstellung bei **13** .... Leuten,
  dass, dass sie schon sehen, was um sie herum Schlechtes passiert,
  aber dass man immer denkt, na ja, es wird schon irgendjemand sich
  kümmern. Und ich hab' **14** .... die Erfahrung gemacht, auf
  einem kleinen Bahnhof in Mecklenburg, dass da zwei sehr junge
  Jugendliche die, die Schalterangestellten **15** .... haben, mit, mit
  kleineren Steinen usw. Alle Leute haben geschaut und keiner hat
  was gemacht. Und als, als ich dann etwas **16** .... geworden bin,
  sind die ohne weiteres gegangen. Also, es ist oft auch **17** ...., dass
  die Leute einfach denken, na ja, wird schon nichts passieren oder ist
  ja nicht so **18** ...., da muss man nichts machen.

B   Fassen Sie die Aussagen von
Felix und Kathrin in einem
kurzen Text zusammen.
Beantworten Sie dafür die
folgenden Fragen mit je einem
Satz:

Felix
1 Wie definiert Felix
  „Zivilcourage"?
2 Was soll man auf jeden Fall
  vermeiden?
3 Wie kann man beispielsweise
  helfen?

Kathrin
1 Wie reagieren viele Leute auf
  Unfälle?
2 Wie beschreibt Kathrin die
  Grundeinstellung vieler Leute?
3 Welche konkrete Erfahrung hat
  sie gemacht? (eventuell zwei
  Sätze)

C   Lesen Sie den Artikel bis „. . . sagt der Jurist." und finden Sie die
Entsprechungen für die folgenden Wörter bzw. Ausdrücke:

1 Leute, die ein Unglück beobachten
2 mit dem Dach nach unten
3 betroffen
4 Jurist
5 beschuldigt
6 Beistand unmittelbar nach einem Unfall
7 Position, in die man eine bewusstlose Person bringen sollte
8 Mut machen
9 Gewaltanwendung zum Schutz des eigenen Lebens
10 finanzielle Strafe

Zupacken oder nichts wie weg?

Unfallzeugen geraten oft ins Schlingern zwischen Gesetz, Gewissen und Gefühl. Doch wer keine Hilfe leistet, macht sich schuldig

Ungebremst schießt der VW Golf über den Asphalt und landet kopfüber im Straßengraben. Der Fahrer versucht blutüberströmt, die Tür zu öffnen. Entsetzt bremst der Hintermann, starrt auf das Wrack – und fährt weiter. Keine Ausnahmesituation. Die Angst, etwas falsch zu machen, erstickt nicht selten die spontane Hilfsbereitschaft: „Wenn ich den anfasse, stirbt der nachher, und dann bin ich dran."

Christian Rahn, Anwalt aus Hamburg, sieht die Sache anders: „Niemand wird angeklagt, weil er versucht hat zu helfen und dabei etwas schief ging. Aber außer Blinden und Schwerbehinderten ist jeder zu Erster Hilfe verpflichtet." Das heißt: Polizei und Krankenwagen rufen oder einen Brand bei der Feuerwehr melden. Einen Verunglückten in die stabile Seitenlage bringen, einem Verwundeten Trost zusprechen, ihn mit einem Mantel zudecken. Das geht so weit, dass man beispielsweise bei einem Überfall auch dem Täter helfen muss, der durch Notwehr seines Opfers verletzt wurde. Allerdings nur, wenn weitere Angriffe nicht zu befürchten sind. Wer Menschen ihrem Schicksal überlässt, obwohl Hilfe nötig und zumutbar ist, wird bestraft, mit Gefängnis bis zu einem Jahr oder Geldbuße. Zumutbar bedeutet, im Rahmen der eigenen körperlichen Möglichkeiten einzugreifen. Heldentum wird nicht erwartet. „Kein Nichtschwimmer muss ins tiefe Wasser springen, um einen Ertrinkenden zu retten", sagt der Jurist.

Dabei kann man nicht nur bei dramatischen Unglücksfällen in die Klemme geraten: Ein Betrunkener liegt im Rinnstein. Was tun? Ihn auf den Fußweg schleppen? Vielleicht schlägt er um sich und verletzt sich selbst. Oder er muss sich übergeben und erstickt. „Keine Frage, trotzdem muss man den Mann in Sicherheit bringen", erklärt Rahn, „denn der Betrunkene gefährdet sich und die Autofahrer. Ein Unglück abzuwenden gehört ebenfalls zur Ersten Hilfe." Angst oder Ekel sind kein Argument: Wer sich drückt, kann wegen unterlassener Hilfeleistung selbst dann angezeigt werden, wenn sein Nichtstun niemandem geschadet hat.

Aus dem Schneider ist man erst, wenn sicher ist, dass andere eingreifen, sich der Betreffende selbst aus der Patsche zieht oder jeglichen Beistand ablehnt. Als Ausnahme gelten Selbstmörder, weil sie das Unheil eigenverantwortlich herbeigeführt haben. Aber auch hier muss man handeln, sobald andere mitgefährdet sind.

Helfen ist Pflicht, auch wenn man sich im ersten Moment selbst hilflos fühlt

D   Lesen Sie jetzt den gesamten Text durch und verbinden Sie die folgenden Satzanfänge mit den richtigen Satzenden. Vorsicht! Es gibt mehr Satzenden als –anfänge.

1 Ein Auto…
2 Das nachfolgende Auto…
3 Viele Leute…
4 Der Versuch zu helfen…
5 Fast alle Menschen…
6 Diese Regel…
7 Unterlassene Hilfeleistung…
8 Von niemandem…
9 Einem Betrunkenen zu helfen..
10 Dem Gesetz nach…

a …belegen einen Erste-Hilfe-Kurs.
b …hält nicht an.
c …ist vor Gericht strafbar.
d …kommt von der Straße ab.
e …kostet viele Leute Überwindung.
f …muss man auch Gefahrenquellen beseitigen.
g …müssen Erste Hilfe leisten.
h …trifft auch auf die Behandlung von Kriminellen zu.
i …wird mit Geld belohnt.
j …wird nie bestraft.
k …wird Unmögliches verlangt.
l …wollen nichts falsch machen.

E   Diskutieren Sie mit einem Partner/einer Partnerin, wie Sie sich in den folgenden Fällen verhalten würden. Was denken Sie, wie Sie sich dem Gesetz nach verhalten müssten? Was würden Sie machen, wenn…

• Sie auf dem Weg zur Schule/zum College einen Mann im Straßengraben liegen sehen?
• Ihr Hund den Briefträger beißt?
• aus dem Küchenfenster Ihrer Nachbarn Rauch kommt?
• die Alarmanlage des Nachbarhauses schrillt, während die Bewohner im Urlaub sind?
• Sie sehen, wie ein junger Mann einer alten Frau die Handtasche klaut?
• Sie aus dem Nachbarhaus wiederholt das Weinen eines Kindes und das laute Schimpfen eines Erwachsenen hören?
• Sie in der Toilette einer Disko eine/n bewusstlose/n Frau/Mann finden?
• Sie mit Ihrem Auto einen Fahrradfahrer anfahren, der plötzlich aus einer Seitenstraße kam?

PRAXIS

Zum Nachschlagen: Case endings (articles, pronouns, adjectives), pp. 138–145

Lesen Sie hier den letzten Absatz des Textes. Entscheiden Sie jeweils, welches Wort in die Lücke passt.

Dennoch hat der Einsatz Grenzen:
1 *Ein/Einen/ Einem* Verletzten braucht keiner in die **2** *eigene/ eigenen/eigener* Wohnung zu lassen. Man kann **3** *ihn/ihm/ihr* vor **4** *dem/den/der* Tür versorgen und die Polizei rufen. Ist das Opfer bewegungsunfähig, muss man **5** *er/sie/es* allerdings in Sicherheit bringen. Gesundheit, Leben, Freiheit und Vermögen soll **6** *niemand/niemanden/niemandem* riskieren. **7** *Ein/Einem/Einer* Messerstecher muss man nicht die Waffe aus **8** *dem/der/die* Hand schlagen; auch bei **9** *eine/einem/einer* Prügelei kann niemand verlangen, dass man selbst in **10** *den/die/dem* Ring steigt. Nicht strafbar ist übrigens die Beschädigung von Eigentum, wenn es um Menschenleben geht. Wer **11** *dem/den/das* Autofenster einschlägt, um ein Kind im sommerlich **12** *aufgeheizter/ augeheizte/aufgeheizten* Wagen vor dem **13** *offensichtlichen/offensichtlicher/ offensichtliche* Ersticken zu retten, der kann nicht belangt werden.

Einheit 6
Historisch gesehen

*D*ie deutsche Geschichte des 20. Jahrhunderts ist eine Achterbahnfahrt zwischen Schwindel erregenden Höhepunkten und erschütternden Tiefpunkten. Diese Einheit wird versuchen, einige wichtige Ereignisse näher zu beleuchten, kann aber natürlich nicht als vollkommene Darstellung des letzten Jahrhunderts dienen. Doch lesen und hören Sie zuerst, welche Schwierigkeiten die Deutschen selbst mit ihrer Geschichte haben.

In dieser Einheit werden Sie Ihre Kenntnisse der folgenden grammatischen Punkte erweitern können:

- Konjunktiv *(subjunctive)*
- Passiv *(passive)*
- Genitiv *(genitive)*
- Plusquamperfekt *(pluperfect)*
- Konjunktionen *(conjunctions)*
- Modalhilfsverben *(modal verbs)*

6.1 *Deutschland finde ich...*

Wie stehen junge Deutsche zu ihrem Heimatland? Die Frage der nationalen Identität ist für Deutsche oft nicht einfach zu beantworten. Zu schwer lastet die Vergangenheit auf den Schultern. Doch zur Jahrtausendwende macht sich auch langsam Optimismus breit.

A Finden Sie in den Texten die deutschen Entsprechungen für folgende Adjektive, mit denen Deutschland bzw. das Verhältnis der jungen Leute zu Deutschland beschrieben wird.

1 mixed, conflicting
2 pleasant
3 diverse
4 varied
5 attractive
6 ignorant
7 bourgeois, middle-class
8 democratic
9 peaceful
10 social
11 grown together
12 friendly towards foreigners
13 astonishing
14 remarkable
15 determined

B Lesen Sie die Texte noch einmal durch. Entscheiden Sie dann, auf wen die folgenden Aussagen zutreffen:

1 ...bezeichnet Deutschland als kleinbürgerlich.
2 ...betrachtet Deutschlands Erfolge mit Stolz.
3 ...findet, dass die Deutschen verantwortungsbewusst mit ihrer Vergangenheit umgehen müssen.
4 ...findet die Deutschen nicht allzu herzlich.
5 ...glaubt, dass sich Deutschland international weiter öffnen sollte.
6 ...hält Deutschland für großartig, aber trotzdem verbesserungsbedürftig.
7 ...hält die Deutschen für nörglerisch und träge.
8 ...hat keine richtige Meinung zu diesem Thema.
9 ...hofft, dass Deutschlands Eigenständigkeit erhalten bleibt.
10 ...ist den älteren Generationen für die Errungenschaften nach dem Krieg dankbar.
11 ...ist der Meinung, dass Deutschland mehr für seine jungen Bürger tun muss.
12 ...ist froh, die Jugend in Ostdeutschland verbracht zu haben.
13 ...ist im Großen und Ganzen mit der Entwicklung Deutschlands im letzten halben Jahrhundert zufrieden.
14 ...ist mit den Chancen zufrieden, die den Deutschen geboten werden.
15 ...ist vom Fernweh erfasst.
16 ...kann die eigenen Gefühle für Deutschland nicht klar bestimmen.
17 ...meint, dass sich die Deutschen zu wenig um das Gemeinwohl kümmern.
18 ...stuft den Lebensstandard in Deutschland sehr hoch ein.
19 ...wünscht sich, dass Ideen und Meinungen des Einzelnen gehört werden.
20 ...würde sich als Regierungschef klare Ziele setzen.

50 Jahre Bundesrepublik

DEUTSCHLAND FINDE ICH ...

„... ein Land, in dem es den meisten richtig gut geht. Doch mich hält hier nichts, andere Kulturen sind reizvoller"
GERALDINE, 19
Schülerin aus Berlin, Berufswunsch: Journalistin

„... normal. Unsere Eltern wurden noch kritisch beobachtet, ob sie gute Deutsche sind. Doch heute stehen wir da wie jedes andere Land. Und im Sport oder bei der Kultur und Erfindungen in der Wirtschaft spüre ich Nationalgefühl"
YANNICK, 19
Schüler aus Berlin, möchte mal ins Sportmanagement

„... ignorant. Warum mischen sich die Menschen nicht mehr ein in die Politik? Man kann doch auch mal was tun für die Gruppe, in der man lebt"
MANUELA, 18
Schülerin aus Berlin, sie will Fremdsprachenkorrespondentin werden

„... sozial. Es wird viel für soziale Sicherheit und gute Bildung getan. Aber das Land sollte nicht an der Jugend sparen, denn wir sind die Zukunft"
VALENTIN, 19
Schüler aus Berlin, möchte Naturwissenschaften studieren

„... super. Mir geht es gut hier. Aber wenn ich Regierungschef wäre, dürfte man umsonst S-Bahn fahren und legal Marihuana rauchen. Außerdem würde ich die Faschos stärker bekämpfen – und mit der Nato mal ein ernstes Wörtchen reden"
TOBIAS, 18
Schauspieler aus Berlin, in „Solo für Klarinette", „Schimanski"

„... ist eine Verpflichtung, genau und kritisch zu betrachten, was in Politik und Gesellschaft vor sich geht. Damit sich nicht wiederholt, was schon einmal, von der Mehrheit unbeachtet, geschehen ist"
BENJAMIN, 17
Jungautor aus München

„... friedlich. 50 Jahre kein Krieg. 50 Jahre eine halbwegs gute politische Richtung. Wiedervereinigung. 50 Jahre schlechtes Essen, 50 Jahre gute Autos"
CLEMENS, 19,
Schüler aus Hamburg. Berufsziel: Chefkoch

„... demokratisch. Wenn ich Kanzler von Deutschland wäre, gäb's weniger Arbeitslose, mehr Spaß am Leben, Nächstenliebe, stärkere Toleranz gegenüber anders Denkenden"
CHRISTOPHER, 19
Zivi in einer Behindertenwerkstatt und Vorsitzender der Leipziger Jusos

„... auf der Landkarte. Ich habe mir noch nie groß Gedanken darüber gemacht, dafür bin ich zu jung. Es ist meine Heimat. Hier bin ich geboren, aufgewachsen. Hier lebe ich"
JEANETTE, 18,
aus Berlin, Sängerin und Schauspielerin

„... zu spießig. Deutschland sollte flexibler werden, sich nicht vor Veränderungen sträuben. In 50 Jahren werden sich die Entscheidungen Deutschlands von denen anderer Länder nicht mehr unterscheiden"
CLAIRE, 18
Schülerin aus München, mag Sport

,,... noch nicht zusammengewachsen. Ich bin froh, zehn Jahre meines Lebens im Osten aufgewachsen zu sein. Das war ein anderer Erfahrungshorizont. Außerdem bin ich froh zu wissen, dass die Welt auch ohne Geldgier funktioniert"
GRIT, 19
Fotografin aus Leipzig

,,... den besten Staat zum Leben. Vor allem Jugendlichen bieten sich hier alle Chancen. Aber ich wünsche mir, dass die Menschen weniger schimpfen und dafür mehr machen"
HOLGER, 19
Schüler aus Berlin, Berufsziel: Betriebswirt

,,... ein ausländerfreundliches Land, weil es leicht ist, bei uns Asyl zu bekommen. Wichtig: Deutschland sollte als Staat in Europa erhalten bleiben"
SEBASTIAN, 17
Schüler aus München, weiß noch nicht, was er werden will

,,... schwierig, sich damit zu identifizieren. In Deutschland kann man zwar alles äußern, aber das Gefühl, damit etwas zu bewirken, hat man nicht"
SVEA, 19
Schülerin aus Leipzig, möchte Ethnologie studieren

,,... zielstrebig. Doch diese Lebensweise führt manchmal zu einem kälteren zwischenmenschlichen Verhältnis. In den nächsten 50 Jahren wird sich dieses Land stärker in die Weltgemeinschaft integrieren müssen"
MATEI, 13
Schüler aus Berlin. Berufswunsch: Elektrotechniker

,,... erstaunlich. Ich finde vor allem beachtlich, was unsere Eltern und Großeltern im Wiederaufbau geleistet haben. In den nächsten 50 Jahren wird es zwangsweise einen Umbruch geben. Der Wohlstand der Industrienationen wird aufhören"
ROBERT, 19
Schüler aus Berlin, will zur Flugsicherung gehen

,,... ein schwieriges Heimatland. Meine Gefühle sind zwiegespalten. Ich schäme mich nicht für Deutschland, aber ich bin auch nicht unbedingt stolz, ein Deutscher zu sein"
KAI, 18
Gitarrist der Hamburger Gruppe ,,Echt"

,,... ein angenehmes Land zum Leben. Es ist facettenreich und vielfältig. Der Einzelne hat große Möglichkeiten, sich zu entfalten"
MARTIN, 18
Schüler aus Hamburg, will mal Physiker werden

C Welche Aussagen der Jugendlichen sind spezifisch für Deutschland, und welche könnte man auch verwenden, um Großbritannien zu beschreiben? Begründen Sie Ihre Wahl.

D *Schriftliche Arbeit*

Wie würden Sie antworten, wenn man Sie zu Ihrer Meinung zu Ihrem eigenen Heimatland befragt? Stellen Sie Ihre Aussage schriftlich zusammen und sammeln Sie dann die Aussagen der Gruppe auf einer Wandzeitung. Unterscheiden sich Ihre Aussagen stark von denen der Deutschen? Warum/nicht? Um diesen Versuch ein bisschen interessanter zu gestalten, könnten Sie auch eine Umfrage unter anderen Mitschülern machen und deren Aussagen anschließend ins Deutsche übersetzen.

PRAXIS

Zum Nachschlagen: Subjunctive and conditional, p. 150

Unter den Texten befinden sich zwei Aussagen zum Thema „Wenn ich Kanzler wäre, . . .".

1 Schreiben Sie diese Aussagen ab und markieren Sie die Konjunktivformen.
2 Stellen Sie jetzt (etwa 10) eigene Sätze zusammen, die wie folgt beginnen: „Wenn ich Premierminister/in wäre, . . .".

6.2 *Weimarer Republik*

Wir schreiben das Jahr 1918. Der Erste Weltkrieg nähert sich seinem Ende. In Deutschland herrscht Revolution. Am 9. November muss Kaiser Wilhelm II. abdanken. Friedrich Ebert, der Vorsitzende der SPD, wird zum Reichskanzler ernannt. Der Reichstag wird aufgelöst, und am 19. Januar 1919 finden in Deutschland Wahlen zur Nationalversammlung statt (auch Frauen dürfen erstmals wählen). Damit sind die Vorbedingungen für einen demokratischen Rechtsstaat geschaffen.

Die politische Lage in Berlin ist jedoch noch zu unruhig, um als Tagungsort der gewählten Nationalversammlung in Frage zu kommen. Am 20. Januar entscheidet man sich für Weimar. Doch welche Auswirkungen hat diese Entscheidung auf die kleine idyllische Stadt?

A Was wissen Sie bereits über die Weimarer Republik? Woher haben Sie Ihre Informationen?

B Beantworten Sie die folgenden Fragen zum Text.

Absatz **1** Worin bestand das Problem für Weimar nach seiner Wahl zum Tagungsort?

Absatz **2** Füllen Sie die folgende Tabelle aus:

Alte Einrichtungen	Neue Funktion
Beispiel: Theater	*Sitz der Nationalversammlung*

Absatz **3** Was erfahren Sie über den Großherzog von Sachsen-Weimar-Eisenach?

Absatz **4** Wie war die Reaktion der Einwohner auf die Ereignisse und warum?

C *Schriftliche Arbeit*

Sie sollen einen Artikel für die Schülerzeitung einer Weimarer Schule über die Vorbereitungen der Stadt Weimar als Tagungsort der Nationalversammlung schreiben (ca. 180 Wörter). Schließen Sie das Buch und benutzen Sie für diese Aufgabe Ihre Notizen aus Aufgabe B.

PRAXIS

Zum Nachschlagen: Passive, p. 150

Im Text werden sehr häufig Passivformen verwendet. Finden Sie alle Sätze, die eine solche Form enthalten und schreiben Sie diese so um, dass Sie die Passivformen durch eine Alternative ersetzen.

Beispiel:

Es **wurden** noch Bürgerquartiere in Weimar, Apolda, Jena und Erfurt **gesucht**, ja sogar **beschlagnahmt**.

Man suchte noch Bürgerquartiere in Weimar, Apolda, Jena und Erfurt, ja **beschlagnahmte** sie sogar.

Große organisatorische Anstrengungen waren nötig, um in Weimar Quartiere und Arbeitsräume nicht nur für die Abgeordneten und die provisorische Reichsregierung, sondern auch für die Stäbe und Delegationen der Ministerien, den Staatenausschuss mit den Vertretungen aller deutscher Länder, das zahlreiche Dienst- und Hilfspersonal, die vielen Journalisten des In- und Auslandes und besonders auch für das mit dem Schutz der Nationalversammlung beauftragte Militär und sein Kommando, im Ganzen etwa 4000 Personen, bereitzustellen. Hotels, Gasthäuser und Pensionen reichten nicht aus. Es wurden noch Bürgerquartiere in Weimar, Apolda, Jena und Erfurt gesucht, ja sogar beschlagnahmt.

Das Theater wurde für wöchentlich 40000 M gemietet und der Zuschauerraum eilig mit dem Gestühl aus dem Berliner Reichstagsgebäude ausgestattet. Die Theateraufführungen fanden in Ausweichsälen (Armbrustschützengesellschaft, Erholungsgesellschaft) statt. Friedrich Ebert und die provisorische Regierung wurden im neuen Flügel (Südflügel) des großherzoglichen Residenzschlosses untergebracht, wo nicht nur voll eingerichtete Wohn- und Schlafräume zur Verfügung standen, sondern auch die nötigen Arbeitsräume. Man hatte bei dem bisherigen Großherzog Wilhelm Ernst in Heinrichau in Schlesien, wohin er sich auf seine von seiner Großmutter Sophie ererbten Güter zurückgezogen hatte, um Erlaubnis nachgefragt. Ihm war nach seiner Abdankung nicht erlaubt worden, mehr als das Notwendigste mitzunehmen. Die Fraktionen fanden ihre Arbeitsräume teils im Theater, teils im Schloss, die Ministerien und Ausschüsse im Schloss. Im Fürstenhaus tagten der Staatenausschuss und die Ländervertretungen. Im Theater wurden das Telefonamt, im nahe gelegenen Mädchenlyzeum „Sophienstift" das Telegrafenamt eingerichtet. Zum Flugplatz Weimar am Webicht wurde

am 5. Februar die erste zivile Luftfahrtlinie Deutschlands, ein Post- und Zeitungskurierdienst, von Berlin eingerichtet. Vom bzw. zum Bahnhof Weimar verkehrte täglich ein Regierungszugpaar nach und von Berlin.

Die Mehrheit der Weimarer Bevölkerung begegnete dem allen mit Skepsis. Erst zwölf Wochen waren vergangen, seit Großherzog Wilhelm Ernst von Sachsen-Weimar-Eisenach mit seiner Familie in ebenden Räumen des Schlosses, die er 1913 hatte erbauen lassen, erst tagelang interniert worden war, um dann am 13.November gewaltsam daraus vertrieben zu werden. Er war vom Arbeiter- und Soldatenrat, der ihm am 9.November die Abdankung nahe gelegt hatte, mit seiner Frau und seinen drei kleinen Kindern unter Bedeckung im offenen Auto nach Schloss Allstedt abtransportiert worden.

In Weimar, das damals 37000 Einwohner und kaum Industrie besaß, hatten die Arbeiterparteien bei der Wahl vom 19. Januar 1919 nur 34% der Stimmen erhalten. Die 66%ige Mehrheit der Bürgerlichen sah der Republik mit Misstrauen entgegen. Das Einzige was in ihren Augen für Friedrich Ebert sprach, war, dass zwei seiner vier Söhne für das Vaterland gefallen waren. Am liebsten wollte man in Weimar mit der ganzen aus Berlin importierten Nationalversammlung nichts zu tun haben. Man wusste um die Traditionen des weimarischen Fürstenhauses seit der Reformation und besonders um die bedeutende Förderung der deutschen Nationalkultur durch den Weimarer Musenhof der Herzogin Anna Amalia, durch Großherzog Carl August und Carl Alexander. „Ferrara ward durch seine Fürsten groß" (Goethe, Tasso), das schien vielen Menschen auch auf Weimar und seine Großherzöge zu passen. So war in Weimar nur kühle Zurückhaltung, wenn auch keine Behinderung für die Nationalversammlung zu erwarten.

6.4 *Die Nürnberger Prozesse*

Die Zeit des Nationalsozialismus ist der schwärzeste Punkt in der deutschen Geschichte. Die unglaublichen Verbrechen lasten schwer auf dem Gewissen der Deutschen und werden nie vergessen werden. Während der Nürnberger Prozesse 1945–46 wurden die noch lebenden Hauptverantwortlichen zur Rechenschaft gezogen. Lesen Sie hier von den Eindrücken einer jungen deutschen Journalistin, die über die Prozesse berichten durfte.

A Was wissen Sie bereits über die Nürnberger Prozesse? Tragen Sie Ihre Kenntnisse in der Gruppe zusammen.

B Im Text finden Sie viele Vokabeln zum Thema „Prozess" und „Verbrechen". Ordnen Sie die folgenden Ausdrücke diesen Kategorien zu.

Prozess   Naziverbrechen

Eröffnung Freiheitsstrafen Freisprüche Geisteskranke ermorden Gerichtssaal im Zeugenstand stehen
Juden liquidieren Justizgebäude Konzentrationslager Kreuzverhör Massenerschießungen
medizinische Experimente Misshandlungen Mord und Grausamkeit Rassengesetze Richter Todesurteil
Urteil Urteilsverkündung Verhungern Verurteilte vor Gericht bringen Zeugen Zwangsarbeit

C Übersetzen Sie den ersten Absatz des Textes ins Englische.

D Beantworten Sie nun die folgenden Fragen zum zweiten Teil des Textes.

1 Warum war der Prozess so erschütternd? [1]
2 Worüber haben die Zeugen ausgesagt? [5]
3 Was wusste die Journalistin schon vor dem Prozess? [5]
4 Warum war sie dennoch tief schockiert? [1]
5 Wer musste über die Verbrechen aussagen? [4]
6 Wie verhielten sich die Angeklagten? [2]
7 Welche Urteile wurden gefällt? [3]
8 Wann wurden die meisten Todesurteile vollstreckt? [1]

E *Mündliche Präsentation*

Versuchen Sie, mehr zum Thema Nürnberger Prozesse herauszufinden und bereiten Sie einen etwa fünfminütigen Kurzvortrag vor.

PRAXIS

Zum Nachschlagen: Genitive, p. 140

1 Finden Sie im Text die deutschen Entsprechungen für die folgenden Ausdrücke:

a focus of worldwide attention
b after the end of the war
c the place of the swanky party conferences and the infamous racial laws
d the planning and organisation of the extermination
e none of the defendants
f ten of the convicted

2 Verbinden Sie nun mit Hilfe des Genitivs die folgenden Wörter zu Wortgruppen:

Beispiel:
Schuld – Naziführer
die Schuld der Naziführer

a Urteil – Richter
b Verfolgung – Juden
c Ermordung – Geisteskranke
d Erschütterung – internationale Journalisten
e Kommandant – Konzentrationslager
f Experimente – SS-Ärzte
g Verhungern – russische Kriegsgefangene
h Gerichtssaal – Nürnberger Justizgebäude
i Verurteilung – Angeklagte
j Eröffnung – Prozess
k Befragung – Zeugen
l Grausamkeit – Verbrechen

„WIR GLAUBTEN, NACH DIESEM PROZESS KÖNNE ES NIE WIEDER VÖLKERMORD GEBEN"

Susanne v. Paczensky war zur Zeit der ersten Nürnberger Kriegsverbrecher-Prozesse 22 Jahre alt und Bericht-erstatterin der deutsch-amerikanischen Nachrichtenagentur DANA.

Der Prozess stand im Mittelpunkt weltweiter Aufmerksamkeit: Wenige Monate nach dem Ende des Krieges gab er den Politikern und Journalisten aus aller Welt die erste Gelegenheit, eine Stippvisite im besiegten Deutschland zu machen, einen vorsichtigen Blick auf die gefangenen Obernazis zu werfen. Die meisten internationalen Besucher kamen zu den Höhepunkten des Prozesses, zur Eröffnung, zu Görings Kreuzverhör oder zur Urteilsverkündung. Dann kehrten sie rasch wieder in ihre sauberen Heimatländer zurück. Deutschland im Winter 1945/46 war ein unwirtlicher Ort, an dem sich keiner länger aufhielt als unbedingt nötig. Nürnberg war als Gerichtsort ausgewählt worden, weil es dort ein unzerstörtes Justizgebäude und ausreichend Unterkunft für das alliierte Personal gab; außerdem hatte es für die Sieger wohl einen besonderen Reiz, am Ort der protzigen Parteitage, der infamen Rassengesetze die Naziführer vor Gericht zu bringen.

Der Prozess war ein erschütterndes Erlebnis. Tag für Tag wurden erschreckende Dokumente über Mord und Grausamkeit vorgelegt; mehr als 200 Zeugen berichteten aus den Konzentrationslagern, von den Massenerschießungen und Misshandlungen an Juden und Zigeunern, Russen und Polen, von den medizinischen Experimenten, von der „Vernichtung durch Arbeit", die den Zwangsarbeitern aus den besetzten Gebieten zugedacht war.

Ich hatte wohl gewusst, dass Hitlers Regierung den Krieg angezettelt hatte, dass sie die Juden liquidieren wollte, so wie sie zuvor die Geisteskranken ermorden ließ. Ich hatte gesehen, dass die russischen Kriegsgefangenen dem Verhungern ausgeliefert waren und dass die „Ostarbeiter" bei Bombenangriffen nicht in die Schutzräume durften. Ich hätte eigentlich auf alles gefasst sein müssen, was im Gerichtssaal aufgerollt wurde. Und doch war es fast unerträglich, das Ausmaß, die Planung und Organisation zu erfahren.

Niemand, der den Nürnberger Prozess miterlebt hat, kann diese Aussagen vergessen. Die Mörder standen persönlich im Zeugenstand: KZ-Kommandanten, Einsatz-gruppenführer, SS-Ärzte und andere, die bereits von alliierten Gerichten verurteilt waren. Sie schilderten ihre Mordmaschinerie, zählten die Millionen Todesopfer auf und beriefen sich auf höheren Befehl. Und keiner der Angeklagten leugnete, dass diese Verbrechen geschehen waren – sie versuchten nur, ihre Verantwortung zu verschleiern.

Während die Richter noch über das Urteil berieten, wurden unter den Journalisten Wetten abgeschlossen, wie es ausfallen würde. Als aufmerksame Beobachter glaubten wir zu wissen, wessen Schuld größer oder kleiner war. So gab es wenig Überraschung, als am 1. Oktober 1946 zwölf Todesurteile und sieben Freiheitsstrafen verkündet wurden. Nur mit den drei Freisprüchen hatten wir nicht gerechnet. Zwei Wochen später wurden zehn der Verurteilten gehängt. Göring hatte durch seinen Selbstmord für einen letzten Knalleffekt gesorgt.

6.4 *Alltag 1949*

1949 war ein entscheidendes Jahr für die Teilung Deutschlands: Die BRD und die DDR wurden gegründet. Lesen Sie hier, wie sich das Leben der Deutschen vier Jahre nach Kriegsende entwickelt hat.

A   Sehen Sie sich die Zeitungsausschnitte aus dem Jahr 1949 an und finden Sie jeweils die passende Schlagzeile.

1 Freude über Demontagestopp

2 Das Rathaus verpfändet

3 Deutschland wieder Reiseziel

4 Berlin ist froh, aber skeptisch

5 1 000 Gramm Fleisch ab 1. September

6 Freigabe gewisser Zuckerwaren

a
Nu. Berlin – Die Reaktion auf die Blockadeaufhebung war hier trotz der großen Freude gleichzeitig skeptisch. Man wolle erst die weitere Entwicklung abwarten, erklärte der FDP-Vorsitzende Schwennicke. Der „Telegraf" schrieb, für die Berliner Bevölkerung sei eine Regelung nicht ausreichend, die sich mit der eingleisigen Verbindung nach dem Westen begnüge. Der einfache Mann freut sich vor allem darauf, dass die täglich 20-stündige Stromsperre, die ewige Trockennahrung und die Verkehrsruhe nach 18 Uhr aufhören werden.

b
Frankfurt a. M., 25. März.
In Frankfurt a. M. sind die ersten amerikanischen Touristen dieses Jahres eingetroffen. – Die alliierten Behörden wollen Deutschland in diesem Jahre erstmalig seit Beendigung des Krieges dem internationalen Reiseverkehr zugänglich machen. Für 1949 werden etwa 200 000 Besucher aus dem Ausland erwartet, die, so heißt es in der Meldung, „Millionen von Dollar nach Deutschland bringen werden".

c
Frankfurt, 25. März.
Wie wir aus Kreisen der Verwaltung für Ernährung, Landwirtschaft und Forsten erfahren, ist noch vor Ostern die Freigabe gewisser aus Zucker hergestellter Süßwaren zu erwarten. Die Gerüchte über eine kurz bevorstehende generelle Freigabe des Zuckers treffen jedoch nicht zu.

d
Hamburg, 25. Nov.
Der verkündete Demontagestopp hat in den betroffenen Betrieben große Freude ausgelöst. Über den Werken wehte am Freitagmorgen die schwarz-rot-goldene Fahne, und die Eingangstore waren mit Girlanden geschmückt. An einem der Betriebe verkündete ein Schild: „Die größte Freude vom heutigen Tage ist der Stopp der Demontage".

In Duisburg wurde auf allen öffentlichen Gebäuden für zwei Tage die Bundesflagge gesetzt.

e
Frankfurt, 19 August.
Das Zweimächtekontrollamt hat die Erhöhung der Fleischration auf 1 000 Gramm genehmigt. Damit sind die Voraussetzungen dafür gegeben, dass in der Doppelzone ab 1. September an 1 000 Gramm Fleisch monatlich ausgegeben werden können.

f
Meldorf, 21. November
Die Ratsherren der Stadt Meldorf in Süderdithmarschen haben jetzt beschlossen, das Rathaus zu verpfänden, um mit dem Bau von zwanzig Flüchtlingswohnungen beginnen zu können.

Im kommenden Jahr sollen nach einer Mitteilung von Oberregierungsrat Dr. Schnell in Schleswig-Holstein 15 000 bis 20 000 Wohnungen errichtet werden.

B Fassen Sie die Texte in wenigen Sätzen auf Englisch zusammen (**keine** Übersetzung). Die folgenden Fragen werden Ihnen dabei helfen:

- Wie verändert die Aufhebung der Blockade das Leben in Berlin?
- Wie entwickelt sich der Tourismus?
- Welche Veränderungen gibt es im Lebensmittelhandel? (2 Texte)
- Wie waren die Reaktionen auf den Stopp der Demontage von Betrieben?
- Zu welchem Zweck wird das Rathaus in Meldorf verpfändet?

C Welche Hauptthemen des Wahlkampfes zur ersten Bundestagswahl können Sie auf den Plakaten erkennen? Warum waren diese Themen damals so wichtig? Welche anderen Themen haben die Menschen wahrscheinlich noch bewegt? Diskutieren Sie Ihre Ideen in der Gruppe.

D *Schriftliche Arbeit*

Die Schülerzeitung Ihrer deutschen Partnerschule veröffentlicht eine Sonderausgabe zum Thema „Die Anfänge der BRD". Schreiben Sie einen Artikel von etwa 200 Wörtern, in dem Sie den deutschen Alltag im Jahr 1949 beschreiben. Verwenden Sie dafür Informationen aus den Texten, aber auch Ihr eigenes Wissen und Ihre Vorstellungskraft.

6.5 *Die wilden Sechziger*

Dank des Wirtschaftswunders verbesserte sich der Lebensstandard in der BRD recht zügig in den 50ern und 60ern. Die Jugend begann, gegen die Traditionen der älteren Generationen zu rebellieren. Krasse Veränderungen in der Mode und der Musik sind symbolisch für das neue Lebensgefühl.

Mini, Hippies und die Antibabypille

Jugend im Aufbruch

Lange Haare sind nur Vorboten einer neuen Lebensart. „Make love – not war" ist der Wahlspruch der Hippies. Sie machen Schluss mit dem Konsum. Zurück zur Natur, freie Liebe, Secondhand-Klamotten und die Reise nach innen im Drogenrausch sind angesagt. Ab Anfang der Sechziger werden die Röcke kürzer, der Minirock reizt mittlerweile nicht nur auf Modenschauen, sondern im Straßenbild. 1962 ist die Antibabypille erstmals in deutschen Apotheken auf Rezept erhältlich. 1964 verhüten 2% der deutschen Frauen auf diese Art. 1968 sind es 15%. Zu der freieren Sexualität gesellt sich ein neues Frauenideal. Nicht mehr kurvige Formen à la Jayne Mansfield, die 1967 stirbt, sind gefragt, sondern Frauen wie die französische Sängerin Françoise Hardy, die Schauspielerin Helga Anders oder – extrem – die Kindfrau Twiggy. In Ostberlin sendet Pfingsten '64 beim Deutschlandtreffen das Sonderstudio DT 64 erstmals einen Beatles-Song: Amiga bringt die erste Single heraus: „Bückware". Ostberlin und Leipzig entwickeln sich zu Zentren des Rock in der DDR. Prominent: die Butlers mit dem Hit „Butler's Boogie".

Winnetou, Barbie-Puppe und Schwalbe 64

Alltag in West und Ost

Die 60er Jahre machen den Alltag bunt. Vor allem im Westen. Ob Kleidung, Möbel oder Wände – überall dominieren (zum Teil wild gemusterte) Farben wie Knallgrün, -orange oder -lila. Ob sie nun zueinander passen oder nicht. Hauptsache, es ist „poppig". Dazu Popmusik und Popkunst. Kurzum, es kommt Bewegung ins Alltagsleben.

Viele kleine Neuerungen erfreuen zudem besonders die Hausfrauen: Plastiktüten (statt Einkaufstaschen) und Spraydosen, aus denen alles kommt: Haarspray, Möbelpolitur oder Feuerzeugbenzin. Kunststoff, sprich Plastik, setzt sich auch mehr und mehr bei Möbeln durch, bevorzugt vor allem von jungen Leuten. Betuchtere Bürger kaufen sich mittlerweile den neuesten Dress in der Boutique.

Und in der DDR? Der Lebensstandard ist im Vergleich zum Westen noch relativ bescheiden. Bei einem Durchschnittseinkommen von rund 650 DM muss man schon lange sparen, will man sich ein Transistorradio Marke „Stern" für 500 Mark kaufen. Immerhin hat nun bald jeder zweite Bürger ein TV-Gerät und jeder zehnte ein Auto. Modisch hinkt man weniger dem Westen hinterher: Die aktuellen Minimodelle in geometrischen Mustern holt man sich aus der „Pramo" oder „Die Mode". Und ob DDR oder BRD: Die Haare trägt man halblang mit Sechserlocken, leicht antoupiert.

A   Sehen Sie sich die Fotos an. Welcher Text passt zu welchem Foto?

1   Das Erfolgsauto der DDR, der Trabi. 1968 läuft der 500 000. Trabi vom Band. Neuerdings gibt es ihn auch mit 23-PS-Motor und Radio. 7 000 Mark.
2   Traum aller Mädchen: eine echte Barbie-Puppe aus den USA. Eine Anziehpuppe mit dem neuesten Modeoutfit.
3   Die spindeldürre Twiggy, englisches Topmodel, wird zum Vorbild für viele junge Mächen.
4   Wohnkultur: Die Essecke ist nicht mehr in der Küche, sondern im Wohnzimmer. Funktional müssen die Möbel sein, vorbei die Zeit von geschwungen Formen und Gelsenkirchener Barock.

B   Finden Sie im Text die Entsprechungen für folgende Ausdrücke.

1   Anzeichen
2   Motto
3   Veranstaltungen, auf denen die neusten Kleidungstrends vorgestellt werden
4   vom Arzt verschrieben
5   einer Schwangerschaft vorbeugen
6   frühreifes Mädchen
7   ein Reinigungsmittel für den Haushalt
8   reiche Leute
9   vergleichsweise einfach
10   in Kreisen und Quadraten

C   Ergänzen Sie nun die folgenden Satzanfänge mit Informationen aus dem Text. Achten Sie dabei auch auf die Grammatik.

1   Die Hippiekultur ist gekennzeichnet von...
2   In der Mode verändert sich...
3   Ärzte verschreiben...
4   Die ideale Figur für Frauen...
5   Im ostdeutschen Radio kann man...
6   Die Mode der 60er wird dominiert...
7   Plastiktüten und Spraydosen sind...
8   Möbel werden aus...
9   Ostdeutsche verdienen...
10   Weniger Unterschiede gibt es...

D   Welche Neuerungen der 60er bestimmen noch heute unser Leben? Diskutieren Sie diese Frage in der Gruppe. Vielleicht fallen Ihnen noch weitere Entwicklungen jener Zeit ein.

E   *Schriftliche Arbeit*

Würden Sie gern in den 60ern leben? Warum(nicht)? Schreiben Sie einen Aufsatz von etwa 200 Wörtern.

6.6 *Die Berliner Mauer*

Das wohl unglaublichste Bauwerk in der Geschichte Deutschlands
stand gerade mal 28 Jahre. Für die meisten Menschen war das jedoch
eine Ewigkeit. Im Museum „Haus am Checkpoint Charlie" in Berlin
kann man die Geschichte der Berliner Mauer nachvollziehen, von
ihrem Bau im August 1961 bis zu ihrem Fall im November 1989.

A   Lesen Sie den ersten Teil des Textes und füllen Sie die Lücken mit
Hilfe der Wörter im Kästchen aus. Vorsicht! Es gibt mehr Wörter als
Lücken.

beiden deutschen Ereignissen erhebt feierlichen Fluchten Gegensätze gegenüber Grenzübergang hinter scheitern soll sowjetischer vier vor Welt wird zerstörte

BERLIN – Von der Frontstadt zur Brücke Europas

Die Ausstellung präsentiert die Geschichte der **1** ………
Teile der Stadt, ihrer **2** ……… und Gemeinsamkeiten, seit
Ende des Zweiten Weltkriegs. Dabei ist die Darstellung immer
eine „beidseitige" – den **3** ……… in Westberlin stehen die im
Ostteil gegenüber: das **4** ……… Berlin, Wiederaufbau,
Blockade und Luftbrücke, Ernst Reuters Appell an die **5** ………
(1948): „Schaut auf diese Stadt und erkennt, dass ihr diese
Stadt und dieses Volk nicht preisgeben dürft, nicht preisgeben
könnt!"

17. Juni 1953: Nahezu überall in der DDR **6** ……… sich die
Bevölkerung, der Aufstand wird mit Hilfe **7** ……… Panzer
blutig niedergeschlagen.

Weitere Stationen in dieser Ausstellung sind Mauerbau,
Viermächte-Abkommen, 750-Jahr-Feier, Fall der Mauer und
Wiedervereinigung.

Es geschah am CHECKPOINT CHARLIE

Der Checkpoint Charlie war der wohl bekannteste **8** ………
zwischen West und Ost. Im Oktober 1961 standen sich
hier amerikanische und sowjetische Panzer **9** ………, als die
USA fundamentale Rechte des Berlin-Status verteidigten.

Immer wieder auch wird der Checkpoint Charlie zum
Schauplatz von Demonstrationen, hier gelingen **10** ……… (im
Museum ist u. a. eine zu Fluchtzwecken umgebaute Isetta zu
sehen) oder **11** ……… kurz vor dem weißen Grenzstrich. Am
17. August 1962 verblutet Peter Fechter im Todesstreifen
12 ……… den Augen der Weltöffentlichkeit.

Am 22. Juni 1990 schließlich **13** ……… der Checkpoint
Charlie in Gegenwart der Außenminster der **14** ………
Siegermächte des Zweiten Weltkriegs und der beiden
deutschen Staaten in einer **15** ……… Zeremonie abgebaut.

*Die Mauer – vom 13. August bis
zu ihrem Fall*

August 1961: Rings um Westberlin riegeln
bewaffnete Verbände der DDR die Stadt hermetisch
ab, der Bau der Mauer beginnt . . .

9. November 1989: Politbüromitglied Günter
Schabowski gibt den Beschluss der DDR-Regierung
bekannt, dass „Privatreisen nach dem Ausland
ohne Anliegen von Voraussetzungen beantragt
werden" können. Nur wenige Stunden später
können die Grenzkontrollen den Andrang nicht
mehr bewältigen und lassen durch . . .

Diese zwei historischen Daten markieren die
Eckpfeiler unserer Ausstellung über die Berliner
Mauer, deren Geschichte anhand von Fotos und
Texten dargestellt wird. Zahlreiche originale Objekte
gelungener Fluchten verdeutlichen den Wagemut
und die Kreativität der Flüchtlinge. Fotos und
Exponate zeigen die Entwicklung des DDR-
Grenzsicherungssystems, von den ersten
Hohlblocksteinen bis zur Mauer der vierten
Generation, die mit ihren L-förmigen Segmenten
zur längsten Betonleinwand der Welt wurde. Ein
unter Lebensgefahr abgebautes Selbstschussgerät
und weitere Elemente des ehemaligen
„Grenzsicherungssystems" rings um eine Stadt und
um ein Land veranschaulichen das geschichtlich
Einmalige.

Museum Haus am Checkpoint Charlie

B *Mündliche Präsentation*

Forschungsaufgabe: Wählen Sie eins der im Text erwähnten
historischen Ereignisse aus und versuchen Sie, so viel wie möglich
darüber herauszufinden. Stellen Sie Ihre Erkenntnisse zu einem etwa
fünfminütigen Vortrag zusammen. Am interessantesten wäre es, wenn
Sie innerhalb der Gruppe möglichst viele verschiedene Themen
wählten. Auf diese Weise würden Sie auch den größten
geschichtlichen Überblick bekommen.

C

Lesen Sie jetzt den zweiten Teil des Textes und stellen Sie eine
Liste der Fluchtwege und -mittel zusammen, mit denen eine Reihe
Ostdeutscher die Mauer überwunden haben.

Flucht macht erfinderisch

Über 5 000 Menschen gelang zwischen 1961 und 1989 die Flucht
über die Berliner Mauer. Zahlreiche der dabei verwendeten
Hilfsmittel, die im Laufe der Jahre immer ausgefeilter werden mussten,
um noch das ständig perfektionierte DDR- Grenzsicherungssystem
überwinden zu können, fanden ihren Weg in das Haus am Checkpoint
Charlie, so mehrere umgebaute Autos, ein Mini-U-Boot, von dem sich
ein Flüchtling durch die Ostsee ziehen ließ, Heißluftballons und selbst
gebaute Motordrachen, letztere ausgestattet z. B. mit einem Trabant-
Motor und dem Tank eines Jawa-Motorrads. Aber auch versteckt in
einer Lautsprecherbox oder in einer Musiktruhe wurde aus der DDR
geflüchtet.

Ausführlich sind die zahlreichen Fluchttunnels dokumentiert, durch
dessen erfolgreichsten im Oktober 1964 an zwei Abenden insgesamt
57 Personen die Flucht nach Westberlin gelang. Neben zahlreichen
Fotos des ca. 140 Meter langen Stollens, an dem mehrere Monate lang
gebaut wurde, ist auch der Wagen zu sehen, mit dem die Erdmassen
transportiert wurden. Wir verdanken ihn einem der Fluchthelfer,
Reinhard Furrer, später einer der ersten Deutschen im All und 1995 bei
einem Flugzeugabsturz tödlich verunglückt.

D *Schriftliche Arbeit*

Entweder:

Schreiben Sie einen Bericht für eine deutsche Schülerzeitung, in dem
Sie den Schülern empfehlen, bei einem Berlinaufenthalt das Museum
unbedingt zu besuchen. Benutzen Sie dazu möglichst viele
Informationen aus dem Text, aber auch Ihre eigenen Ideen.

Oder:

Stellen Sie sich vor, Sie wohnen in Berlin (Ost- oder West-) und
erleben den Mauerbau oder den Mauerfall mit. Schreiben Sie einen
persönlichen Erfahrungsbericht.

6.7 *Die Wende in Leipzig*

Erinnern wir uns jetzt an die dramatischen Ereignisse im Jahr 1989. Ohne das Engagement und den Mut vieler Leipziger wäre dieses Kapitel der deutschen Geschichte vielleicht ganz anders ausgegangen.

Warum kam es gerade in Leipzig zu diesen großen Protesten? Diese Frage wird jetzt von sechs Leipzigern beantwortet.

A   Hören Sie den Beiträgen von (a) Bernd-Lutz Lange, (b) Maria Schöntal, (c) Frau Leitner und (d) Gerd Schuster gut zu und entscheiden Sie, wer die folgenden Bemerkungen macht:

1 Alles Wertvolle wurde immer nach Berlin geschickt.
2 Die Anwesenheit westlicher Journalisten war sehr wichtig.
3 Man freute sich, Ausländer kennen zu lernen.
4 Während der Messezeit vermieteten viele Familien ihre Wohnung an ausländische Gäste, um etwas Geld zu verdienen.
5 Zwei unbekannte Mädchen waren die mutigsten von allen.
6 In der Provinz hatte sich eine Wut der Hauptstadt gegenüber entwickelt.
7 Viele Leipziger trafen sich regelmäßig in einer bestimmten Kirche und beteten für Frieden.
8 Alle, die an den Demonstrationen teilnahmen, freuten sich sehr, Berichte darüber im Westfernsehen zu sehen.

B   Hören Sie sich den Beitrag von Bernd-Lutz Lange noch einmal an. Machen Sie eine Abschrift davon.

C   Lesen Sie nun die Antworten von Rainer Eppelmann und Heide Lindberg. Füllen Sie die Lücken in den Texten aus. Die Wörter im Kästchen stehen Ihnen zur Verfügung.

Ansinnen   bestimmten   können   Leuten
öffentlichen   Schneeballeffekt   ungeheuer
unglaubliche   Unzufriedene   veranstalten
vorher   Wurzel

Rainer Eppelmann   Wenn man danach fragt, was ist denn die **1** .... dieser Demonstrationen in Leipzig gewesen, dann kommen Sie auf die Friedensgebete, die regelmäßig zu einem **2** .... Tag, montags, immer wieder durchgeführt worden sind, wo mal eine ganze Reihe von **3** .... war, dann hat's Zeiten gegeben, wo es weniger wurden, dann wuchs die Zahl wieder, und dann wuchs sie **4** .... schnell. Wenn ich das richtig sehe, hat es das zu diesem Zeitpunkt in keiner anderen Großstadt der DDR gegeben, also in Berlin zum Beispiel nicht. Das ist so ein Treffpunkt gewesen, bei dem sich Klagende, **5** ...., Ausreisewillige, Empörte getroffen haben, und die Zahl ist eben immer größer geworden, und irgendwann war das der **6** ....

Heide Lindberg   Die Chefs dieser Stadt waren wirklich in ganz besonderer Art und Weise größenwahnsinnig. Das Turn- und Sportfest und das **7** ...., die Olympiade in Leipzig **8** .... zu wollen, man hat also gezweifelt, dass das jemals möglich wäre, mit zwei **9** .... Toiletten in Leipzig, man hätte das also niemals meistern können, und es waren ständig diese Extreme, einerseits dieser **10** .... Anspruch, andererseits die realen Möglichkeiten, sonntags keine normale Tasse Kaffee in Leipzig trinken zu **11** ...., oder mit vier Menschen in der Stadt, ohne sich **12** .... lange Gedanken machen zu müssen, ein Essen einnehmen zu können, das war alles nicht möglich.

D Fassen Sie mit einem Partner/einer Partnerin die sechs Gründe für die Proteste in Leipzig, die Sie gerade erfahren haben, zuerst mündlich und dann schriftlich zusammen.

E Über die Rolle der Nikolaikirche in der Wende haben Sie schon etwas gehört bzw. gelesen. In diesem Beitrag erzählt Pfarrer Christian Führer von der Nikolaikirche, wie er den 9. Oktober erlebt hat.

Welche der kursiv gedruckten Worte und Ausdrücke haben die folgenden Bedeutungen?

1 became audible
2 were arrested
3 can't be solved with violence
4 the confidence
5 in other ways
6 the members of the special units
7 these terrible waves of noise
8 go wrong
9 the race
10 with the representatives of the ministry of the interior
11 join us
12 it could still go sour
13 is used
14 patiently moved over
15 that reason will prevail

F Im ersten Absatz des Beitrags beschreibt Pfarrer Führer die wechselnden Gefühle, die er im Laufe jenes Tages hatte.

• Wann hat er Angst gespürt?
• Wann hat er Zutrauen und Hoffnung gespürt?

G Lesen Sie den zweiten Absatz. Erklären Sie mit Ihren eigenen Worten, wie Pfarrer Führer versucht hat, die Obrigkeiten dazu zu überreden, keine Gewalt anzuwenden.

Ich habe eigentlich immer gehofft und hatte auch *das Zutrauen*, dass es nicht zum Schießen kommt. Dieses Zutrauen war aber sehr gering geworden, als wir schon während des Friedensgebetes draußen diese *schrecklichen Lautwellen* hörten. Ich wusste allerdings, was sie bedeuten, meistens wurde gerufen: „Schämt euch was!" Diese Lautwellen kamen immer, wenn Menschen *verhaftet wurden*. Und es ging schon während des Friedensgebetes los, und da kam noch einmal ein schwieriger Punkt für mich, wo ich dachte, es *könnte noch umkippen*. Als ich dann aber raus kam und die Menschen sah – und ich sagte: „Geht noch ein bisschen zur Seite, hier wollen noch 2 400 Leute auf die Straße raus, wir wollen alle mit euch zusammen sein", und die Leute *geduldig herüberingen* und wir tatsächlich alle raus auf den Platz konnten, da hatte ich gedacht, es könnte gut gehen, so wie bisher schon das Schrecklichste vermieden wurde. Dann war der Moment gekommen, als die Menschen auf die Polizisten und *Kampfgruppenangehörigen* zugingen und erste Worte *laut wurden:* „Ihr seid keine Konterrevolutionäre", und wir gesagt haben: „Redet mit uns", „*schließt euch an*". Also dieser Ruf und diese großen Massen von Menschen, da war eigentlich deutlich: Was sollten diese Polizeikräfte, selbst wenn es 5 000 oder 8 000 oder 10 000 gewesen wären, gegen die 70 000 ausrichten?

So kam auch ein Stück Hoffnung dazu, *dass die Vernunft siegt*, dass das nur *schief gehen* kann, wenn hier brutale Gewalt *angewendet wird*. Ich hatte ja vorher in Gesprächen mit Polizeioffizieren und *den Vertretern für Inneres* immer wieder gesagt: „Das Problem *ist nicht mit Gewalt zu lösen*. Es werden immer mehr Menschen, Sie werden dann immer mehr Polizisten auf die Straße stellen müssen, wie stellen Sie sich das vor? Wer soll *den Wettlauf* gewinnen? Wollen Sie eines Tages in Leipzig nur noch Polizisten und Demonstranten haben? Das ist unmöglich, Sie müssen das *auf andere Weise* lösen, hören Sie auf uns, wir haben nur das Beispiel des Wortes und des eigenenen Beispiels und die Gewaltlosigkeit. Wenden auch Sie keine Gewalt an."

PRAXIS

Zum Nachschlagen: Pluperfect, p. 149

1 Pfarrer Christian Führer berichtet im Text von Dingen, die er **vor** der Demonstration getan hat. Dabei verwendet er zum Teil das Plusquamperfekt. Finden Sie die entsprechenden Formen im Text und schreiben Sie sie heraus.

2 Setzen Sie nun aus den folgenden Wortgruppen Sätze zusammen und verwenden Sie dabei das Plusquamperfekt.
   a Christian Führer/vorher/mit Polizeioffizieren/sprechen.
   b 2 400 Menschen/zum Friedensgebet/in die Nikolaikirche/kommen.
   c Der Pfarrer/die Hoffnung auf Gewaltlosigkeit/haben.
   d Kampfgruppenangehörige und Polizisten/die Demonstration/auflösen sollen.
   e Die Teilnehmer am Friedensgebet/schreckliche Lautwellen/hören können.
   f Demonstranten/von der Polizei/verhaftet werden.

6.8 *Vorher und nachher*

Seit der Wende und der Wiedervereinigung sind nun schon einige Jahre vergangen. Die anfängliche Euphorie ist im Alltag relativ schnell untergegangen. Ganz langsam, aber sicher beginnt Deutschland zusammenzuwachsen. Welche Auswirkungen haben die zahlreichen Veränderungen seither auf die Menschen in der ehemaligen DDR gehabt? Hören und lesen Sie hier von den Erfahrungen einiger Bewohner des Dorfes Neukirchen bei Leipzig.

A   Hören Sie zunächst, was Ines zu diesem Thema zu sagen hat. Entscheiden Sie dabei, ob die folgenden Aussagen richtig (R), falsch (F) oder nicht im Text (N) sind.

1 Ines hatte klare Erwartungen an das Leben nach der Wende.
2 Die Wende hat sie erstaunt.
3 Sie ist kurz nach der Wende zum ersten Mal nach Westdeutschland gefahren.
4 Sie hatte für lange Zeit keinen Kontakt mit ihrer Freundin.
5 Einen guten Freundeskreis kann man sich leicht aufbauen.
6 In Miltitz hat sich zunächst nichts verändert.
7 Ines arbeitet bei der ehemaligen Staatsbank der DDR.
8 Jetzt kann sie mehr Verantwortung übernehmen als vor der Wende.

B   Lesen Sie jetzt die Beiträge von Inge und Heinz und beantworten Sie dabei die folgenden Fragen.

1 Wie lange hat Inge im VEB Gummiwerk gearbeitet?   [1]
2 Was passierte nach der Wende mit den Arbeitern im Werk?   [2]
3 Was war die Begründung für diese Maßnahmen?   [1]
4 Womit war Inge zu DDR-Zeiten unzufrieden?   [2]
5 Für wen ist die Wiedervereinigung positiv und warum?   [2]
6 Warum konnte Heinz seinen Sohn nicht als Lehrling einstellen?   [1]
7 Was sagt er zur Beschaffung besonderer Backzutaten?   [1]
8 Was war seiner Meinung nach zu DDR-Zeiten besser?   [2]

Inge Kaufmann, 55, hoffte nach der Wiedervereinigung, dass ihr Arbeitgeber, VEB Gummiwerk, wieder eine Firma mit Weltruf wird:

„Hier in Neukirchen gibt es für viele Leute Probleme, seit der Betrieb zugemacht hat. Ich war ja auch mehr als 20 Jahre dort angestellt. Fast alle hier haben da gearbeitet. Die jungen Mitarbeiter, die gleich nach der Wende entlassen wurden, sind woanders untergekommen. Und 1992 ist es dann passiert. Ich hätte mir nie vorstellen können, nicht mehr gebraucht zu werden. Als Begründung für die Schließung haben ein paar Westler gesagt, dass sie bei sich mitproduzieren können, was bei uns hergestellt wird. Wir waren natürlich auch zu DDR-Zeiten mit manchen Dingen unzufrieden. Die geschlossenen Grenzen haben ganz klar jeden Fortschritt verhindert. Und wenn das Werk den Plan nicht erfüllen konnte, mussten wir die Zahlen so lange verändern, bis es wieder stimmte. Aber im Großen und Ganzen war es ein guter Betrieb. Heute haben wir die Marktwirtschaft, die ganz schön erbarmungslos zuschlagen kann. Aber für die Jugend ist es natürlich ein Glück, dass sie jetzt die Welt sehen können."

Heinz Merkel, 75, war der letzte Bäcker von Neukirchen. Früher haben die Leute hier für Brot und Brötchen angestanden:

„Meine Frau und ich hatten in unserer Bäckerei alle Hände voll zu tun. Eigentlich sollte dann unser Sohn bei uns seine Lehre machen, aber die DDR-Handwerkskammer wollte nur weibliche Lehrlinge zulassen. Ein Mädchen hat sich aber nicht gefunden. Für die Bäckerei hatten wir eigentlich immer alles, was wir brauchten. Nur Edelrohstoffe wie Marzipan und Rosinen waren eher knapp. Die gab es nur zu Weihnachten. Aber insgesamt war das Leben in der DDR finanziell besser. Die Preise waren niedriger und es gab damals auch keinen Neid. Könnte ich die Zeit zurückdrehen, würde ich nicht zögern."

C Wie sagt man in den Hör- und Lesetexten…?

1 when the Wall fell (Ines)
2 at the time of the change (Ines)
3 which then took over the East German State Bank (Ines)
4 there was never a reason for me to yearn for old times (Ines)
5 luxury ingredients were few and far between (Heinz)
6 if I could turn back time (Heinz)
7 could find work somewhere else (Inge)
8 I could never have imagined not being needed any more (Inge)
9 a few people from West Germany (Inge)
10 in GDR times (Inge)

D Inwiefern unterscheiden sich die Einstellungen der jüngeren von denen der älteren Generation? Versuchen Sie, in der Gruppe möglichst viele Begründungen dafür zu finden, und diskutieren Sie das Für und Wider der Wiedervereinigung.

PRAXIS

Zum Nachschlagen: Conjunctions, p. 147

1 Finden Sie in den Hör- und Lesetexten alle Sätze, die die Konjunktionen „wenn" oder „als" enthalten und schreiben Sie diese ab. Formulieren Sie anschließend eine Regel zu ihrem Gebrauch.

2 Ergänzen Sie die folgenden Sätze mit einer der beiden Konjunktionen und begründen Sie Ihre Wahl.

a ……… Iris noch zur Schule ging, musste sie donnerstags stundenlang beim Fleischer Schlange stehen.

b ……… ihre Mutter von der Arbeit kam, hat sie dann Wurst und Fleisch eingekauft.

c ……… man in der DDR die Schule beendete, plante man noch für die Ewigkeit.

d ……… im Sommer 1989 die ungarischen Grenzen geöffnet wurden, entschied sich Iris trotzdem, nach Hause zurückzufahren.

e ……… sie die Schule abschloss, änderte die Wende ihre Pläne schlagartig.

f Iris beschloss, ihre Heimat zu verlassen, ……… die Ausbildungschancen schlecht waren.

g ……… Iris heute nach Neukirchen kommt, fühlt sie sich ein bisschen fremd.

6.9 *Der Reichstag*

Eines der geschichtsträchtigsten Gebäude in Berlin ist erneut Sitz der deutschen Regierung. Erfahren Sie im nächsten Text einige Fakten aus der Vergangenheit des Reichstags, vor allem auch über den jüngsten Umbau von Sir Norman Foster.

HAUPTSTADT
Dom des Volkes

1999 versammelte sich der Bundestag erstmals in dem von Sir Norman Foster umgebauten Reichstag. Der britische Architekt hat den schwierigen Bau aus dem Kaiserreich ernst und kühl gemacht, doch sein Konzept ist von Kompromissen durchsetzt.

Reichstagsgebäude in Berlin: *„Lebendes Museum deutscher Geschichte"*

Der 1894 nach den Plänen Paul Wallots vollendete Reichstag war im Februar 1933 zum Teil ausgebrannt, wurde in den letzten Kriegstagen Ende April 1945 erbittert umkämpft und zerschossen und 1954 der Reste seiner demolierten Kuppel beraubt. Der Architekt Paul Baumgarten baute die Ruine in den sechziger Jahren radikal um.

Baumgarten arbeitete dabei konsequent gegen das als Symbol wilhelminischer Protzarchitektur gesehene Gebäude und versuchte, die schwere Üppigkeit Wallots durch aus heutiger Sicht fade Sachlichkeit zu brechen. Er ließ Zwischengeschosse einziehen, Wände verkleiden und drehte den Plenarsaal um 180 Grad. Der strahlte anschließend die Atmosphäre einer überdimensionalen Ostberliner Kaufhalle aus.

Fosters erste Entscheidung, die von den Berliner Denkmalpflegern erfolglos bekämpft wurde, war die Beseitigung aller Spuren seines Vorgängers Baumgarten. Sir Norman entkernte das gesamte Gebäude, um anschließend die alten Geschosshöhen Wallots wiederherzustellen. Im ersten Obergeschoss ließ er verkleidete Wände, hinter denen sich russische Graffiti aus dem Sommer 1945 fanden, herausreißen. Von diesen nun museal wirkenden Reminiszenzen abgesehen, brachte er jene technisch-artifizielle Architektur ins Haus, für die er weltberühmt ist.

Im neuen Reichstag herrschen Beige und Grau, Stein und Metall. An sonnigen Tagen wird der Bau dank des Versuchs, durch die Kuppel und große Fensterfronten im Ost- und Westportal Licht hereinzubringen, ein wenig aufgehellt. An grauen Tagen jedoch werden die langen Gänge zu einer trüben Schattenwelt.

Erschwerend kommt hinzu, dass Foster sein Konzept gegen den Bauherrn nur partiell durchsetzen konnte. Der umgebaute Reichstag ist ein Kompromiss in Stein, Stahl und Glas geworden. Die ursprüngliche Idee Fosters, ein 50 Meter hohes Glasdach über den Reichstag zu spannen, wurde aus Kostengründen verworfen. Als nächstes zwang der Ältestenrat dem Architekten, der einen flachen Glasaufbau favorisierte, die Kuppel auf.

Gerade die weithin sichtbare Kuppel ist zum überzeugendsten, faszinierendsten Teil des umgebauten Reichstags geworden. Sie erinnert in ihrer Ei-Form eher an die fünfziger Jahre, als dass sie auf das kommende Jahrtausend verweist, wie Foster es proklamiert. Doch sie setzt einen gelungenen Kontrapunkt gegen die steinerne Wucht und die schwülstigen Details des Gebäudes.

Doch ob der Umbau gelungen ist oder nicht: Der Umzug vom heiteren Behnisch-Bau in den ernsten Reichstag markiert den Übergang von der Bonner zur Berliner Republik. Der seit 1990 wieder souveräne Souverän kehrt in das Gebäude heim, in dem 1914 das deutsche Parlament die Kredite für den Krieg, auch gegen Serbien, beschlossen hat.

Diese Rückkehr in die Vergangenheit ist ganz im Sinne Norman Fosters. Sein erklärtes Ziel war, „den Reichstag zu einem lebenden Museum deutscher Geschichte zu machen".

A Sehen Sie sich zunächst den Text an und finden Sie die deutschen Entsprechungen für die folgenden Wörter zum Thema Architektur.

1 dome
2 architect
3 ruin
4 swanky architecture
5 heavy opulence
6 dull functionality
7 mezzanine floors
8 curator of monuments

9 floor height
10 lined walls
11 corridors
12 client
13 glass roof
14 flat glass top
15 pompous details
16 renovation

B Lesen Sie den Text genauer durch und finden Sie die folgenden Informationen.

1 Was passierte 1894, 1933, 1945, 1954, in den 60ern, in den 90ern?
2 Welche Veränderungen hatte Baumgarten vorgenommen?
3 Welche Veränderungen hat Foster angestrebt?
4 Warum wirkt der Reichstag dunkel?
5 Welchen Plan konnte Foster nicht durchsetzen?
6 Welche Alternative wurde gebaut?
7 Worin besteht der Kontrast im Gebäude?
8 Was war das Ziel des Architekten?

C Schreiben Sie die folgenden Wendungen im Sinne des Textes mit Ihren eigenen Worten um.

1 wurde der Reste seiner demolierten Kuppel beraubt
2 wilhelminische Protzarchitektur
3 die Atmosphäre einer überdimensionalen Ostberliner Kaufhalle
4 entkernte das gesamte Gebäude
5 werden die langen Gänge zu einer trüben Schattenwelt
6 wurde aus Kostengründen verworfen

D Bereiten Sie nun mit einem Partner bzw. einer Partnerin ein Rollenspiel vor.

Person A ist der Architekt beim Umbau des Reichstags, der versucht, seine Konzepte durchzusetzen.

Person B ist der Bauherr, der die meisten Ideen ablehnt und versucht, Kompromisse zu finden. Einigen Sie sich auf mindestens drei verschiedene Details des Umbaus.

6.10 *Hauptstadtfrage*

Nach der Wiedervereinigung waren sich die
Deutschen nicht einig, ob Bonn
Hauptstadt bleiben soll oder ob Berlin
erneut Regierungssitz werden sollte.
Der Bundestag entschied sich in einer
Abstimmung mit knapper Mehrheit
für Berlin. Diese Entscheidung scheint
im Interesse der Mehrheit der deutschen
Bevölkerung zu liegen, dennoch gibt
es noch heute kritische Stimmen.
Hören Sie hier, was junge Deutsche
zu diesem Thema meinen.

A Hören Sie sich das Gespräch an und
beantworten Sie dabei die folgenden Fragen.

1 Warum hätte die Hauptstadtfrage eindeutig
sein sollen? [1]
2 Welche Bedeutung hatte Berlin in der DDR
und in der BRD? [2]
3 Was sind negative Auswirkungen der
Entscheidung für Berlin? [1]
4 Was spricht laut Claudia gegen die
Entscheidung? [2]
5 Warum ist es so bedeutend, dass die
Hauptstadt in der ehemaligen DDR liegt? [2]
6 Was ist laut Kathrin ein Vorteil des Standorts
Berlin? [1]
7 Welche negative Zeit in der deutschen
Geschichte wird mit Berlin verknüpft? [1]
8 Welche Glanzzeit ist auch eng mit Berlin
verbunden? [1]

B Hören Sie sich die Aussagen noch einmal an.
Wie sagt man im Text...?

1 constitution (Felix)
2 unambiguous
3 sensible (Winfried)
4 when different opinions clash
5 in view of the possibilities
6 to move the capital to Berlin
7 considerable costs
8 members of parliament
9 political statement (Claudia)
10 a difficult and lengthy process (Felix)
11 a big economic magnet
12 to bear in mind (Kathrin)

C Schreiben Sie nun auf Deutsch eine
Zusammenfassung der wichtigsten Aussagen im
Gespräch. Benutzen Sie dazu auch die Wörter und
Ausdrücke aus Aufgabe B.

6.11 *Deutsche Identität*

Hören Sie in
diesem Beitrag
noch ein paar
weitere
Meinungen zur
Frage der
Identität. Auch
diesen jungen
Leuten fällt es
nicht leicht, ihre
Einstellung zu
beschreiben.

A   Hören Sie sich die Meinungen von Winfried, Kathrin und Felix an
und versuchen Sie, in zwei bis drei Sätzen die Grundeinstellung jeder
Person zusammenzufassen.

B   Hören Sie sich das Gespräch noch einmal an. Wie sagt man im Text...?

1 a split attitude/relationship
2 a tricky question
3 rightly so
4 more moderate attitudes are adopted
5 for good reasons
6 which relates more to the regions
7 that I can cope quite well with the fact that...
8 the philosophy of life
9 things that fascinate me
10 to find a good balance

C   Beantworten Sie nun die folgenden Fragen zum Text.

1 Warum haben die Deutschen Probleme mit ihrer Identität?
2 Welche Länder nennt Winfried als Kontrast?
3 Womit identifizieren sich die Deutschen am leichtesten?
4 Aus welchem Bundesland kommt Kathrin?
5 Wie ist ihr Verhältnis zu Deutschland?
6 Welche Länder nennt sie als Kontrast?
7 Worauf sind die Bewohner dieser Länder stolz?
8 Wie ist Kathrins Einstellung zu anderen Ländern?
9 Womit ist Felix unzufrieden?
10 Wie sollte seiner Meinung nach die Einstellung der Deutschen sein?

D   *Schriftliche Arbeit*

Womit können Sie sich identifizieren? Welche Unterschiede können
Sie zwischen dem deutschen und dem britischen Nationalgefühl
feststellen? Versuchen Sie, diese Unterschiede in einem Aufsatz von
etwa 250 Wörtern geschichtlich zu begründen.

PRAXIS

Zum Nachschlagen: Modal verbs, p. 152

Felix und Kathrin verwenden Modalhilfsverben, um
ihre Meinungen zum Thema deutscher Identität
auszudrücken.

Beispiel: Wir Deutschen sollten nicht so negativ
sein ... wir müssen immer versuchen, eine gute
Mischung zu finden.

Schreiben Sie ein paar Änderungsvorschläge für
Ihren eigenen Nationalcharakter. Gebrauchen Sie
die Verben sollen, können, dürfen und müssen.

TAKTIK

Für die Vorbereitung dieses Aufsatzes werden Sie
etwas Zeit brauchen, um Forschungen zur
deutschen Geschichte anzustellen. Sie brauchen
jedoch nicht, die gesamte Geschichte Deutschlands
studieren. Konzentrieren Sie sich auf einige
Eckdaten, z. B. Kleinstaaterei bis 1871 (und darüber
hinaus), Erster Weltkrieg, Weimarer Republik,
Drittes Reich und Zweiter Weltkrieg, Teilung
Deutschlands. Verschaffen Sie sich einen **groben**
Überblick. Denken Sie aber auch an jüngere
Ereignisse und Erfolge.

   Wenn Sie geschichtlich interessiert sind und
sich lange genug mit diesem Thema beschäftigen,
können Sie es auch für Ihre *Coursework*
verwenden.

6.12 *Schülerwettbewerb*

In Einheit 2 konnten Sie schon den Bundeswettbewerb „Jugend forscht" kennen lernen, der junge Leute dazu animiert, sich mit Wissenschaft und Technik zu beschäftigen. Für geschichtsinteressierte Schüler gibt es einen ähnlichen Wettbewerb. Lesen Sie hier mehr dazu.

Schülerwettbewerb Deutsche Geschichte

Vergangenes kann viel spannender sein, als dröge Jahreszahlen vermuten lassen

Über 5 000 Teilnehmer, davon mehr als die Hälfte Mädchen, interessierten sich für das letzte Wettbewerbsthema „Vom Armenhaus zur Suchtberatung – Geschichte des Helfens". Sie stöberten in Archiven und Nachlässen und suchten Zeitzeugen, um Informationen aus erster Hand zu bekommen.

Susi Maier (19) und Brigitte Klemmer (20) gewannen einen der fünf ersten Preise. Die beiden Schülerinnen erforschten die Geschichte einer Gießener Stiftung, die um die Jahrhundertwende den Armen half. Im Stadtarchiv stießen sie auf 200 Bittbriefe. „Drei Berge verstaubter Akten", erzählt Susi begeistert, „da war vorher keiner dran." Um sie zu lesen, mussten sie zuerst Sütterlin lernen, die altdeutsche Schrift. Doch dann gaben die Briefe Einblicke in das Leben armer Leute, das nur selten dokumentiert wird.

„Es war interessant und hat ganz viel Spaß gemacht", schwärmt Susi, „auch wenn Brigitte und ich zuletzt viele Nächte durcharbeiten mussten, während unsere Mitschüler schon fürs Abi büffelten."

Die meisten Teams fangen im September an zu forschen. Aber auch ein späterer Einstieg lohnt sich. Das bewiesen Hoi-Ying Yiu (18) aus Bielefeld und ihre Freundin. Die beiden starteten erst im Januar – unter schwierigen Bedingungen: Im Stadtarchiv durften sie keine historischen Dokumente kopieren, sondern mussten alles per Hand abschreiben. Trotzdem wurde ihre Arbeit fristgerecht fertig, und sie gewannen einen fünften Preis. Aber es sind nicht die Auszeichnungen allein. „Der größte Moment ist, wenn man nach all der Mühe sein eigenes Werk gebunden in den Händen hält", sagt Hoi-Ying.

A Lesen Sie den Text und stellen Sie Fragen für die folgenden Antworten zusammen.

1 mehr als 2 500
2 Sie suchten in Archiven, Nachlässen und nach Zeitzeugen.
3 fünf
4 die Geschichte einer Gießener Stiftung
5 200 Bittbriefe
6 die altdeutsche Schrift
7 Sie lernten für das Abitur.
8 im September oder später
9 Sie mussten alle Kopien handschriftlich anfertigen.
10 Wenn man seine eigene Arbeit als Buch in den Händen hält.

B Übersetzen Sie jetzt die Informationen im Infopunkt ins Englische.

C Fallen Ihnen Ereignisse in der deutschen Geschichte zum neuen Wettbewerbsthema ein? Wählen Sie ein Ereignis aus und schreiben Sie einen kurzen Aufsatz von etwa 250 Wörtern, um Ihren Titel beim Wettbewerb anzumelden.

Infopunkt ℹ

Der Wettbewerb

Seit seiner Gründung vor 25 Jahren beteiligten sich mehr als 90 000 Schülerinnen und Schüler an dem alle zwei Jahre startenden Wettbewerb. Zu gewinnen sind Preise im Wert von über einer halben Million Mark, darunter fünf erste Preise à 3 000 Mark. Einsendeschluss für Arbeiten zum aktuellen Thema **„Aufbegehren, Handeln, Verändern. Protest in der Geschichte"** ist der **28. Februar**. Die Broschüre „Spuren suchen" mit Teilnahmebedingungen, Tipps und Anregungen gibt's gegen drei Mark in Briefmarken bei der Körberstiftung, Schülerwettbewerb, 21027 Hamburg, Tel. 040/72 50 24 39. Infos im Internet: **www.geschichtswettbewerb.de**

SPUREN SUCHEN
Schülerwettbewerb Deutsche Geschichte um den Preis des Bundespräsidenten

Der neue Wettbewerb

Protest
Aufbegehren, Handeln, Verändern. Protest in der Geschichte

Mitmachen und 500 000 DM gewinnen

Einheit 7
Dossier: Betrachten wir die Dinge global

*I*n dieser letzten Einheit Ihres Kurses werden wir noch einmal verschiedene Themenbereiche des vergangenen Jahres betrachten. Doch dieses Mal werden wir unsere Sicht nicht nur auf den deutschsprachigen Raum begrenzen, sondern auch in die Welt hinausschauen. Welche Wirkung haben die Probleme unserer Zeit auf die Menschen verschiedener Länder? Lesen und hören Sie hier mehr dazu.

In dieser Einheit werden Sie Ihre Kenntnisse der folgenden grammatischen Punkte erweitern können:

- Trennbare Verben *(separable verbs)*
- Konjunktiv in indirekter Rede *(subjunctive in indirect speech)*
- Endungen *(endings)*

7.1 *Das Internet – Kommunikation global*

Das Internet ist ohne Zweifel eine der wichtigsten Entwicklungen der letzten paar Jahrzehnte im Bereich der Kommunikation. Aber wie viele Leute nutzen es – und wozu?

A   Hören Sie sich die Meinungen von Alex, Kathrin, Claudia und Winfried an. Schreiben Sie Notizen über die folgenden Punkte:

- ob man heutzutage das Internet nutzen **muss**
- die Sicherheit des Internets
- wozu es genutzt wird
- mögliche Gefahren

B   *Mündliche Präsentation*

Was ist für Sie der Wert des Internets? Bereiten Sie einen Kurzvortrag (2 Minuten) vor, in dem Sie die Möglichkeiten erwähnen, die das Internet anzubieten hat, aber auch die Probleme, die vielleicht damit verbunden sind. Wozu werden Sie es in Zukunft nutzen – für Ihre Arbeit oder eher in Ihrer Freizeit?

PRAXIS

Zum Nachschlagen: Separable verbs, p. 151

Im Hörtext erscheinen viele trennbare Verben, die mit den Themen Information/Informatik zu tun haben. Ergänzen Sie die folgenden Sätzen jeweils mit einem passenden Verb.

1 Man sollte keine wichtigen Details über seine Arbeitsstelle ....
2 Kommunikation per Internet ist ganz einfach; jeden Tag .... ich viele E-Mails ....
3 Man kann ganz schnell mit seinen Freunden Nachrichten ....
4 Bestimmte, z. B. pornografische Seiten können nicht .... werden.
5 Es ist sehr leicht, übers Internet Informationen ....
6 Heutzutage weiß fast jeder, wie er einen Computer ....

7.2 *Die Gentechnik: eine Gleichung mit vielen Unbekannten?*

Die Gentechnik ist ein heiß umstrittenes Thema – bringt sie uns Nutzen oder unberechenbares Risiko? Der Artikel untersucht einige Nachteile der Gentechnik.

GEN-TOMATE ODER NICHT?

AUCH ÄRZTE FORDERN KENNZEICHNUNG

Journal-Autorin Simone von Laffert (J) sprach mit Prof. Dr. Heyo Eckel (E), Bundesärzte-kammer.

J: Welche Befürchtungen verbinden Sie mit Gen-Nahrung?
E: Zur Zeit lässt sich noch nicht absehen, wie sich gentechnische Verfahren auf unsere Ernährung auswirken. Theoretisch ist es durchaus möglich, dass Allergien mit der Verbreitung gentechnisch veränderter Lebensmittel zunehmen. Immerhin wurde nachgewiesen, dass durch neu eingeführte Proteine allergische Reaktionen ausgelöst werden können.

J: Bald kommen auch bei uns gentechnisch veränderte Lebensmittel in den Handel. Wie sollen wir damit umgehen?
E: Die deutsche Ärzteschaft plädiert für eine umfassende Kennzeichnung im Interesse des vorbeugenden Gesundheitsschutzes, vor allem für Allergiker. Wir müssen die Messlatte so hoch wie möglich anlegen und die Kennzeichnung bei allen Produkten, die mit Gentechnik in Berührung kommen, eisern durchhalten. Gleichzeitig ist eine gründliche Begleitforschung unerlässlich. Wenn wir die pozentiellen Risiken nicht weiter im Auge behalten, ist die Gentechnik ein Spiel mit dem Feuer.

Im Oktober 1989, erkrankten plötzlich weltweit über hundert Menschen an einer sehr seltenen Muskelkrankheit. Sie hatten alle ein tryptophanhaltiges Medikament eingenommen. Der Eiweißbaustein Tryptophan kommt natürlich in vielen Lebensmitteln vor und wirkt als leichtes Schlafmittel. Zeitraubende Nachforschungen ergaben, dass der Hersteller des Tryptophans, ein japanischer Pharmakonzern, seine Produktion auf gentechnisch veränderte Bakterien umgestellt hatte. Vorher hatte es nie Probleme gegeben. Offensichtlich hatten sich durch den gentechnischen Eingriff bisher unbekannte, hochgiftige Begleitsubstanzen gebildet. Die genauen Umstände sind bis heute aber nicht geklärt. Ist die Gentechnik eine Gleichung mit vielen, möglicherweise gefährlichen Unbekannten? Fest steht, dass eine Veränderung des Erbgutes immer etwas Unkalkulierbares hat. Jedes fremde, neu eingeschleuste Gen kann das fein ausbalancierte System stören.

Könnte sich der Fall Tryptophan also wiederholen? Das kann auch Professor Hildegard Przyrembel vom Bundesinstitut für gesundheitlichen Verbraucherschutz nicht ganz ausschließen: „Wir können zwar das fertige Gen-Produkt ernährungsmedizinisch beurteilen, aber nicht den Herstellungsprozess. Und da liegt ein Problem. Denn wir wissen noch nicht, welche Stoffe im Einzelfall enthalten sein können. Finden und analysieren können wir aber nur das, was wir auch kennen." Beim herzhaften Biss in eine knackige Gen-Tomate nehmen wir möglicherweise aber noch mehr in Kauf: Sie enthält wie fast alle gentechnisch veränderten Organismen Antibiotika-Resistenzgene. Einige Wissenschaftler befürchten, sie könnten den im Darm lebenden Krankheitskeimen ihre Abwehrformel weitergeben. Dann würden die bekannten Arzneien im Krankheitsfall nicht mehr anschlagen.

Gen-Übertragungen dieser Art passieren allerdings ständig. Mit jedem Salatblatt gelangen Millionen von Bodenbakterien in unseren Körper, die gegen bestimmte Antibiotika resistent sind. „Wir verschlucken ständig fremde Gene, jeden Tag mehrere Gramm DNS", sagt der Molekularbiologe Walter Doerfler von der Uni Köln. „Wer das vermeiden will, muss aufhören zu essen."

Die Argumente der Gen-Befürworter: die schier grenzenlos erscheinenden Einsatzmöglichkeiten in der Medizin und der Hunger in der Dritten Welt. Generzeugnisse, so sagen sie, könnten die Probleme der Welternährung nachhaltig lösen

A Finden Sie im Interview mit dem Arzt die deutschen Entsprechungen für:

1 genetically modified foodstuffs
2 playing with fire
3 it is wholly possible, theoretically
4 how procedures affect our food
5 a comprehensive identification

6 come into contact
7 a thorough control study
8 set the standard as high as possible
9 How are we to proceed?
10 may be triggered off

B Im Artikel sind die Hauptaussagen zu den Problemen der Gentechnik unterstrichen. Schreiben Sie diese Hauptaussagen auf, dann schreiben Sie sie um, wie in den folgenden Beispielen.

Ärzte meinen, dass solche Produkte in vielen Lebensmitteln vorkommen.
Laut dem Molekularbiologe Walter Doerfler, muss man, wenn man fremde Gene vermeiden will, aufhören zu essen.
Viele Biologen glauben, dass bekannte Arzneien in bestimmten Krankheitsfällen vielleicht nicht mehr anschlagen werden.

C Stellen Sie sich vor, Sie lassen sich für eine Uni-Radio-Sendung über Gentechnik interviewen. Bereiten Sie mit Hilfe des Artikels Ihre Antworten auf folgende Fragen vor:

• Was sind für Sie die Nachteile der Gentechnik?
• Warum sollte man sich in Acht nehmen?
• Können Sie einige Beispiele von Biologen geben, die Angst haben?
• Können Sie ein Beispiel dafür geben, dass die Gentechnik Krankheiten verursachen kann?
• Würden Sie sagen, die Experten wissen schon genug, um die Gentechnik schnell zu entwickeln?

Person A spielt die Rolle des Interviewers/der Interviewerin und stellt die Fragen.
Person B beantwortet die Fragen. Nachdem Sie das Gespräch einmal gemacht haben, machen Sie es umgekehrt, damit alle beide die zwei Rollen spielen. Dann machen Sie eine Kassettenaufnahme der zwei Fassungen.

7.3 *Aids, die Geißel unserer Zeit*

Fortschritte gegen Aids macht man zwar … aber nimmt man diese Krankheit auf die leichte Schulter? Kathrin und Felix besprechen das Thema Aids und Aidsforschung.

A Fassen Sie ihre Argumente zu den folgenden Punkten zusammen.

- Warum Aids zunimmt [3]
- Die Aidsforschung [5]
- Die Prominenten [4]
- Die Gesundheitserziehung [4]

B Kathrin und Felix sprechen über Aids im Westen. Die Spezialisten haben allerdings neue Medikamente entwickelt und wir haben die erwartete Aids-Explosion noch nicht erlebt – obwohl die Anzahl von Betroffenen allmählich steigt.

In Afrika ist die Lage ganz anders. Ganze Völker sterben an Aids.
Lesen Sie diesen Bericht und erklären Sie folgende Zahlen in Ihren eigenen Worten.

1 60 000 DM
2 35 000 000
3 30 000 DM
4 20 000 000
5 1 800 000
6 300 000
7 13 000 000

C Übersetzen Sie folgende englische Wiederbearbeitung von einigen Hauptideen aus dem Aids-Bericht ins Deutsche.

Glaxo Wellcome has given a donation of 30,000 DM each to two organisations which are supporting AIDS projects in Africa. The pharmaceutical company has made the decision to give stronger support to those affected in these countries because health structures are mostly non-existent there and governments rely on self-help organisations.

PRAXIS

Zum Nachschlagen: Subjunctive in reported speech, p. 150

1 Verwandeln Sie in folgenden Sätzen aus dem Bericht das Verb in eine Vergangenheitsform im Konjunktiv.
  a Fast jede Familie *sei* betroffen.
  b 1,8 Millionen Einwohner Ugandas *seien* mit HIV infiziert.
  c Ihre Situation *sei* dramatisch.
  d Viele Aids-Waisen *seien* durch das langsame Sterben ihrer Eltern traumatisiert…
  e …und *stünden* am Ende oft ganz ohne Hilfe.
2 Jetzt übersetzen Sie folgende Sätze ins Deutsche:
  a The chairman mentioned that Glaxo Wellcome had donated 60,000 DM.
  b Rose Atebuni said she had left [her] home [country].
  c In many regions whole families were [said to have been] destroyed.
  d The researcher reckons there will soon be 13 million AIDS orphans.
  e The charity *Médecins sans frontières* is said to have announced…

In Uganda sind nahezu ein Zehntel der Menschen HIV-positiv

Aus Anlass des Welt-Aids-Tages haben gestern mehrere Hilfsorganisationen dazu aufgerufen, die Betroffenen in den Entwicklungsländern stärker als bislang zu unterstützen. In Frankfurt am Main übergab der Arzneimittel-Hersteller Glaxo Wellcome (Hamburg) Spenden in Höhe von insgesamt 60 000 DM an zwei Organisationen, die Aids-Projekte in Uganda und Malawi betreuen.

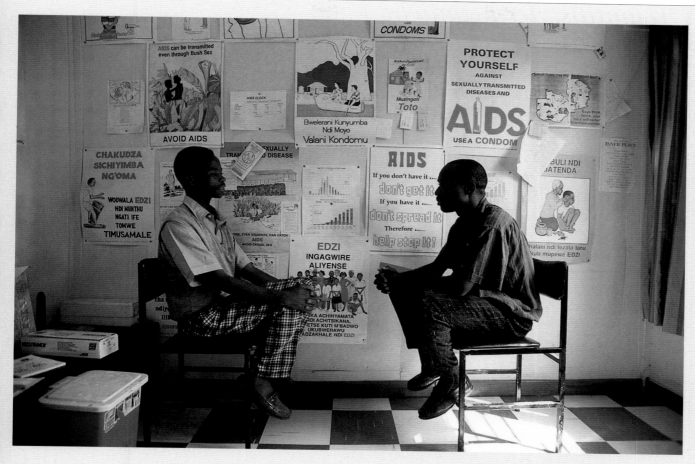

Weltweit sind etwa 35 Millionen Menschen mit HIV infiziert, mehr als zwei Drittel von ihnen leben in Ländern der so genannten Dritten Welt, vor allem in Schwarzafrika und Südostasien. Medikamente sind dort in der Regel unerschwinglich, Gesundheitsstrukturen meist nicht vorhanden. In vielen Ländern haben Hilfsorganisationen daher „Home Based Care"-Programme eingerichtet, in denen einheimische Helfer kranke Menschen in deren häuslichem Umfeld versorgen.

Für zwei dieser Projekte hat Glaxo Wellcome Deutschland jetzt jeweils 30 000 DM gespendet. Das eine wird vom Würzburger Missionsärztlichen Institut in Malawi, das andere vom Frankfurter Verein „one world – one hope" in Uganda betreut. Die Sprecherin des Projekts „Nacwola" (national community of women living with HIV/Aids) in Arua, Uganda, Rose Atebuni, war extra aus ihrer Heimat angereist, um für die Unterstützung ihrer betroffenen Landsleute zu werben. Von den 20 Millionen Einwohnern Ugandas seien 1,8 Millionen mit HIV infiziert, sagte sie. Fast jede Familie sei betroffen. Atebunis Gruppe, bestehend aus HIV-positiven Frauen, bietet Fürsorge und Betreuung von Betroffenen und deren Familien an. Das umfasst die medizinische Grundversorgung, Pflege, Beratung, Aufklärung, Sterbebegleitung sowie die Betreuung von Aids-Waisen.

Allein in Malawi lebten 300 000 Kinder, die ihre Eltern durch Aids verloren haben, sagte Klemens Ochel von der Arbeitsgruppe für Gesundheitsarbeit und HIV/Aids des Missionsärztlichen Instituts. Ihre Situation sei dramatisch. Viele Aids-Waisen seien durch das langsame Sterben ihrer Eltern traumatisiert und stünden am Ende oft ganz ohne Hilfe da, weil Aids in manchen Regionen ganze Familien ausrotte. Unicef schätzt, dass es bis zum Ende des nächsten Jahres weltweit etwa 13 Millionen Aids-Waisen geben wird.

Die Hilfsorganisation Ärzte ohne Grenzen hat angekündigt, sich in ihren HIV/Aids-Projekten künftig nicht mehr auf die Prävention zu beschränken. Sie setzt stattdessen auf die Einführung von freiwilligen und anonymen HIV-Tests, die Sicherung einer Basis-behandlung und die Behandlung der Begleit-erkrankungen.

7.4 *Hepatitis: der heimliche Rekordhalter*

Obwohl Aids mit Recht als eine der größten Bedrohungen der Gesundheit der Welt betrachtet wird, gibt es eine andere Krankheit, die jährlich mehr Todesopfer als Aids fordert: Hepatitis. Lesen Sie diesen kurzen Bericht, um mehr darüber herauszufinden.

Medizin

Hepatitis: So schützen Sie sich

Experten warnen: Weltweit erkranken immer mehr Menschen an einer Leberentzündung – auch in Europa. Welche Viren und Impfungen es gibt

Ein heimlicher Rekordhalter: Hepatitis, die gefährliche Leberentzündung, fordert immer mehr Opfer. An Hepatitis A erkranken pro Jahr viele Millionen, das B-Virus tragen weltweit 350 Mio. Menschen in sich, allein die C-Form fordert jährlich mehr Todesopfer als Aids. Dennoch wird Hepatitis oft verharmlost, warnt Dr. Sigrid Ley vom Deutschen Grünen Kreuz. Von den sechs bekannten Erregertypen sind die A- und B-Viren am weitesten verbreitet – teilweise auch in Europa.

HEPATITIS A: Auch Reisehepatitis genannt. Übertragen wird das Virus durch verunreinigtes Wasser, verseuchte Lebensmittel und auf Toiletten. Die Krankheit bricht vier Wochen später mit starker Müdigkeit, hohem Fieber, Übelkeit aus. Sie kann sich bei Erwachsenen bis zu sechs Monate hinziehen. Nur jeder Dritte entwickelt die klassischen „Gelbsucht"-Symptome: gelbliche Augen und Haut. Hepatitis A heilt völlig aus, wird nie chronisch.

HEPATITIS B: Das B-Virus wird per Blut und Sperma übertragen, ist hoch ansteckend. Gelangt ein Tropfen infiziertes Blut in eine Badewanne voll Wasser, so genügt es, wenn nur ein Tropfen davon eine Wunde berührt! Das Virus kann bis zu einer Woche auf Gegenständen wie einer Nagelschere überleben. In ca. jedem zehnten Fall wird die Hepatitis B chronisch, d.h., die Leber wird langsam zerstört. Jedes Jahr sterben in Deutschland 1500 Menschen direkt oder an den Folgen der Hepatitis B.

Pazifischer Ozean

WO DROHT HEPATITIS A? **Gefährliches Souvenir: Schon in vielen Nachbarländern ist das Ansteckungsrisiko für die so genannte Reisehepatitis deutlich erhöht**

geringes Ris[

mittleres Ris[

hohes Risik[

A Lesen Sie den Text und sehen Sie sich die Landkarte an. Beantworten Sie dann folgende Fragen:

1 Welches Organ wird von dem Hepatitis-Virus angegriffen?
2 Wie viele Formen von Hepatitis gibt es?
3 Geben Sie Beispiele von Ländern, in denen die Gefahr, mit Hepatitis angesteckt zu werden, am größten ist.
4 Was sind die Symptome von Hepatitis A?
5 Wie kann Hepatitis B übertragen werden?

B Schreiben Sie eine englische Kurzfassung des Berichts (150 Wörter) für einen Freund, der eine Reise in die Tropen vorhat und Informationen über die Krankheiten der Region sucht.

C *Schriftliche Arbeit*

Sie arbeiten für eine wohltätige Organisation, die die Leute auf das Problem der Hepatitis in der Dritten Welt aufmerksam machen will. Suchen Sie zusätzliche Informationen über die Krankheit – eventuell im Internet – und schreiben Sie einen Brief (250 Wörter), der an alle Leute, die sich für Ihre Organisation interessieren, geschickt werden soll.

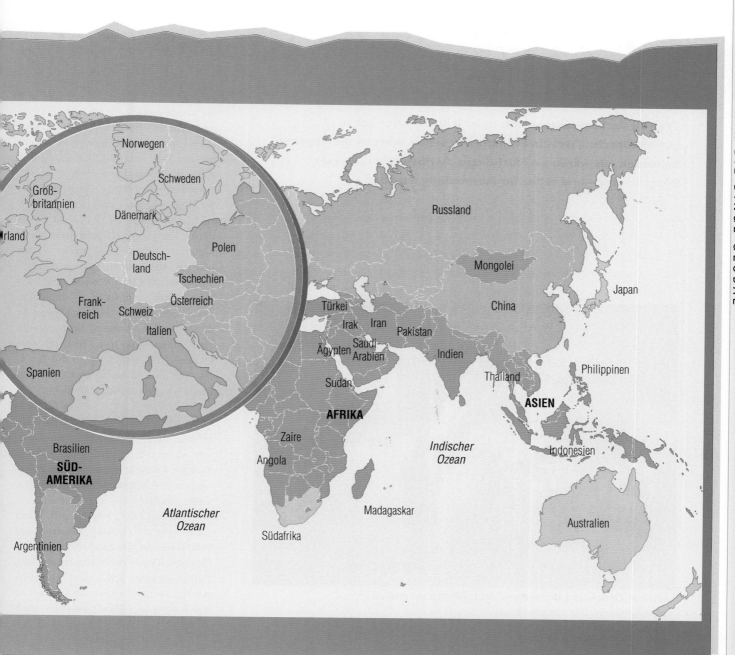

7.5 *Wie ist es, Flüchtling zu sein?*

Überall in Westeuropa gibt es Flüchtlinge, die verzweifelt nach einer neuen Heimat suchen. Die Lebensbedingungen und der Mangel an üblichen Freiheiten in vielen Ländern zwingen viele Menschen dazu, das eigene Land auf der Suche nach einem besseren Leben zu verlassen. Eine Ausstellung in Frankfurt am Main zeigt uns, warum wir unser Bestes tun müssen, um so viele Asylanten wie möglich unterzubringen.

AUSSTELLUNG

Für Augenblicke Abschaum

Wer dieses Spektakel erlebt, muss leiden. In der Schau „Unerwünscht", jetzt in Frankfurt zu sehen, werden die Besucher behandelt, als wären sie Flüchtlinge, Asylbewerber, illegale Billigarbeiter – und selbst für Ausbeutung dankbar

Leben in Dreck und Bedrängnis Als Lagerinsassen erleben die Ausstellungsbesucher trostlose Enge

Alles ist nur ein Spiel. Und am Anfang nimmt man das Spiel nicht besonders ernst. Seit fünf Minuten bin ich Wanmin, geboren am 26. Juli 1971 in Wenzhou, wohnhaft in Peking. Meine Eltern haben mich auf die Straße gesetzt, sie haben kein Geld, um mich zu ernähren. Seither schlage ich mich als Arbeiterin durch. Ich habe nur ein Ziel: weg aus China. Ich will nicht in einem Land leben, wo die Abtreibung weiblicher Föten und der Mord an neugeborenen Mädchen Alltag sind, weil Eltern nur ein Kind haben dürfen, das partout ein Junge sein muss. Meine Arbeitsbedingungen sind höllisch. Also beantrage ich einen Pass.

Bevor ich China verlasse, muss ich mich von meinem Vorarbeiter erniedrigen lassen. „Für wen hältst du dich eigentlich, Wanmin? Schon wieder eine Minute zu spät. Bist du was Besseres?" Er mustert mich. So lange, bis ich mich dabei ertappe, wie ich demütig murmle: „Natürlich nicht."

Schließlich gelingt mir die Flucht – durch den „Tunnel der Illegalität". Ich gelange nach Frankreich, in ein Land, von dem ich nichts weiß, dessen Sprache ich nicht verstehe. Man bringt mich zur Ausländerbehörde; ich habe keine Ahnung, was die Beamtin, die dort sitzt und zetert, von mir will. Wenn ich nicht zwischen Polizei und Flüchtlingsamt hin- und herirre, falte ich Hemden, illegal, zwölf Stunden am Tag. Dafür bekomme ich knapp 200 Mark pro Woche, wovon ich einen Großteil an die Schlepper zahlen muss, die mich

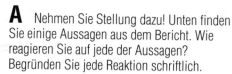

Schreibtisch als Barriere Eine Schauspielerin verhört den Besucher, als wäre er ein lästiger Fremder

A Nehmen Sie Stellung dazu! Unten finden Sie einige Aussagen aus dem Bericht. Wie reagieren Sie auf jede der Aussagen? Begründen Sie jede Reaktion schriftlich.

1 Wanmins Eltern haben sie auf die Straße gesetzt, weil sie kein Geld hatten, um sie zu ernähren.

2 Sie hat nur ein Ziel: weg aus China.

3 Sie will nicht in einem Land leben, wo die Abtreibung weiblicher Föten und der Mord an neugeborenen Mädchen Alltag sind.

4 Eltern dürfen in China nur ein Kind haben.

5 Das muss partout ein Junge sein.

6 Schließlich gelingt Wanmin die Flucht durch den „Tunnel der Illegalität".

7 Wanmin faltet Hemden illegal in Frankreich.

8 Sie bekommt knapp 200 Mark pro Woche für ihre Arbeit.

9 Ein Flüchtling ist menschliches Treibgut.

TAKTIK

Nehmen Sie die Meinungsliste auf Seite 128 zu Hilfe, um Ihre Kurzreaktionen zu geben. Dann versuchen Sie Ihre Antwort ein wenig zu verlängern.

B *Schriftliche Arbeit*

Das Thema Asylanten und Asylbewerber ist in Ihrem Land ein heißes Eisen. In Ihrer Tageszeitung gibt es eine Debatte über das Problem und eventuelle Lösungen. Die Zeitung stellt die Frage, „Was können wir tun, um die Vorurteile der Leute zu vermindern?"

Schreiben Sie einen Brief (ca. 250 Wörter) an die Zeitung, worin Sie die Frankfurter Ausstellung beschreiben und empfehlen.

---

nach Europa gebracht haben. Einer von ihnen hat meinen Pass zerrissen, langsam und genüsslich.

Das Spiel ist nicht mehr lustig, das Ziel der Ausstellung, „Unerwünscht – eine Reise wie keine andere", ist erreicht: Ich bin in die Haut eines Flüchtlings geschlüpft. Bin menschliches Treibgut, angeschwemmt im Niemandsland des Behördengestrüpps zwischen meiner Vergangenheit und einem besseren Leben.

Zehntausende, die meisten davon Schüler, haben sich schon freiwillig herumschubsen, einsperren, anpöbeln lassen.

Zwölf verschiedene Rollen stehen den Besuchern zur Verfügung, echte Schicksale, ausgewählt mit Hilfe der UN-Flüchtlingsorganisation (UNHCR). Für eine Stunde können sie Pavel sein, Jude aus Sankt Petersburg, der auf offener Straße zusammengeschlagen und später grundlos entlassen wird. Sie können auf Leilas Fußstapfen ins Exil reisen, einer Ärztin aus Algerien, die von Fundamentalisten mit dem Tod bedroht wird, oder die Not von Vesna erdulden, deren Familie in Bosnien ermordet wurde.

Zwischendurch werden die Besucher immer wieder daran erinnert, dass das, was sie hören, kein Theaterdonner ist. An Computern können sie sich über ihr – angenommenes – Herkunftsland informieren und über den erniedrigenden Hindernisparcours, den ein jeder der weltweit 50 Millionen Entwurzelten überwinden muss. So viele Menschen betreut das UNHCR derzeit – trauriger Rekord seit der Gründung im Jahr 1951.

Kaum einem dieser Flüchtlinge gelingt die Reise nach Westeuropa; 80 Prozent kommen aus der Dritten Welt und bleiben dort, als Mündel internationaler Wohltätigkeit, geparkt in Lagern, die ein Provisorium sein sollen und oft über Jahrzehnte existieren. Wer es trotzdem schafft, nach Europa vorzudringen, dem wird meist das Asyl verweigert. So hat Frankreich 83 Prozent aller Bewerber im vergangenen Jahr wieder abgeschoben, in Deutschland waren es nur acht Prozent, die im gelobten Land bleiben durften.

7.6 ...*Step by Step*

Wie wir in Einheit 5 gelesen haben, können Bürgerinitiativen einen wichtigen Beitrag zum Aufbau einer besseren Welt leisten wollen. Eine solche Initiative wurde von einer Münchener Studentengruppe gegründet, die ihren Mitmenschen in der Dritten Welt helfen wollte, aber sehr wenig Geld zur Verfügung hatte. Lesen wir jetzt, was diese jungen Leute geleistet haben.

Step by Step e. V.

„Man kann auch mit kleinen Summen Großes bewirken"

Ihr habt einen eigenen Spendenverein gegründet. Wieso? Als Studenten haben wir alle wenig Geld zur Verfügung. Mehr als 10, 12 Mark im Monat könnten wir nicht spenden. Wenn wir das alle einzeln einer der großen Organisationen spenden würden, würden wir wohl kaum erfahren, was genau mit unserem Geld passiert. Da kam uns die Idee mit „Step by Step": selber ganz konkrete Hilfe zu leisten. **Ist ja ein Riesenerfolg. Ihr habt inzwischen schon fast 200 Mitglieder.** Anfangs waren wir nur sieben, gerade ausreichend, um einen Verein zu gründen. Jetzt haben wir monatlich schon rund 1 800 Mark zur Verfügung. Jedes Mitglied zahlt 12 Mark im Monat, 2 Mark davon gehen für Porto, Telefon und Versicherungen drauf, 10 Mark gehen direkt ins Monatsprojekt.

A   Beantworten Sie folgende Fragen kurz auf Deutsch:

1 Warum war 12 Mark der Höchstbetrag?
2 Was war der Nachteil von kleinen Spenden an große Organisationen?
3 Warum haben sich die Studenten „Step by Step" ausgedacht?
4 Am Anfang hatten sie sieben Mitglieder. Warum war diese Zahl so bedeutend?

B   Erklären Sie die Bedeutung folgender Zahlen:

1 10,12 Mark
2 200
3 1 800 Mark
4 12 Mark
5 2 Mark
6 10 Mark

C   Sie werden jetzt mehr über den Spendenverein hören. Wir hören zwei Fragen:

1 Was sind das für Projekte?
2 Wer entscheidet, was gefördert wird?

Fassen Sie die Antworten in Ihren eigenen Worten zusammen.

PRAXIS

Zum Nachschlagen: Endings, p. 138–146

Ohne den Text wieder anzusehen, ergänzen Sie die passenden Endungen in den folgenden Sätzen bzw. Ausdrücken aus. Vorsicht! Sie brauchen nicht immer eine Endung.

1 Wir haben ein... neu... Sportverein gegründet.
2 Wir haben all... viel... Zeit zu... Verfügung.
3 Was passiert mit dein... Geld?
4 Da kam m... d... Hauptidee!
5 Es ist ja ein... Misserfolg!
6 150 Mark i... Jahr
7 Es geht direkt in... Jahresprojekt.

Sprechtipps

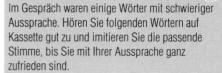

Im Gespräch waren einige Wörter mit schwieriger Aussprache. Hören Sie folgenden Wörtern auf Kassette gut zu und imitieren Sie die passende Stimme, bis Sie mit Ihrer Aussprache ganz zufrieden sind.

Libanesin
bezahlt
Brasilien
unterstützt
therapeutisches
Spielzeug
Sitzung
beschlossen
grundsätzlich
hundertprozentig

7.7 *SOS-Kinderdorf*

Überall in der Welt hört man von kaputten Familien, von Kindern, die trostlos und hoffnungslos sind. Hermann Gmeiner hat viel getan, um solchen Kindern Trost und Hoffnung zurückzugeben. Am Anfang kam diese Hilfe hauptsächlich Kindern aus fernen Ländern zugute, aber heute ist es ganz anders.

5 0 Jahre ist es her, dass der damals 30-jährige Mediziner Hermann Gmeiner sein erstes Kinderdorf in Imst in Tirol errichtete. Jeden Schilling hatte er dafür erbettelt, von den Industriebaronen und Landesfürsten, den Banken, den Reichen und vor allem von den vielen kleinen Leuten, die bis heute als SOS-Kinderdorffreunde überall auf der Welt regelmäßig spenden oder als freigiebige Paten für die Kinder fungieren. Gmeiners Grundidee seines privaten, konfessionell und politisch unabhängigen Sozialwerks für verlassene und verwaiste Kinder ist wie die Rezeptur von Coca-Cola: simpel, erfolgreich und im Grunde genommen nicht zu verbessern. Die vier Ingredienzien Mutter, Geschwister, Haus, Dorf sollen „aus dem Nest gefallenen Kindern" ein langfristiges Zuhause geben, die Wärme einer Familie, eine gute Ausbildung und eine Betreuung bis zur Selbständigkeit garantieren. Leibliche Geschwister werden niemals getrennt. SOS-Kinderdorfkinder werden überall auf der Welt in der jeweiligen Landesreligion erzogen, weil die Erfahrung gelehrt hat, dass religiöser Halt Kindern aus kaputten Familien entscheidend helfen kann.

Heute gibt es über 370 SOS-Kinderdörfer in 130 Ländern mit mehr als 1 000 angeschlossenen Einrichtungen (Kindergärten, Schulen, Krankenstationen, Sozialzentren), in denen rund 250 000 Kinder und Jugendliche betreut werden.

Zufrieden beobachtet das Paar – „jede Mark ist hier gut angelegt" – wie die Kinder fröhlich auf der Wiese rumtoben. Sie können nicht wissen, dass der Junge, der so flink dem Ball hinterherjagt, vom Jugendamt ins Dorf vermittelt wurde, weil seine leibliche Mutter ihm mit dem Bügeleisen ihre Vorstellung von Liebe in den Rücken sengte. Dass der Bub im Tor noch vor zwei Jahren mit seinem Vater auf Leben und Tod kämpfte, weil der ihm die Nadel ansetzen und ihn ebenso heroinabhängig machen wollte, wie er selbst es war.

Sie sehen Kinder auf Rollschuhen um die Wette fahren und wissen nicht, dass die drei Geschwister früher halbverhungert tagelang im Müll nach Essensresten gewühlt haben, weil ihre Eltern auf Zechtour unterwegs waren.

Warum nur? Nach dem Martyrium mit den Eltern wartet auf die meisten dieser Sozialwaisen die traurige Reise durch Pflegefamilien und Heime. Wenn sie Glück haben, großes Glück, landen sie in einem SOS-Kinderdorf, werden Teil einer Familie, zu der sie ein Leben lang gehören.

A Beantworten Sie folgende Fragen auf Deutsch:

1 Wie ist die Atmosphäre im SOS-Kinderdorf?
2 Wie hart musste Hermann Gmeiner arbeiten, um das erste SOS-Kinderdorf zu gründen?
3 Wie kompliziert war Gmeiners Grundidee?
4 Wie lange kann ein Kind in einem SOS-Dorf leben?
5 In welcher Religion werden die Kinder erzogen und warum?
6 Erklären Sie die Redensart „Jede Mark ist hier gut angelegt" in eigenen Worten.

B Übersetzen Sie ins Englische von „Sie können nicht wissen" bis ans Ende des Artikels.

Study Skills

Study Skills for A Level German

Effective listening

When you listen with understanding, you use the same basic skills as in reading. You **scan**, **select**, **discard**, **contextualise** and **match**. So far, so good. These skills will take you far, but, before you can employ them when you listen to German, your ear has to make sense of the mass of sound entering it.

On your side is the fact that English intonation is very like that of German, its sister language. Both languages use what we call a tonic stress, which is very similar to a regular drum beat in the percussion section of an orchestra or band. If your mother tongue is English, your brain will scan the rise and fall of German voices quite comfortably. Consequently, it has little work to do to make sense of the intonation.

Similarly, the various regional accents in the German-speaking countries are not very different from some of those in Britain which are basically Danish or Anglo-Saxon. So, German accents are scanned more easily by the brain than will be the case with the varied French and Spanish accents you may encounter.

Accent and intonation amongst the German-speaking races, then, provide relatively little difficulty for the ear of someone brought up to function in an English-speaking country. We have, instead, two other main areas of difficulty to deal with when listening to spoken German. Firstly, speakers of languages with a Nordic-Germanic root often impart a guttural quality to their language, so that words may be sounded with a deep, bass quality, part swallowed and run together. Secondly, they use a glottal stop, which is a valve-like action across the top of the throat, almost like the beginnings of the choke mechanism, whereby particularly the last letters of words, especially hard consonants, are often cut off. But the glottal stop is also quite characteristic of English speech. It is said to be a hallmark of the London accent, but you will hear it almost as much in somewhere like Yorkshire, where voices sound very different from their London counterparts. Here are some examples of frequent English word combinations where many people operate a glottal stop without ever being aware of it:

'ain[t] i[t]? / go[tt]o go / bi[t] o[f] a ba[d] la[d] / ge[tt]in' be[tt]er / mu[dd]y wa[t]er'.

Perhaps you might recognise yourself or people you know speaking here. Nearly all of us use the glottal stop sometimes, when we are busy and speaking fast! Below are examples of guttural voicing and glottal stops from the speakers in *Einheit 1*.

Guttural voicing:
  Claudia [1/3]: Was da auch noch dazukommt ...
   Winfried [1/8]: Aktivitäten, die man eigentlich gerne macht
   Kathrin [1/10]: Aber bei dir hat doch ... nicht zum Rauchen geführt, oder?
Glottal stopping:
   Claudia [1/8]: Pasta mit [ei]ner guten Soße ... und [ei]nen Braten anzubraten
   Claudia [1/8]: noch ka[nn] man sehr viele Stressfaktoren beeinflussen
   Felix [1/13]: ... es gibt auch wieder – oder immer wieder – Diskussion[en]

If you listen out for gutturalness and glottal stops, you will make better sense of what you hear. The largest hurdle, however, is not in the sounding of the words but in the actual vocabulary. Take a look at the following German, English and French versions of the same sentence. They will make the point very clearly.

Die meisten erwachsenen Bundesbürger werden regelmäßig von Ängsten unterschiedlicher Stärke heimgesucht.

Most of our adult citizens suffer regularly from bouts of anxiety, varying in strength/of variable strength.

La majorité de nos citoyens adultes souffrent régulièrement de crises d'anxiété d'une force variable.

Eighty per cent of English and French intellectual vocabulary stems from a common base, whereas almost the opposite proportion, something like a quarter of such vocabulary in English and German, shares an obvious, common root. The gap grew during the Nazi period with Hitler's determination to re-Germanise much of the modern scientific and economic vocabulary which had come from Greek and Latin roots. So, whereas in French we can often make at least a stumbling guess at the meaning of a new item of vocabulary, the German equivalent may give us no clue.

Once again, the following items taken from the listening material in *Einheit 1* will prove the point:

eigentlich   verbreiteter   wirklich   Gebieten
wahrscheinlich   berühmt   unterteilen
unbedingt   Braten   wesentlich   langweilig

The single thing that will make the most difference to your Advanced German grade is the amount of vocabulary you learn regularly. Ten words a day from the beginning of your course will keep the academic doctor away!

Our difficulty in recognising more advanced German vocabulary is increased by the natural tendency to make long compound words, where English or French may use two or three shorter words together to express the same idea. Here are some more examples taken from the listening passages:

Ökoprodukte   genmanipuliert   feststellen
Anforderungen   selbstverständlich
übernehmen   Freizeitbeschäftigungen
abschaffen   Fallschirmspringen

The other listening hurdle you will overcome during your course is that of the word order. The verb is the key word in any sentence and is the word around which the sentence turns. You can see this from the fact that the verb is the only type of word which can stand on its own to make a sentence:

Geh! Komm! Steh!

Perhaps the most important thing you can do to take your listening forward is to train yourself from the start to look for and find the verb(s) in the clause or sentence.

Here are some statements from a listening passage, minus the verbs. Listen to the extract and, having found the missing verbs, put each one in its rightful place in the statement.

Was Ihr über das Thema Rauchen?
Aber andererseits, wenn du Leute ans Rauchen, durch Bilder oder dadurch dass ihre Umwelt, oder ihre Eltern, dann Leute auch viel eher zum Rauchen

… der Mann, der einsam auf seinem Pferd und durch die Prärie, all das wahrscheinlich zu einem Bild in Jugendlichen, dass Rauchen besonders cool und besonders attraktiv.

Tune in!

To attune yourself to German, watch German films, watch German TV and tune in to German radio. Don't expect to understand much at first, but get used to the sound, try to pick out key words, and you will gradually find that more of it makes sense. Your teacher may be able to lend you tapes of German-speaking singers – ideally with the lyrics.

Effective reading

Almost all of you, embarking on your advanced German course, will be good readers of your own mother tongue. You will probably not even realise that you may have excellent reading skills, far in advance of the average. You will apply these skills almost naturally without thinking about them as you bring them into use. Yet they will have been learned and developed, usually during your primary school career, then further extended during your time at secondary school.

You will not be aware that you **scan**, **select**, **discard**, **contextualise** and **match** words, phrases and sentences as a matter of course.

When it comes to reading German, you will maximise your potential, just as you did in your first language, by being aware of the skills you can use and develop, and by applying them consciously every time you have to read for understanding. Enough theory and philosophy; let's have some concrete practice and set you on your way by looking at a specific text from *Einheit 1* (p. 7):

> *Keine Zeit zum Essen zu haben ist nicht etwa eine Erfindung unserer Zeit. Menschen wie Helmut Schmidt, der auch als Kanzler am liebsten Suppen aß, weil man dazu nur einen Löffel braucht und mit der anderen Hand schreiben oder telefonieren kann, gab es schon immer. Zum Beispiel den Vortragenden Rat Friedrich von Holstein, der in der Kaiserzeit als „Graue Eminenz" des Berliner Außenministeriums berühmt war.*
>
> *Aus Zeitmangel (oder weil er nicht gern von Kellnern gestört werden wollte?) ließ er sich in seinem Stammlokal, F. W. Borchardt in der Französischen Straße der Reichshauptstadt, gern Vorspeise und Hauptgericht gleichzeitig servieren. Als der Rat einmal Kalbsschnitzel bestellte, kam der fantasievolle Küchenchef auf die Idee, die Hors-d'oeuvres – Ei, Räucherlachs, Kaviar, Hummerscheiben, Ölsardine, Kapern, grüne Bohnen und geröstetes Weißbrot – zum Fleisch anzurichten: Fertig war das Schnitzel Holstein, noch heute ein allseits bekanntes Gericht.*
>
> *Für alle gestressten Menschen von heute, die genausowenig Zeit, aber mehr Kalorienbewusstsein und Geschmack als die Graue Eminenz haben, erleichtere ich das legendäre Schnitzel, indem ich die Vorspeisen-fülle reduziere, etwas variiere und klein gewürfelt als Salat auf Toastbrot gebe.*

Scanning

When you first look at a text, avoid the temptation to read right through, trying to look up and understand every word as you go. Instead, *scan* through the whole text, or perhaps the first section, to get a general idea of what it's all about. To help yourself

scan, get used to watching out for series of *key words* or *phrases* as your mind flicks through the text. The main key words in the sample passage are:

keine Zeit zum Essen   Kanzler   Suppen aß
Vorspeise und Hauptgericht
gleichzeitig Kalbsschnitzel
Hors d'oeuvres zum Fleisch anrichten
alle gestressten Menschen   Kalorienbewusstsein
und Geschmack   als Salat auf Toastbrot

Notice how this series of words and short phrases gives you an initial feel of the drift of the article.

Selecting

Next, look through the text again and *select* what seem to be the key details. Among the ideas you may come up with are:

nicht etwa eine
   Erfindung
   unserer Zeit
kam der
   fantasievolle
   Küchenchef auf die Idee ...
das Schnitzel Holstein, ein allseits bekanntes
   Gericht
erleichtere ich das legendäre Schnitzel

These key details summarise neatly the drift of the article.

Discarding

The ability to discard unnecessary language from a statement is one of the easiest reading skills to develop. When we put together our thoughts, either in spoken or written form, we use a great number of what are called 'fillers', words or expressions which fill out the sentence without affecting the basic, underlying meaning. If, when you come across a complex sentence, you do the opposite and *discard* non-basic items from the sentence, it will be very much easier to make sense of. Try it for yourself, by removing the following fillers from the text and then rereading it:

etwa   auch   dazu   schon   gern   einmal
noch   etwas

Once you have made sense of the basic material, put the fillers back in one by one and you will have a first-class understanding of what you have read.

Study skills tip
Start a list of fillers in your vocabulary book (or wherever else you keep your German notes) and keep adding to it through the months ahead. Then, if you start thinking 'filler!' each time one of them pops up in a reading text, it will help your understanding greatly, because you will be consciously removing it from the clutter and revealing the base sentence.

Contextualising

When you *contextualise*, you simply put a word, phrase or sentence in its context. Another term for it might be 'educated guesswork'. Take, for instance, the term *Vortragenden Rat*. You will be able to work out that this is some kind of important government job by the surrounding words „*Graue Eminenz*" and „*Berliner Außenministerium*".

Matching

Matching is probably the most common skill you develop when you extend your reading powers in German, and it functions whenever you match a word or expression with something from your first language.

We have already looked at the extent to which advanced German vocabulary differs in shape and feel from English. Nonetheless, there is enough common vocabulary to allow you to match sufficient German–English to get at least the beginnings of an understanding of a text. Additionally, you can learn to turn German compound words to your advantage, since the elements of which they are composed are often so simple that you can work out the basic combined meaning quite easily. For example:

mitarbeiten = to work with = to co-operate
Gruppenzwang = group compulsion = peer-group pressure

To give yourself some practice in matching, turn back to the original text on page 7 and work out the meanings of the two groups of words below. Group A contains German–English (near) homonyms and Group B compound words, which are not difficult for you to take apart and decipher.

Group A:

> Hand telefonieren servieren Idee Kaviar
> Ölsardine gestresst legendäre variiere Salat

Group B:

> Kaiserzeit Außenministerium Zeitmangel
> Reichshauptstadt gleichzeitig fantasievolle
> Hummerscheiben Kalorienbewusstsein
> Vorspeisenfülle Toastbrot

Read around

- Read German newspapers and magazines whenever you have the chance.
- Use the Internet to read on-line newspapers.
- Subscribe – or see whether your teacher could take out a class subscription to, e.g. *Bunte*, *Brigitte*, *Der Spiegel*, *Focus*, *Freundin* or *Stern*.
- Use the Web! See the list of websites on page 134.

Effective speaking

Pronunciation and intonation are important, among other reasons because they communicate your respect for the German speakers you talk with.

The *Sprechtipps* sections will help you to achieve your target. No one is asking you to speak with a perfect German accent, but you can sound reasonably German if you apply yourself by continually listening and practising. Above all, if you can get to a German-speaking country during your course, this will put the seal on your efforts.

As you work through the various listening tasks, try hard to imitate the speakers and tape yourself, so that you can hear where your sounds are not quite accurate and also where you are doing well. The following small pointers should also help you:

1 Speak reasonably quietly, don't shout.
2 Speak calmly, trying to control the sound that comes out.
3 Think of yourself as a different person when you speak German.
4 As a consequence, try to have a different German voice from your English one.
5 Remember each time you speak that there are two elements to the sound of what you say – pronunciation and intonation. Try to hear them separately and to work on both.
6 Ask your teacher/assistant/German-speaking friend to tell you the weak and the strong points of your pronunciation and intonation.
7 Find a German voice which you really like and gradually learn to sound like it.

To help you improve your conversation skills right from the beginning of the course, on page 128 there are some lists of expressions for expressing opinions. During the next few weeks, your teacher will introduce some supplementary speaking activities to allow you to begin to speak with real confidence and to have great fun in the process.

Presenting and discussing a topic

Many of you will have a topic to present and discuss during your oral exam. If you carry out the suggestions in the key points below, you will be in a good position to get the best possible results.

Preparation: four key points

1 Choose a topic which is of personal interest to you. You are much less likely to talk well about something you find boring.
2 Choose a topic that is not too difficult or wide-ranging for you to prepare. If you feel that the themes suggested by your teacher are a little beyond you, do not be afraid to ask for an alternative topic, or make suggestions of your own. Your teacher will be pleased that you have enough interest to want to do the job properly. Large numbers of students could perform much better in the oral exam, simply by choosing a more appropriate topic. However, be warned: avoid GCSE topics such as 'your holidays'. Check the topics indicated in your syllabus.
3 Whatever your topic, make sure you learn the 80–100 key words that underpin it. If necessary, ask your teacher or a friend to test you on that vocabulary, since, apart from Point 2 above, lack of the key language is the main reason for failing to do justice to yourself in the oral test.
4 Practise your presentation and general topic material in pairs; interview a partner.

Taking up a definite stance on an issue

1 If your syllabus requires you to take up a definite stance on a specific issue you have chosen, use language to put a case logically and to express a variety of agreement and disagreement. The *Taktik* boxes in the units and the phrases given on page 128 will help you to do this.
2 Remember to relate the theme you have chosen to the target country and culture. For example, if you decided to discuss *Arbeitslosigkeit in Deutschland,* then *Deutschland* is a key word just as much as *Arbeitslosigkeit.* A *generalised* preparation on the problems associated by you with unemployment cannot possibly allow you to do well. Sample cases, problems, statistics, press sources **must** relate to a German-speaking country or region.

3 Remember, also, that because you are defending a particular point of view, the examiner may seem rather contrary, not to say difficult. It is quite easy for you to forget that the examiner is playing a role, via which he or she gives you some opposition, and for you to see that opposition as a personal attack on you. It is not!

Speaking about texts

Your syllabus may require you to speak in German about one or more texts in **English**. This exercise has certain pitfalls. If you are aware of these, it will help you to perform well in the exercise.

Dos and don'ts

1 Avoid the most common error of technique, which is to try to provide a German *translation* of the set passage(s), when what is required is communication in German of the main ideas.
2 Instead, be ready to paraphrase and to put key ideas more **simply** than in the text, especially if the style of the writer is very deep, wordy or flowery.
3 Avoid the temptation to try to pack everything in when you talk about the text. This leads to a loss of any sort of spontaneity.
4 Instead, start by taking a careful look at what you are asked to do and underline or highlight on your test paper the key points you must communicate.
5 Make sure you work these points into your side of the conversation, whether or not the examiner mentions them.

Interpreting

If your oral exam includes an interpreting task, remember that professional interpreting is such a demanding set of skills that would-be interpreters go to special courses or colleges in order to learn! So you can be confident that you are not going to be asked to function like a professional after a few terms of advanced study.

Points to remember

1 If you always try to render the exact equivalent of what one speaker has said to another, you are liable to lose your composure at some time during the task.
2 Instead, do not be afraid to give an approximate rendering, if you are not sure of the right vocabulary, expression or grammar to use.
3 Part of the skill of interpreting is to be able to communicate the speakers' mood or reactions, albeit in a neutral or tactful manner, since your personality should not influence directly the dialogue between the two principals and the way it develops.

4 So, if one speaker is very pleased with the situation, do not be afraid to communicate some idea of her/his positive feelings. If, on the other hand, a speaker is angry, it will be more helpful for you to tone down this anger in your interpretation, with expressions such as *Frau Dürer hat ein kleines Problem mit . . .! Herr Roser würde es vielleicht schwer finden, das zu akzeptieren.*

5 When students first start practising interpreting tasks, many assume that it is going to be much easier working from German to English than the other way round. This is frequently not the case.

6 So, keep an open mind and don't enter the task with the preconceived notion that the German-to-English side of the dialogue will be easier. All sorts of factors such as mood, attitude, precise statements, generalisations will affect the ideas you have to interpret. If you retain an open mind as to the balance of the task, you are much more likely not to falter through an attack of nerves brought on by an exaggerated notion of the level of difficulty.

Meinungsliste

Für

Ich bin damit total einverstanden

Das ist auch meine Meinung

Das erklärt die Sache genau

Ich könnte es nicht besser erklärt haben

Das ist, wie es ist

Da gebe ich dir/Ihnen Recht

Man könnte nichts anderes erwarten

Ich hätte einen ähnlichen Entschluss gefasst

Gegen

Das ist zu weit getrieben!

Das ist eine reine Falschheit!

Das ist doch Unsinn!

Ich bin total dagegen

So etwas sollte nie passieren/geschehen/vorkommen!

Was wollen solche Leute eigentlich machen/tun?

Was ist denn das für eine Lösung?

Meinen Sie das denn wirklich?

Nichtssagende Antworten

Was erwarten Sie denn?

Haben Sie einen besseren Vorschlag?

Es ist nicht ideal, aber . . .

In einer perfekten Welt, würde man vielleicht anders handeln

Vielleicht hatten sie keine Wahl

Vielleicht gäbe es keine klare Antwork [darauf]

Was würden wir in derselben Lage tun?

Ich glaube, man hat sein Bestes getan

Alles hat seine Vorteile und Nachteile

Ich weiß nicht wirklich, was man tun/machen sollte

Es ist leicht, sich von hier [aus] ein Urteil zu erlauben

Effective writing

The following general pointers and checklists should help you maximise your writing potential as you work through the course. Use the following tips to extend and improve your written German:

1 Keep a vocabulary book in which you note all new words and phrases that you come across in your work. Include noun genders, notes on plurals and similar key details, not just isolated words.

2 Use the new items when you speak and write, as soon as you can after noting them.

3 Reuse in future assignments key phraseology on which your teacher has already passed favourable comment.

4 If you try to express a complicated idea by translating it direct from English, guessing at how you are to put it across in German, your work is liable to be full of errors. Instead, when you write in German, use and adapt what you have seen and heard from German speakers via text and tape.

5 Spend five to ten minutes checking any piece of work for errors on completion, before you hand it in. Use the checklist on page 130 to scan for individual categories of error during those five or ten minutes.

General practical writing tips

The following tips are based on examiners' guidelines, so they are worth following!

• Write on alternate lines. The extra space between the lines will allow you to see your own errors more clearly and to make neater alterations.

• Get into the habit of crossing out errors with a single line. This will help your work to look as neat as possible.

• For important tests, assignments and exams, use an ink (not a ballpoint) pen to maximise your neatness.

• Unless you have a medical condition related to your hands, do not use pencil for written assignments.

Writing essays

If your German essay is to receive a good mark, it needs to achieve three equally important things:

1 to be a **relevant** response to the question asked
2 to be argued in a structured, **well-organised** way
3 to be grammatically **accurate**.

It's quite a challenge to keep focused on all three points, but if you use the following list of guidelines you will soon develop good essay habits and raise the level of your writing.

Make a plan and keep it relevant

1 Think about different possible points of view in response to the question and jot down key points for each.
2 Decide whether you favour one particular opinion: jot down reasons why and evidence to support your view.

Write in a structured way

1 Start with an **introductory paragraph** – not too long – setting out why the subject is important and the possible responses to the question.
2 Write the **main part** of the essay, which should be around two-thirds of the total piece:
   • deal first with the points of view you find less convincing, saying why, backed up with evidence/examples
   • now put forward your own views on the question, backing them up with evidence/ examples.
3 Write your **concluding paragraph** – again, not too long:
   • refer to the title to show you are still sticking to the question

- make it clear whether you are strongly in favour of one particular response or whether you feel there is equal merit on both sides and are leaving it to your readers to decide for themselves. It is sometimes appropriate to end with one of the following:
  – a question which takes the debate one stage further
  – a quotation which sums up your point of view.

Check your grammatical accuracy

Spend at least ten minutes (in an exam) or an hour (if it is coursework) checking the accuracy of your work before you hand it in. Use this checklist.

Nouns and pronouns
  – check the gender and the case

Adjectives
  – have you made them feminine and/or plural where necessary?
  – check the endings

Verbs
  – have you used the right tense?
  – have you used the right ending to go with the subject?
  – for perfect tenses, check your choice of **haben** or **sein** and make sure that past participles are at the end of the phrase where necessary
  – watch out for strong verbs – you can check them in the back of your dictionary or in the back of this book

Noun capitals and umlauts
  – check that all nouns have an initial capital and that you have included umlauts where necessary

Mann/man, dass/das
  – make sure you have chosen the right one

Als/wie, als/wenn/wann
  – make sure you have chosen the right one

Word order
  – check and if in doubt refer to the information on pages 154–156

Writing formal letters

You are probably already reasonably confident about writing informal letters to German-speaking friends. However, for writing more formal letters to a person you don't know or in a business context, there are certain conventions you need to follow.

1 You can put your own name and address at the top. However, since German speakers write their address on the envelope, they often feel no need to include it in the letter and simply put the place and date (see Point 4).

2 Next, on the left, put the name of the person you are writing to, if you know it. Remember to include *Herr* or *Frau*.

3 Next, on the left below the name, put the address of the person you are writing to.

4 On the right below, put the place and the date.

5 Next, on the left, open your letter by writing one of the following:
   • If you know the name of the person you are writing to, put *Sehr geehrter Herr . . ./Sehr geehrte Frau . . .*
   • If you don't know the person's name, or are writing to an organisation, put *Sehr geehrte Damen und Herren.*

6 Always start the text of your letter with a small letter.

7 Next, the main text of the letter, divided into paragraphs to make your message clear.

8 Finally, sign off with one of the standard German phrases for ending a letter.
   • The most common, all-purpose phrase is *Mit freundlichen Grüßen.*
   • If you want to be more formal, put *Hochachtungsvoll.*

1
Gabriele Lamprecht
Ernestusstraße 56
06114 Halle
Tel: 0345/233 894
Fax: 0345/233 893

2/3
Tierschutzverein e.V.
Seelower Straße 22
10439 Berlin

4 Halle, 22. September

5
Sehr geehrte Damen und Herren,

6/7
ich bin Schülerin im Abschlussjahr am Händel-Gymnasium im Halle (Sachsen-Anhalt).

Als Leistungskurs habe ich Deutsch gewählt und habe mich entschlossen, eine Hausarbeit zum Thema Tierversuche zu schreiben.

Ich wende mich an Sie, weil Ihre Organisation einen sehr guten Ruf auf diesem Forschungsgebiet hat.

Meine Arbeit wäre nicht vollständig und würde sehr erschwert, wenn ich Ihre Forschungsergebnisse nicht einbeziehen würde.

Es wäre eine sehr große Hilfe für mich, wenn Sie die Zeit finden könnten, mir alle relevanten Dokumente und Faltblätter (als Kopie oder im Original) zuzusenden.

Als Anlage sende ich Ihnen eine Briefmarke, damit Ihnen durch die Beantwortung meiner Anfrage keine Kosten entstehen.

Vielen Dank im Voraus.

8
Mit freundlichen Grüßen

[Your signature]

Written coursework

Coursework presents an excellent opportunity for you to write enthusiastically and imaginatively on topics in which you are genuinely interested, with fewer pressures on you than in the traditional exam room.

Types of assignment

Before you start to choose your topic themes, remember that it should be possible for you to produce assignments which include any of the following:

1 essays on literary texts
2 essays on drama texts
3 social, economic, historical and topical discussions
4 biographies
5 newspaper and magazine-type reports and reviews
6 film reviews, commentaries and analyses
7 radio and television discussions/programmes
8 your own personal experiences in the target country/countries (underpinned by German-language materials related to your topic)
9 diary extracts as if written by one of the characters in a book/film, etc.
10 dialogues/interviews as if spoken by characters in a book/film, etc.

First golden rule: a German context is essential

Whatever your choice of topic, follow the golden rule and make sure that the majority of what you write relates specifically to the target country or countries. Generalised discussions, such as those on smoking, drugs, alcohol, where all the written material discusses problems, solutions, philosophical issues with little or no reference to Germany, Austria or German-speaking Switzerland, will score much more poorly than they would have, had you included many concrete examples set in a German context to illustrate your points.

Variety of themes within your class group

Your chances of success will be greatly helped if you avoid writing on exactly the same topics or themes as other people within your teaching group. If several members of your class choose to write on exactly the same sub-topic, the following unfortunate patterns occur:

- Large differences of ability within the group show themselves very clearly to the examiner or moderator, since you will tend to make use of similar and sometimes identical material and ideas. Weaker candidates' ways of expressing those ideas will be more obviously faltering and contain shakier language which the examiner can easily compare with that of the stronger candidates.
- There will be relatively little freshness about the work produced within the group.
- It will be difficult to avoid even accidental collaboration with fellow students, which is nearly always spotted by the examiner.
- There is likely to be a rush towards deadline-time, to find some different material from that of others in the group. This can produce chaos.

Second golden rule: choose a topic you like

All of the unfortunate circumstances we have just looked at can easily be avoided, if you choose topics which you, personally, like or for which you have a genuine interest. Examiners and moderators are all agreed that when candidates write about something that has meaning for them, results are much better. So choose topics you actually like. Your enthusiasm and affection will mean that you put more hard effort into them, with results to match.

Checklist

When you plan and complete each piece of work, go through the checklist below:

I have . . .

1 chosen a subject that is relevant ....✓....
2 incorporated all the points to support my title ....✓....
3 acknowledged my sources in a bibliography at the end ....✓....
4 used footnotes, where necessary ....✓....
5 used factual knowledge to give concrete examples of my main ideas ....✓....
6 made frequent reference to German-speaking countries and people ....✓....
7 shown genuine enthusiasm for my subject ....✓....
8 made sure I have not committed plagiarism, e.g. copied/downloaded Internet texts and used them as if they were my own. ....✓....

Using dictionaries

You will maximise your progress during your advanced course if you develop really effective dictionary skills. This section gives some practical guidelines on how to take your dictionary skills to advanced level.

Which kind of dictionary?

Our suggestion is that, if you are moving on from GCSE to advanced level, you should initially work with a bilingual (German–English and English–German) dictionary; you should, however, work towards using a monolingual (German–German) dictionary. If you have access to both, the best strategy as you start your course is to use both kinds. At first, you will rely predominantly on your bilingual dictionary, but if you train yourself to look at the explanation of the item in a monolingual one after you have found out from the English what the word means, you will soon become more at ease with the German–German resource. Set yourself a target of using a monolingual dictionary for at least half the time by the half-way point of your course.

Using ICT and the Internet

There are references at numerous points in the course to relevant websites. The list on page 134 is a selection of websites which are recommended as interesting sources on aspects of the topics covered in the units of the course; they will also, of course, act as 'gateways' to further sites once you start surfing. The details given are correct at the time of going to press, but it is in the nature of this kind of information that site names change or disappear.

- A good starting point is the German-language search engine **http://www.de.yahoo.com**
- Many German *Länder* have their own website.
- Many past and present German celebrities, e.g. footballers and singers, have their own website plus several other fan sites.
- In addition to news, all of the newspaper sites contain many of the features you would expect to find in a newspaper, such as sport, arts, tourism, culture, etc.

site (all prefixed http://www. unless otherwise shown)	topic/area
goethe.de/gr/lon	Home page of the London Goethe Institute with some background information about the country as well as the services offered by the Institute.
http://de.yahoo.com	German-language search engine.
http://de.news.yahoo.com	German news headlines with links to text, updated daily.
deutsche-jugendpresse.de	Includes chat rooms, articles and news, as well as providing links to a huge number of publications aimed at 15–25-year-olds.
http://de.dir.yahoo.com/Staedte_und_Laender/ Deutsche_Bundeslaender/	Yahoo index of sites on the German *Länder*.
http://de.dir.yahoo.com/Staedte_und_Laender/Laender/Oesterreich/	Yahoo listing of sites on Austria under themed headings.
http://de.dir.yahoo.com/Staedte_und_Laender/Laender/Schweiz/	Yahoo listing of sites on Switzerland under themed headings.
ost-friesland.de/anzeiger	Information page for the Ostfriesland region with news and cultural items.
augsburger-allgemeine.de	Home page for the regional newspaper.
berliner-morgenpost.de	Home page for the newspaper updated for each daily issue, with articles on current affairs and cultural events (e.g. film reviews) on line.
thueringenreise.de	Detailed site on the region with numerous links – tourism emphasis.
hamburg-magazin.de	Excellent site for topical and general information about the city and surrounding area.
btl.de	Official tourist information site for Bavaria, including wide-ranging information and a useful *Infomagazin*.
allegra.de	Home page for the magazine – a young women's monthly magazine but with articles of general interest, especially in the Extracts and Facts section.
brigitte.de	Home page for the fortnightly magazine: a women's magazine but with articles of general interest, e.g. on health and travel.
sportzeit.de	Comprehensive sports news pages with links to information on individual sports stars as well as under different sports headings.
move.ch	Outdoor sports magazine with emphasis on cycling and trekking.
kicker.de	News and profiles of German and European football events and players.
sport-online.ch	Most useful aspect is an extensive archive of interviews with top sports players.

Grammar Reference

Grammar Reference

1 Nouns

All nouns start with a CAPITAL letter in German.

1.1 Gender

All nouns have a gender in German, which needs to be learned with the noun. However, there are some basic rules. Compound names have the same gender as the last part of the word.

1.1.1 Masculine Nouns

- male people and professions:
  der Schüler
  der Schauspieler

- days of the week, months, seasons, points of the compass:
  der Sonntag
  der September
  der Winter
  der Süden

- nouns formed from verbs by removing the *-en* ending:
  der Besuch   (besuchen)
  der Ausblick   (blicken)
  der Sprung   (springen)

- most nouns ending in:
  -er   der Körp**er**
  -ling   der Lehr**ling**
  -ig   der Kön**ig**
  -or   der Reakt**or**
  -en   der Reg**en**
  -us   der Kommunism**us**

1.1.2 Feminine Nouns

- female people and professions:
  die Mutter
  die Lehrerin

- nouns formed from verbs by changing the ending to *-t*:
  die Sucht   (suchen)
  die Tat   (tun)
  die Fahrt   (fahren)

- most rivers:
  die Themse   die Donau
  die Elbe   ABER: **der** Rhein

- most trees:
  die Eiche
  die Tanne

- most nouns ending in:
  -a   die Mens**a**
  -e   die Reis**e**
  -ei   die Töpfer**ei**
  -heit   die Schön**heit**
  -ie   die Euphor**ie**
  -ik   die Phys**ik**
  -ion   die Nat**ion**
  -keit   die Freundlich**keit**
  -schaft die Meister**schaft**
  -tät   die Majes**tät**
  -ung   die Üb**ung**

1.1.3 Neuter Nouns

- continents, most towns and countries:
  das verregnete Manchester
  das vereinigte Deutschland

- infinitive forms of verbs used as nouns (comparable with gerund or '-ing' form in English):
  Das Mitnehmen von alkoholischen Getränken ist untersagt.
  Bringing alcoholic drinks is prohibited.
  Ich habe den Dieb **beim Einbrechen** ertappt.
  I caught the thief as he was breaking in.

- nouns ending in:
  -lein   das Fräu**lein**
  -chen   das Mäd**chen**
  -ent   das Testam**ent**
  -um   das Zentr**um**

1.2 Plural

Type 1 (-e)	Type 2 (-n)	Type 3 (-)	Type 4 (-er)	Type 5 (-s)
der Tag	der Bote	der Koffer	das Kind	der Park
die Tag**e**	die Bote**n**	die Koffer	die Kind**er**	die Park**s**
der Ball		der Vogel	das Haus	
die B**ä**ll**e**		die V**ö**gel	die H**äu**s**er**	

Plural forms in German are often irregular and it is advisable to learn the plural form together with the noun. However, some rules can be applied:

1.2.1 Type 1

- nouns ending in *-ling*, *-nis* (becomes *-nisse*):
  der Lehrling – die Lehrlinge
  das Verhältnis – die Verhältnisse

1.2.2 Type 2

- most feminine nouns (apart from some nouns with only one syllable):
  die Schule – die Schulen
  die Zeitung – die Zeitungen
  die Höflichkeit – die Höflichkeiten

- all weak nouns ('n' declension, see also 2.3.3)
  der Hase – die Hasen
  der Mensch – die Menschen

1.2.3 Type 3

- most nouns ending in -el, -en, -er, -lein, -chen:
  der Tunnel – die Tunnel
  der Wagen – die Wagen
  der Engländer – die Engländer
  das Mädchen – die Mädchen
  das Fräulein – die Fräulein

1.2.4 Type 5

- many words from other languages, especially English and French:
  der Tipp – die Tipps
  das Hotel – die Hotels

- nouns ending in a vowel (apart from -e):
  die Oma – die Omas
  das Echo – die Echos
  der Vati – die Vatis
  der Uhu – die Uhus

- abbreviations:
  die Lok – die Loks
  der Pulli – die Pullis
  der LKW – die LKWs

1.2.5 Other Information on the Plural

- Some words are singular in English and plural in German – and vice versa:
  Die Polizei **sucht** den Kriminellen.
  *The police **are** looking for the criminal.*
  Die Nachrichten **sind** schlecht.
  *The news **is** bad.*

- Some nouns have no singular form:
die Eltern	(das Elternteil)
die Ferien	(der Ferientag)
die Leute	(der Mann/die Frau/der Mensch)
die Möbel	(das Möbelstück)

- Some nouns have no plural form:
der Sport	(die Sportarten)

- With compound nouns, only the last component forms the plural:
  der Stadtplan – die Stadtpläne
  die Autobahn – die Autobahnen
  das Rathaus – die Rathäuser

- some irregular plurals:
  der Atlas – die Atlanten
  der Kaktus – die Kakteen
  das Museum – die Museen
  das Gymnasium – die Gymnasien

2 Declension of Articles and Nouns

2.1 Definite Article (the)

	Masculine	Feminine	Neuter	Plural
Nominative	der Mann	die Frau	das Kind	die Leute
Accusative	den Mann	die Frau	das Kind	die Leute
Dative	dem Mann	der Frau	dem Kind	den Leuten
Genitive	des Mannes	der Frau	des Kindes	der Leute

2.1.1 Words with Similar Declension

dieser	*this*
jeder	*every, each*
jener	*that*
welcher	*which*

- and only in the plural:

alle	*all*
einige	*some, a few*
mehrere	*several*
solche	*such*

2.2 Indefinite Article (a, an)

	Masculine	Feminine	Neuter
Nominative	ein Hund	eine Katze	ein Pferd
Accusative	einen Hund	eine Katze	ein Pferd
Dative	einem Hund	einer Katze	einem Pferd
Genitive	eines Hundes	einer Katze	eines Pferdes

- The indefinite article is **not** used with professions, nationalities and denominations:
  Sie ist Lehrerin.
  Er ist Engländer.
  Sie ist Katholikin.

2.2.1 Words with Similar Declension

- the negative article (no, not a, not any):

	Masculine	Feminine	Neuter	Plural
Nominative	kein Hund	keine Katze	kein Pferd	keine Tische
Accusative	keinen Hund	keine Katze	kein Pferd	keine Tische
Dative	keinem Hund	keiner Katze	keinem Pferd	keinen Tischen
Genitive	keines Hundes	keiner Katze	keines Pferdes	keiner Tische

- possessive adjectives (see 5.1.5.)

2.3 *Declension of Nouns*

2.3.1 All masculine and neuter nouns (except most weak nouns – see 2.3.3 below) end in *-s* or *-es* in the genitive. *-es* is used:

- when nouns end in *-s, -ß, -x, -z, -tsch, -nis* (becomes *-nisses*):
  der Beweis – des Beweises
  der Fuß – des Fußes
  das Präfix – des Präfixes
  der Kitsch – des Kitsches
  das Gewürz – des Gewürzes
  das Ergebnis – des Ergebnisses

- often when nouns have only one syllable:
  das Buch – des Buches
  der Freund – des Freundes

- for preference when nouns end in *-sch, -st*:
  der Fisch – des Fisches
  der Dienst – des Dienstes

2.3.2 All nouns, except those with plural in *-s*, end in *-n* in the dative plural:
die Bücher – den Büchern
die Tische – den Tischen
die Engländer – den Engländern

2.3.3 The ending *-n* needs to be added to some nouns (so-called weak nouns) in all cases apart from the nominative.

	Singular	Plural
Nominative	der Bauer	die Bauern
Accusative	den Bauern	die Bauern
Dative	dem Bauern	den Bauern
Genitive	des Bauern	der Bauern

All weak nouns apart from one are masculine and belong to the following groups:

- nouns ending in *-e* describing living creatures:
  der Junge — the boy
  der Kollege — the colleague
  der Kunde — the customer
  der Deutsche — the German
  der Franzose — the Frenchman
  der Schotte — the Scotsman
  der Affe — the ape, monkey
  der Hase — the hare
  der Löwe — the lion

- other nouns describing living creatures, mainly with only one syllable:
  der Bauer — the farmer
  der Herr — the gentleman
  der Mensch — the person
  der Nachbar — the neighbour

- nouns ending in *-ant, -ent, -ist*:
  der Diamant — the diamond
  der Patient — the patient
  der Polizist — the policeman
  der Präsident — the president
  der Student — the student

- some nouns are mixed and end in *-ns* in the genitive:
  der Gedanke — the thought
  der Glaube — the belief
  der Name — the name

- there is one weak neuter noun

	Singular	Plural
Nominative	das Herz	die Herzen
Accusative	das Herz	die Herzen
Dative	dem Herzen	den Herzen
Genitive	des Herzens	der Herzen

3 *Use of the Cases*

There are four cases in the German language:

- Nominative
- Accusative
- Dative
- Genitive

On the whole, they fulfil the following functions:

3.1 *Nominative*

- subject of a sentence (who or what the sentence is about):
  Der Zug fuhr sehr langsam.
  Mein Hund schläft immer auf dem Sofa.

- used after the verbs *sein, werden, heißen, scheinen*:
  Sie *ist* eine begabte Pianistin.
  Ich bin sicher, er *wird* ein guter Arzt.

3.2 *Accusative*

- direct object of a verb:
  Ich *habe* einen Apfel *gegessen*.
  Petra *sah* ihn gestern.

- after certain prepositions (see also 7.1 and 7.3):
  Dieser Anruf ist *für* dich.
  Wir gehen morgen **ins (in das)** Kino.

- certain expressions of time:
  nächsten Sommer
  letzten Montag
  den 5. August

3.3 *Dative*

- indirect object of a verb:
  Gib **mir** das Buch, bitte.
  Sie *schenkte* **ihrer Mutter** eine Flasche Parfüm.

- object of certain verbs (see also 9.19):

ähneln	*to resemble*
antworten	*to answer*
begegnen	*to meet, encounter*
danken	*to thank*
empfehlen	*to recommend*
folgen	*to follow*
gefallen	*to please*
gehören	*to belong to*
helfen	*to help*
schaden	*to damage*
verzeihen	*to forgive*
vertrauen	*to trust*
widersprechen	*to contradict*

  Der Polizist *folgte* **dem Dieb** ins Geschäft.
  Kann ich **Ihnen** *helfen*?
  Ich *danke* **dir** recht herzlich.
  Wir *begegneten* **ihr** auf der Straße.

- after certain prepositions (see also 7.2 and 7.3):
  Ich arbeite *seit* **einem Jahr** hier.
  Sie kamen *aus* **dem Haus** heraus.
  Wir sind *mit* **mehreren Freunden** in Urlaub gefahren.

3.4 *Genitive*

- indicates possession and belonging (in English 'of (the) ...'):
  Das Buch **meines Vaters** liegt auf dem Tisch.
  Die Namen **unserer Freunde** sind Marie und Hanno.

PITFALL: The English 's' to express possession is not used in German, except with a name (see below*).

Normally, the English word order is turned around in German:
das Buch **meines Vaters**

My father's *book*

The order remains the same when names are used:
Monikas* *Buch* ...

Monika's *book* ...

- after certain prepositions (see also 7.4):
  Sie sind *wegen* **des schlechten Wetters** zu Hause geblieben.
  Trotz **ihrer Krankheit** konnte sie an der Reise teilnehmen.

- object of certain verbs (mainly old-fashioned) (see also 9.18):
  An diesem Tag *gedenken* wir **der Toten**.

- in certain expressions:
  eines Tages
  nachts
  guter Dinge
  anderer Meinung

4 *Pronouns*

4.1 *Personal pronouns*

	Nominative	Accusative	Dative	Genitive
Singular				
1st Person	ich	mich	mir	meiner
2nd Person	du	dich	dir	deiner
3rd Person	er	ihn	ihm	seiner
	sie	sie	ihr	ihrer
	es	es	ihm	seiner
Plural				
1st Person	wir	uns	uns	unser
2nd Person	ihr	euch	euch	eurer
3rd Person	sie	sie	ihnen	ihrer
	Sie	Sie	Ihnen	Ihrer

NOTE:
- The genitive forms are rarely used (old-fashioned).

- The English 'it' is translated as *er*, *sie* or *es* depending on the gender of the noun which is to be replaced:
  Der Tisch ist sehr schön. Ich möchte **ihn** kaufen.
  Die Katze war hungrig. Ich habe **ihr** etwas zu essen gegeben.
  Das Buch ist recht alt. **Es** ist teuer.

- Using *du* (informal 'you') or *Sie* (formal 'you'):
  Generally, *Sie* is used to address people who are older than 16.
  du is used to address people who are under 16, family or good friends, students (amongst each other), or over 16 when agreed.
  ihr is the plural form of *du*.
  If in doubt, it is best to use *Sie*.

4.2 *Indefinite Pronouns*
4.2.1 'man'
The indefinite pronoun *man* is equivalent to the English 'one = you, someone, people', and is very commonly used in German. There are three forms:

Nominative	man	
Accusative	einen	
Dative	einem	

- *man* can refer to just one:
  Das hier ist ein sehr gutes Restaurant. **Man** geht dorthin, weil die Kellner sich sehr um **einen** kümmern und das Essen **einem** immer schmeckt.

- *man* can refer to more than one person:
  In Deutschland isst **man** abends kalt.

- *man* can be used to avoid/replace the passive voice:
  Man gibt die Daten in den Computer ein.
  = Die Daten **werden** in den Computer **eingegeben**.

4.2.2 'einer, eine, ein(e)s'

The indefinite pronouns *einer, eine, ein(e)s* are equivalent to the English 'one (of)'.

	Masculine	Feminine	Neuter
Nominative	einer	eine	ein(e)s
Accusative	einen	eine	ein(e)s
Dative	einem	einer	einem
Genitive	eines	einer	eines

Einer meiner besten Schüler möchte Deutsch studieren.
Ich habe drei schöne Bilder. Möchtest du **eins** (davon)?

NOTE: In the plural *'welche'* is used:
Hier oben soll es Wildschweine geben. Ja! Da sehe ich **welche**.

4.2.3 'jemand'

The indefinite pronoun *jemand* is equivalent to the English 'someone, somebody'.

Nominative	jemand
Accusative	jemanden
Dative	jemandem
Genitive	jemandes

Ich sehe **jemanden** hinter der Hecke.
Hast du schon von **jemandem** gehört?

4.2.4 'etwas'

The word *etwas* is equivalent to the English 'something'. It is unaffected by cases (is not declined):
Etwas wird gleich passieren.
Hat sie inzwischen **etwas** von ihm gehört?

The word *etwas* can also be used in conjunction with an adjective:

etwas Neues	*something new*
etwas Besseres	*something better*
etwas Schönes	*something beautiful*

NOTE:

etwas anderes	*something different*

4.3 *Negative Pronouns*
4.3.1 'keiner, keine, kein(e)s'

The negative pronouns *keiner, keine, kein(e)s* are equivalent to the English 'none, not one, not any'.

	Masculine	Feminine	Neuter	Plural
Nominative	keiner	keine	kein(e)s	keine
Accusative	keinen	keine	kein(e)s	keine
Dative	keinem	keiner	keinem	keinen

Haben Sie eigentlich ein Auto? Nein, ich habe **keins**.
Bis jetzt habe ich mich mit **keinem** deiner Freunde unterhalten.

4.3.2 'niemand'

The negative pronoun *niemand* is equivalent to the English 'no one, nobody'.

Nominative	niemand
Accusative	niemanden
Dative	niemandem
Genitive	niemandes

Wir haben eine Fete organisiert, aber **niemand** ist gekommen.
Er ist so schlecht gelaunt, dass er mit **niemandem** zurechtkommt.

4.3.3 'nichts'

The pronoun *nichts* is equivalent to the English 'nothing'. It is unaffected by cases (is not declined):
Nichts gefällt ihm.
Das kostet **nichts**.
Sie haben mit **nichts** angefangen.

It can also be used in conjunction with adjectives:
Nichts Besonderes.
Hast du **nichts** Besseres zu tun?

4.4 *Possessive Pronouns*

The possessive pronouns in German are:

meiner, meine, mein(e)s	*mine*
deiner, deine, dein(e)s	*yours*
seiner, seine, sein(e)s	*his*
ihrer, ihre, ihr(e)s	*hers*
unserer, unsere, unser(e)s	*ours*
eurer, eure, eures } Ihrer, Ihre, Ihr(e)s	*yours*
ihrer, ihre, ihr(e)s	*theirs*

They are declined similarly to *keiner, keine, kein(e)s* (see 4.3.1):
Ist das mein Bier oder **deins**?
War es sein Fehler oder **ihrer**?

4.5 *Interrogative Pronouns*

Interrogative pronouns are used in questions. (See also 10.7.2 for indirect questions.)

4.5.1 'wer'

The pronoun *wer* is the equivalent of the English 'who/whom'.

Nominative	we**r**	*who*
Accusative	we**n**	*whom*
Dative	we**m**	*whom*
Genitive	we**ssen**	*whose*

Wer hat dir das gegeben?
Gegen **wen** spielt deine Mannschaft heute?
Wem schenkst du das?
Wessen Stift ist das?

NOTE:
Mit **wessen** Auto bist du gekommen?

4.5.2 'was'

The pronoun *was* is the equivalent of the English 'what'. It is unaffected by cases (is not declined):
Was war das?
Was habt ihr gestern gemacht?

4.5.3 'welcher, welche, welches'

The pronouns *welcher, welche, welches* are equivalent to the English 'which (one)'.

	Masculine	Feminine	Neuter	Plural
Nominative	welch**er**	welch**e**	welch**es**	welch**e**
Accusative	welch**en**	welch**e**	welch**es**	welch**e**
Dative	welch**em**	welch**er**	welch**em**	welch**en**

Welcher von ihnen ist es?
Welche (Hose) hast du gekauft?

4.6 *Relative Pronouns*

Relative pronouns introduce relative clauses (see also 10.7.3). They are used to give more information about a person or an item.

4.6.1 'der, die, das'

These relative pronouns are equivalent to the English 'who, that, which'. They are declined in almost exactly the same way as the definite article (see 2.1). The exceptions are highlighted.

	Masculine	Feminine	Neuter	Plural
Nominative	der	die	das	die
Accusative	den	die	das	die
Dative	dem	der	dem	**denen**
Genitive	**dessen**	**deren**	**dessen**	**deren**

- The **gender** of the relative pronoun depends on the noun it refers to.

- The **case** of the relative pronoun depends on its function in the relative clause:
  Hast du **den Hund** gesehen, **der** mich gebissen hat?
  den Hund – *Masculine*
  der – *Nominative (subject)*
  Die Frau, **deren** Hut du gefunden hast, ist meine Mutter.
  die Frau – *Feminine*
  deren – *Genitive (possession)*
  Wir folgten **den Leuten**, **die** er beschrieben hat.
  den Leuten – *Dative plural (because of* folgen*)*
  die – *Accusative (direct object)*
  Das Haus, vor **dem** ihr steht, ist sehr alt.
  das Haus – *Neuter*
  dem – *Dative (because of preposition)*

NOTE:
Die Frau, mit **deren** Mann du Fußball spielst, ist meine Schwester.
die Frau – *Feminine*
deren – *Genitive possession*, despite preposition '*mit*')

- The relative clause usually follows the noun it refers to. This can be at the end of a sentence, or in the middle (do not forget the commas):
  Ich mag **den Schauspieler**, **der in dem neuen Kinohit die Hauptrolle spielt**.
  Die Schauspielerin, **die seine Partnerin spielt**, ist auch sehr berühmt.

- The relative pronoun is essential in German, even though it can often be omitted in English:
  Die Frau, mit **der** meine Mutter bekannt ist, unterrichtet Englisch.
  The woman my mother knows teaches English.
  Das Rezept, **das** ich am besten kenne, ist für einen Käsekuchen.
  The recipe I know best is for a cheesecake.

4.6.2 'was'

was as a relative pronoun can fulfil four functions.

- It refers to an indefinite pronoun:
  Er sagte mir *alles*, **was** er wusste.

- It refers to a superlative which is used as a noun:
  Das ist *das Beste*, **was** wir haben.

- It refers to a whole main clause:
  Wir fahren bald in Urlaub, **was** uns sehr freut.

- It translates the English 'what/that which':
  Das, **was** er sagt, ist sehr vernünftig.

4.6.3 'wo'

wo as a relative pronoun has two uses.

- It refers to a place:
  Buxtehude, **wo** die Hunde mit den Schwänzen bellen, ist eine hübsche, kleine Stadt.

- It can be used with a preposition, if it relates to the whole main clause (see also 7.5.4):
  Im Sommer fahren wir nach Amerika, **wor**auf wir uns sehr freuen.

5 *Adjectives*

5.1 *Agreement ('declension') of Adjectives*

Adjective endings need to be added only when they are used in front of a noun:

Das kalt**e** Wasser im groß**en** Schwimmbad ist **herrlich**.

5.1.1 Weak Declension

This table is used if the adjective follows

• the definite article (*der, die, das*) or
• a word with a similar declension (see 2.1.1).

	Masculine	Feminine	Neuter	Plural
Nominative	der klein**e** Mann	die klein**e** Frau	das klein**e** Pferd	die klein**en** Fische
Accusative	den klein**en** Mann	die klein**e** Frau	das klein**e** Pferd	die klein**en** Fische
Dative	dem klein**en** Mann	der klein**en** Frau	dem klein**en** Pferd	den klein**en** Fischen
Genitive	des klein**en** Mannes	der klein**en** Frau	des klein**en** Pferdes	der klein**en** Fische

5.1.2 Mixed Declension

This table is used if the adjective follows

• an indefinite article (*ein, eine, ein*),
• a negative article (*kein, keine, kein*) or
• a possessive adjective (*mein, dein, sein*, etc.).

	Masculine	Feminine	Neuter	Plural
Nominative	ein klein**er** Mann	eine klein**e** Frau	ein klein**es** Pferd	meine klein**en** Fische
Accusative	einen klein**en** Mann	eine klein**e** Frau	ein klein**es** Pferd	meine klein**en** Fische
Dative	einem klein**en** Mann	einer klein**en** Frau	einem klein**en** Pferd	meinen klein**en** Fischen
Genitive	eines klein**en** Mannes	einer klein**en** Frau	eines klein**en** Pferdes	meiner klein**en** Fische

5.1.3 Strong Declension

This table is used

• if the adjective follows no article and
• in the plural after words like *einige, etliche, manche, mehrere, viele, wenige.*

	Masculine	Feminine	Neuter	Plural
Nominative	klein**er** Mann	klein**e** Frau	klein**es** Pferd	klein**e** Pferde
Accusative	klein**en** Mann	klein**e** Frau	klein**es** Pferd	klein**e** Pferde
Dative	klein**em** Mann	klein**er** Frau	klein**em** Pferd	klein**en** Pferden
Genitive	klein**es** Mannes	klein**er** Frau	klein**es** Pferdes	klein**er** Pferde

NOTE: This is how *alle* affects the words which follow it:

alle normal**en** Menschen   (normalen = *weak declension*)

BUT:

alle dies**e** normal**en** Menschen   (diese = *strong declension*, normalen = *weak declension*)

alle mein**e** gut**en** Freunde   (meine = *strong declension*, guten = *weak declension*)

5.1.4 Demonstratives

- Agreement (declension) of *dieser* (this), *jener* (that), *jeder* (every, each):

	Masculine	Feminine	Neuter	Plural
Nominative	dies**er** Mann	dies**e** Frau	dies**es** Pferd	dies**e** Fische
Accusative	dies**en** Mann	dies**e** Frau	dies**es** Pferd	dies**e** Fische
Dative	dies**em** Mann	dies**er** Frau	dies**em** Pferd	dies**en** Fischen
Genitive	dies**es** Mannes	dies**er** Frau	dies**es** Pferdes	dies**er** Fische

- Declension of *derjenige, der* (the one who), *derselbe* (the self-same):

	Masculine	Feminine	Neuter	Plural
Nominative	d**er**selb**e** Mann	di**e**selb**e** Frau	d**a**sselb**e** Pferd	di**e**selb**en** Fische
Accusative	d**en**selb**en** Mann	di**e**selb**e** Frau	d**a**sselb**e** Pferd	di**e**selb**en** Fische
Dative	d**em**selb**en** Mann	d**er**selb**en** Frau	d**em**selb**en** Pferd	d**en**selb**en** Fischen
Genitive	d**es**selb**en** Mannes	d**er**selb**en** Frau	d**es**selb**en** Pferdes	d**er**selb**en** Fische

Das ist **derjenige**, mit dem ich mich gestern getroffen habe.
Sie trägt **denselben** Pullover seit vier Wochen.

NOTE:
After certain prepositions *'derselbe'* splits and the first part contracts with the preposition (see also 7.5.2):
Beide Familien wohnen **im selben** Haus.

5.1.5 Possessive Adjectives

There is a corresponding possessive adjective for each personal pronoun:
ich – mein
du – dein
er – sein
sie – ihr
es – sein
(man – sein)
wir – unser
ihr – euer (eure, etc.)
sie – ihr
Sie – Ihr

For their declension see 2.2.1.

5.1.6 Question Words

- The word *welcher* means 'which'. It is declined in the same way as *dieser* (see 5.1.4):
Welche Ansichtskarte gefällt dir besser?
Über **welches** Thema schreiben Sie?

- The phrase *was für (ein)* means 'what sort of'. The word *ein* is declined in the same way as the indefinite article (see 2.2):
In **was für ein** Restaurant gehen wir?
Was für Musik wurde gespielt?
Mit **was für einem** Auto fahren Sie?

5.2 *Comparison*

5.2.1 Comparative and Superlative

Adjective	Comparative Form	Superlative Form
schön	schön**er**	der schön**ste**
		am schön**sten**
bequem	bequem**er**	der bequem**ste**
		am bequem**sten**
sicher	sicher**er**	der sicher**ste**
		am sicher**sten**

- The *am* form of the superlative is used if the adjective does not precede a noun:
Der Porsche ist der **schönste** Wagen.
Der Porsche ist **am schönsten**.

- For the declension of comparative and superlative forms, the same rules as for the basic adjective apply (see 5.1.1–5.1.3):
Petra hat einen gut**en** Mann geheiratet.
Sabine hat einen besser**en** Mann geheiratet.
Maria hat den best**en** Mann geheiratet.

5.2.2 Special Forms

- The vowels *a, o, u* often change to *ä, ö, ü* (especially in adjectives of one syllable):

arm	**ä**rm**er**	der **ä**rm**ste**
		am **ä**rm**sten**
groß	gr**ö**ß**er**	der gr**ö**ß**te**
		am gr**ö**ß**ten**
kurz	k**ü**rz**er**	der k**ü**rz**este**
		am k**ü**rz**esten**

Other examples are: *alt, arg, dumm, grob, hart, jung, kalt, klug, krank, lang, scharf, schwach, schwarz, stark, warm.*

- Irregular forms:

gut	besser	der beste
		am besten
hoch	höher	der höchste
		am höchsten
nah	näher	der nächste
		am nächsten
viel	–	das meiste
		die meisten
		am meisten

- Adjectives ending in *-er* or *-el*:

teuer	**teurer**	der teuerste
		am teuersten
dunkel	**dunkler**	der dunkelste
		am dunkelsten

5.2.3 Comparison

- There are two ways to express comparison:
  Die Ostsee ist **größer als** der Bodensee.
  Die Ostsee ist **nicht so groß wie** der Pazifik.

- For two comparisons at the same time, there are the following two phrases:
  Je größer, **desto** besser.
  Je kleiner, **um so** billiger.

- To stress a comparative, there are the following options:
  Sie ist **noch** intelligenter als ich dachte. (*even more . . .*)
  Die Waren in diesem Geschäft werden (*more and more . . .*)
  immer teurer.

5.2.4

The genitive is often used in conjunction with the superlative:
Ben Nevis ist der höchste Berg **Schottlands**.
Ben Nevis is the highest mountain in Scotland.

5.3 *Adjectives as Nouns*

Adjectives can be used as nouns, especially when the words *Mann, Frau, Person,* etc. would normally follow the adjective. In this case,

- the adjective is spelt with a capital letter
- the usual rules for declension apply
  (see 5.1.1–5.1.3):

der *blind*e Mann – der **Blind**e
eine *arbeitslose* Frau – die **Arbeitslos**e
Er lebt mit den *arm*en Menschen – Er lebt mit den **Arme***n*.

ALSO: der/die Verwandte
der/die Bekannte
der/die Kranke
der/die Deutsche
der/die Fremde
der/die Reisende
der/die Jugendliche, etc.

6 *Adverbs*

6.1 *Forms of Adverbs*
6.1.1

Adjectives can be used as adverbs. Adverbs do not change:
Er läuft **schnell**.
Sie hat das **intelligent** formuliert.

6.1.2

Some words only exist as adverbs:

fast	*almost*
immer	*always*
schon	*already*
vielleicht	*perhaps*

Some of these are formed from nouns or adjectives by adding a suffix:

stunden**weise**	*by the hour*
merkwürdig**erweise**	*strangely*
lang**e**	*for a long time*
rück**lings**	*backwards, from behind, on one's back*
erst**ens**	*firstly*
nacht**s**	*by night*
vor**wärts**	*forwards*

6.2 *Categories of Adverbs*
6.2.1 Adverbs of Time

These adverbs answer the questions *Wann? Wie lange? Wie oft?*

anfangs	*at the start*
bisher	*up to now*
einmal	*once*
gelegentlich	*occasionally*
gestern	*yesterday*
häufig	*often, frequently*
heute	*today*
immer	*always*
nachher	*afterwards*
nie	*never*
oft	*often*
sofort	*immediately*

6.2.2 Adverbs of Manner

These adverbs answer the question *Wie?*

anders	*differently*
gern	*gladly, willingly*
gut	*well*
so	*so*
teilweise	*partly*
umsonst	*in vain*
vergebens	*in vain*
völlig	*completely*

6.2.3 Adverbs of Place

These adverbs answer the questions *Wo? Wohin? Woher?*

außen	*outside*
da	*there*
dort	*there*
hier	*here*
innen	*inside*
irgendwo	*somewhere, anywhere*
nirgendwo	*nowhere*
oben	*at/on the top, upstairs*
überall	*everywhere*
unten	*at/on the bottom, downstairs*

6.2.4 Adverbs of Cause

These adverbs answer the question *Warum?*

deshalb	*therefore*
daher	*therefore*
folglich	*consequently*
infolgedessen	*because of that*
jedenfalls	*in any case*
ihretwegen	*because of her*
seinetwegen	*because of him*
sonst	*otherwise*
trotzdem	*nevertheless*

6.3 Comparative and Superlative

The same rules apply as for adjectives (see 5.2). The superlative form is always *am . . . sten.*

6.3.1 Irregular Forms

Positive Form	Comparative Form	Superlative Form
bald	eher	am ehesten
gern	lieber	am liebsten
gut	besser	am besten
oft	öfter	am öftesten
sehr	mehr	am meisten
Ich spiele **gern** Schach.	*I like playing chess.*	
Ich spiele **lieber** Tennis.	*I prefer playing tennis.*	
Ich spiele **am liebsten** Poker.	*I most like playing poker.*	

6.3.2 Special Superlative Forms

erstens	*firstly*
letztens	*recently, lastly*
meistens	*mostly, most of the time*
wenigstens	*at least (anyway)*
mindestens	*at least (minimum)*
äußerst (gefährlich)	*exceedingly (dangerous)*
höchst (intensiv)	*highly (intensive)*
möglichst (billig)	*as (cheaply) as possible*

7 Prepositions

Prepositions link words or phrases within a sentence. They affect the case of nouns and pronouns which follow them.

7.1 Prepositions followed by the Accusative

bis, durch, für, gegen, ohne, um, wider, entlang (when *entlang* follows the noun):
Wir gingen **die** Straße **entlang**.
Wir laufen jeden Tag **durch den** Park.
Das Auto fuhr **gegen den** Baum.

7.2 Prepositions followed by the Dative

ab, aus, außer, bei, entgegen, gegenüber (mainly after the noun), *mit, nach, seit, von, vor* (in the sense of 'ago'), *zu, entlang* (before the noun):
Entlang der Straße wachsen viele Bäume.
Ich gehe oft **mit** mein**en** Freund**en** ins Kino.
Vor drei Jahr**en** bin ich nach Italien geflogen.

7.3 Prepositions followed by Accusative or Dative, depending on meaning

an, auf, hinter, in, neben, über, unter, vor (in the sense of 'in front of'), *zwischen*. These prepositions govern the accusative if they express movement, and the dative if there is no movement:
Die Klasse geht um 13 Uhr **in die** Kantine.
Wir essen jeden Tag **in der** Kantine.

7.4 Prepositions followed by the Genitive

außerhalb, innerhalb, diesseits, jenseits, nördlich, südlich, oberhalb, unterhalb, statt, trotz, während, wegen:
Wir wohnen **nördlich des** Stadtzentrum**s**.
Trotz des schlecht**en** Wetter**s** gingen sie spazieren.

7.5 *Other useful information about Prepositions*

7.5.1 The Preposition 'bis'

bis can be combined with different prepositions:

bis an (+Akk.)	up to (the edge of)
bis auf (+Akk.)	except for
bis nach (+Dat.)	to (a place, when giving distance)
bis zu (+Dat.)	up to

7.5.2 Short Forms

am = an dem
ans = an das
beim = bei dem
durchs = durch das
fürs = für das
im = in dem
ins = in das
vom = von dem
zum = zu dem
zur = zu der

7.5.3 Combinations with 'da-'

If a preposition precedes a pronoun (*er, sie, es*) which refers to an item or thing (not a person), the pronoun is replaced by the prefix *da-* (*dar-* in front of a vowel):

Hier ist ein bequemer Stuhl. Möchtest du **darauf** (= auf ihm) sitzen?
Wie findest du dieses Bild? Ich habe viel Geld **dafür** (= für es) ausgegeben.

7.5.4 Combinations with 'wo-'

Similarly, prepositions can be preceded by the prefix *wo-* to form a question word (equivalent to the English 'what + preposition'):

Wofür (= Für was) interessierst du dich?
Ich frage mich, **womit** (= mit was) dieser Salat gewürzt ist.

8 *Conjunctions*

Conjunctions connect clauses and parts of sentences.

8.1 *Co-ordinating Conjunctions*

und, aber, sondern, denn, oder, sowohl . . . als auch, entweder . . . oder. These words connect

- two or more ideas:
  Der Vormittag war trüb **und** kalt.

- groups of words:
  Was möchtest du, die grüne Hose **oder** den roten Pullover?

- two main clauses:
  Ich sah sie, **aber** sie sah mich nicht.

8.2 *Subordinating Conjunctions*

als, da, als ob, (an)statt dass, bevor/ehe, bis, damit, dass, es sei denn, falls, nachdem, ob, obgleich/obwohl/obschon, ohne dass, seit, so dass, sobald, während, weil, wenn. These words introduce a subordinate clause (see also 10.7):

Ich koche lieber etwas mehr, **falls** die ganze Familie kommen sollte.
Während wir im Garten spielten, bereitete mein Vater das Mittagessen zu.
Ich hatte schon angerufen, **bevor** wir losgefahren sind.
Wir sind nach Hause gekommen, **weil** es spät war.

9 *Verbs*

Verbs are divided into two groups: weak (regular) verbs and strong (irregular) verbs. A very small number of verbs are mixed.

9.1 *Present Tense*

9.1.1 Weak Verbs

	spielen	antworten
ich	spiele	antworte
du	spielst	antwortest
er/sie/es	spielt	antwortet
wir	spielen	antworten
ihr	spielt	antwortet
sie/Sie	spielen	antworten

The conjugation of *antworten* applies to all weak verb stems ending in *-d* or *-t.*

9.1.2 Strong Verbs

	fahren	geben	nehmen
ich	fahre	gebe	nehme
du	fährst	gibst	nimmst
er/sie/es	fährt	gibt	nimmt
wir	fahren	geben	nehmen
ihr	fahrt	gebt	nehmt
sie/Sie	fahren	geben	nehmen

These forms apply to strong verb stems with *-a- (-ä-), -au- (-äu-), -e- (-i/ie-).* Special verbs:

	haben	sein	werden	wissen
ich	habe	bin	werde	weiß
du	hast	bist	wirst	weißt
er/sie/es	hat	ist	wird	weiß
wir	haben	sind	werden	wissen
ihr	habt	seid	werdet	wisst
sie/Sie	haben	sind	werden	wissen

9.1.3 Using the Present Tense

The present tense can be used to describe

- an event in the present:
  Sein Sohn **studiert** (jetzt) in Heidelberg.
  His son is studying in Heidelberg (now).

NOTE: The English form 'is studying' does not exist in the German language.

- an event in the future:
  Nächste Woche **fliege** ich nach Frankfurt.
  Next week I'm flying to Frankfurt.

- a fact or general statement:
  Die Erde **bewegt** sich um die Sonne.
  The earth moves around the sun.

- an event that started in the past, but continues in the present:
  Ich **wohne** seit vier Jahren in München.
  *I **have lived** in Munich for four years.*

9.2 *Imperfect Tense*
9.2.1 Weak Verbs

	spielen	antworten
ich	spiel*te*	antwort*ete*
du	spiel*test*	antwort*etest*
er/sie/es	spiel*te*	antwort*ete*
wir	spiel*ten*	antwort*eten*
ihr	spiel*tet*	antwort*etet*
sie/Sie	spiel*ten*	antwort*eten*

9.2.2 Strong Verbs

	fahren	geben	nehmen
ich	f*u*hr	g*a*b	n*a*hm
du	f*u*hrst	g*a*bst	n*a*hmst
er/sie/es	f*u*hr	g*a*b	n*a*hm
wir	f*u*hren	g*a*ben	n*a*hmen
ihr	f*u*hrt	g*a*bt	n*a*hmt
sie/Sie	f*u*hren	g*a*ben	n*a*hmen

The stem of strong verb changes can be found in the verb table (on page 156–57 of this book, in a grammar book or a dictionary). The form in the verb table is the 1st and 3rd person singular (which are always identical in the imperfect tense). Special verbs:

	haben	sein	werden
ich	hatte	war	wurde
du	hattest	warst	wurdest
er/sie/es	hatte	war	wurde
wir	hatten	waren	wurden
ihr	hattet	wart	wurdet
sie/Sie	hatten	waren	wurden

9.2.3 Mixed Verbs

	rennen	wissen
ich	r*a*nn*te*	w*u*ss*te*
du	r*a*nn*test*	w*u*ss*test*
er/sie/es	r*a*nn*te*	w*u*ss*te*
wir	r*a*nn*ten*	w*u*ss*ten*
ihr	r*a*nn*tet*	w*u*ss*tet*
sie/Sie	r*a*nn*ten*	w*u*ss*ten*

9.2.4 Using the Imperfect Tense

The imperfect tense can be used to describe

- an event in the past (mainly in the written language):
  Während seiner Studienzeit **spielte** er Basketball.

- an event that started in the past and was continuing or interrupted at the time of the text:
  Sie **saß** schon seit einer Stunde in der Bibliothek, als sie das Geräusch hörte.

BUT: She **had** already **been sitting** in the library for an hour when she heard the noise.

- for a simple description in the past:
  Sie **war** überrascht.
  Er **hatte** blaue Augen.

9.3 *Perfect Tense*

The perfect tense consists of two parts: a form of *haben* or *sein* + past participle (of the main verb). In a main clause *haben* or *sein* takes second position, and the past participle last position (see also 10.5):
Ich **habe** gestern ein ganzes Buch **gelesen**.
Sie **ist** mit dem Auto nach Dänemark **gefahren**.
Wir **sind** um 7 Uhr **aufgestanden**.

9.3.1 'Haben' or 'sein'

Most verbs form the perfect tense with a form of *haben*. Only the following groups of verbs use a form of *sein*:

- verbs expressing a movement:
  Ich **bin** heute in die Stadt **gegangen**.
  Wir **sind** mit Lufthansa nach Amerika **geflogen**.

- verbs expressing a change of state:
  Er **ist** erst um Mitternacht **eingeschlafen**.
  Deine Tochter **ist** aber groß **geworden**!

- the verbs *sein* and *bleiben*:
  Ich **bin** noch nicht in der Stadt **gewesen**.
  Wir **sind** im Sommer zu Hause **geblieben**.

9.3.2 The Past Participle of Weak Verbs

Basic rule: *ge-* + stem + *-t*

spielen	**ge**spiel**t**
kaufen	**ge**kauf**t**

NOTE:

antworten	**ge**antwort**et**
arbeiten	**ge**arbeit**et**

9.3.3 The Past Participle of Strong Verbs

Basic rule: *ge-* + (changed) stem + *-en*

gehen	**ge**gang**en**
laufen	**ge**lauf**en**
ziehen	**ge**zog**en**

These forms can be found in the verb table, and should be learned at the same time as the infinitive.

9.3.4 The Past Participle of Mixed Verbs

Basic rule: *ge-* + changed stem + *-t*

brennen	**ge**brann**t**
bringen	**ge**brach**t**
denken	**ge**dach**t**
kennen	**ge**kann**t**
rennen	**ge**rann**t**
wissen	**ge**wuss**t**

These forms can also be found in the verb table.

9.3.5 Past Participles without *ge-*

The following groups of verbs form their past participle without *ge-*.

- verbs ending in *-ieren*:

organisieren	organisier**t**
informieren	informier**t**
probieren	probier**t**

All verbs in this group are weak verbs.

- verbs with the prefixes *be-, emp-, ent-, er-, ge-, miss-, ver-, zer-*:

bestellen	bestell**t**
empfangen	empfang**en**
enttäuschen	enttäusch**t**
erzählen	erzähl**t**
gefallen	gefall**en**
missfallen	missfall**en**
verstehen	verstand**en**
zerstören	zerstör**t**

These verbs can be weak (e.g. *bestellen*) or strong (e.g. *verstehen*). Sometimes the past participle of these strong verbs is identical with the infinitive (e.g. *empfangen*).

9.3.6 Using the Perfect Tense

The perfect tense can be used to describe an event in the past, mainly in the spoken language and casual writing:

Wir **haben** (gestern) die Stadt **besichtigt**.

9.4 *Pluperfect Tense*
9.4.1 Forming the Pluperfect

The pluperfect tense consists of two parts (similar to the perfect tense): an imperfect form of *haben* or *sein* + past participle (of the main verb):

Ich **hatte** Petra schon **gesehen**, bevor du anriefst.

9.4.2 Using the Pluperfect

The pluperfect tense is used to describe an event in the pre-past (similar to its use in English):

Wir gingen ins Kino, nachdem wir Pizza **gegessen hatten**.
Bevor ich meine Haare abschneiden ließ, **hatte** ich lange Locken **gehabt**.

9.5 *Future Tense*
9.5.1 Forming the Future Tense

The future tense consists of two parts: a form of *werden* + infinitive (of the main verb):

Ich **werde** morgen in den Bergen **wandern**.
Im Sommer **werden** Steffen und Gabi nach Kreta **fliegen**.

9.5.2 Using the Future Tense

The future tense is used to describe

- an event in the future:
Wir **werden** uns (morgen) am Bahnhof **treffen**.

The future tense is often replaced by the present tense, especially if the context clarifies the reference to the future (see also 9.1.3):
Wir **treffen** uns morgen am Bahnhof.

- a suspicion or guess about an event in the present:
Er **wird** (wohl) an der Arbeit **sein**.

9.6 *Future Perfect Tense*
9.6.1 Forming the Future Perfect Tense

The future perfect tense consists of three parts: a form of *werden* + past participle (of the main verb) + infinitive form of *haben* or *sein*:

Ich **werde** um 10 Uhr dort **angekommen sein**.

9.6.2 Using the Future Perfect Tense

The future perfect tense can be used to describe

- a result of the completion of an event in the future:
Meine Mutter **wird** den Garten bald fertig **bepflanzt haben**.

- a suspicion or guess about an event in the past:
Heidi **wird** (wohl) die CD **verliehen haben**.

9.7 *Subjunctive*

The subjunctive is used

- to refer to a situation where there is some doubt
- to refer to reported speech.

9.7.1 Present Subjunctive

These forms are fairly old-fashioned, and are used to express indirect speech. Most verbs are only used in the 3rd person singular which is easy to form: stem + *-e.*
Er meinte, sie **sehe** wie deine Freundin aus.
He thought she looked like your girlfriend.
Seine Mutter sagte, er **gehe** noch zur Schule.
His mother said he still went to school.

Exceptions are:

- singular forms of modal verbs (see 9.16.1)
- 2nd person singular of *haben (du habest* instead of *du hast)*
- *sein*

ich	sei	wir	seien
du	seist	ihr	seiet
er/sie/es	sei	sie/Sie	seien

9.7.2 Imperfect Subjunctive

- Weak verbs: identical with imperfect indicative (see 9.2.1).

- Strong verbs: Basic rule: imperfect stem (verb table – *a, o, u* always change to *ä, ö, ü*) + *-e* + personal ending as in imperfect indicative (see 9.2.2).

	sehen	gehen	sein	haben	werden
ich	s**ä**h**e**	ging**e**	w**ä**r**e**	h**ä**tt**e**	w**ü**rd**e**
du	s**ä**h**est**	ging**est**	w**ä**r**est**	h**ä**tt**est**	w**ü**rd**est**
er/sie/es	s**ä**h**e**	ging**e**	w**ä**r**e**	h**ä**tt**e**	w**ü**rd**e**
wir	s**ä**h**en**	ging**en**	w**ä**r**en**	h**ä**tt**en**	w**ü**rd**en**
ihr	s**ä**h**et**	ging**et**	w**ä**r**et**	h**ä**tt**et**	w**ü**rd**et**
sie/Sie	s**ä**h**en**	ging**en**	w**ä**r**en**	h**ä**tt**en**	w**ü**rd**en**

The imperfect subjunctive can

- replace the present subjunctive in indirect speech (all forms):
  Wir dachten, wir **hätten** schon eine Unterkunft.
  We thought we already had accommodation.

- express a polite request:
  Wäre es möglich, dass wir etwas länger **blieben**?
  Would it be possible for us to stay a little longer?

The subjunctive is used after *als (ob)* meaning 'as if':
Er sieht aus, **als (ob)** er ein Gespenst gesehen **habe**.
He looks as if he has seen a ghost
Sie tat, **als (ob)** sie mich nicht gesehen **hätte**.
She acted as if she hadn't seen me.

9.8 *Conditional I*

The conditional I refers to something that could happen (under certain circumstances). It is often used with the imperfect subjunctive (see also 9.7.2). The conditional I is a form of *werden* as listed + infinitive.

ich	würde
du	würdest
er/sie/es	würde
wir	würden
ihr	würdet
sie/Sie	würden

Ich **würde** dieses Buch **kaufen**, wenn ich genug Geld hätte.
I would buy this book if I had enough money.
Würdest du spazieren **gehen**, wenn ich mitkäme?
Would you go for a walk if I came too?

9.9 *Conditional II*

The conditional II (conditional perfect) refers to a desired but impossible change or event in the past. The conditional II is a form of *haben* or *sein* as listed + past participle.

ich	hätte	wäre
du	hättest	wärest
er/sie/es	hätte	wäre
wir	hätten	wären
ihr	hätte	wäret
sie/Sie	hätten	wären

Ich **hätte** die Wurst **nicht gegessen**, wenn du mir das gesagt hättest.
*I **wouldn't have eaten** the sausage if you had told me that.*
Wir **wären** früher **gekommen** wenn es nicht geregnet hätte.
*We **would have arrived** earlier if it hadn't been raining.*

9.10 *Passive Voice*

The passive voice is used if the stress in the sentence is on the action itself, not on 'who did it'.

	subject		object

Active sentence: <u>Viele Leute</u> **bereiten** *das Weihnachtsfest* mehrere Wochen lang **vor**.

(grammatical) subject
Passive sentence: *Das Weihnachtsfest* **wird** mehrere Wochen lang **vorbereitet**.

9.10.1 Forming the Passive Voice

Form of *werden* + past participle (of main verb)

PITFALL: In English the passive voice is formed with a form of 'to be' + past participle, but don't use *sein* in German:
Die Berliner Mauer **wurde** 1961 **gebaut**.
The Berlin Wall was built in 1961.

Der Rasen im Park **wird** regelmäßig **gemäht**.
The lawn in the park is mown regularly.

NOTE: If the passive voice is used in the perfect tense, the past participle of *werden* is *worden* instead of *geworden*. However, the perfect tense is rarely used.
Das Haus **ist** im Feuer vollkommen **zerstört worden**.

9.10.2 Avoiding the Passive
Often passive forms are avoided by using the indefinite pronoun *man*:
Man spricht Deutsch.
Man hilft ihm.
Man folgte dem Verdächtigen.

9.10.3 Passive Voice with Modal Verbs
Only two tenses are normally used.

- Present tense:
  Die Tür **muss gestrichen werden**.
  The door must be painted.
  Der Computer **kann ausgeschaltet werden**.
  The computer can be switched off.

- Imperfect tense:
  Die Schüler **sollten** nach Hause **geschickt werden**.
  The pupils were supposed to be sent home.
  Das alte Haus **durfte** nicht **abgerissen werden**.
  It was not permitted to pull the old house down.

9.10.4 Passive of Verbs that take the Dative
If you are using a verb that takes the dative (such as *erlauben, folgen, gehören, glauben, helfen*), you should avoid the passive by using *man* or turn the sentence round as follows:

Ihm wurde geholfen.
He was helped.
Den Kindern wurde es nie erlaubt, Schokolade zu essen.
The children were never allowed to eat chocolate.

9.11 *Imperative*

The imperative is used to express an order or urgent request. There are three different forms for a 'you' command: *du*-form, *ihr*-form, *Sie*-form. They are used according to the same rules as *du, ihr* and *Sie* (see 4.1).

- *du*-form
  Basic rule: stem of the *du*-form of the verb (present tense) without the word *du*.

Stehst du auf?	**Steh** auf!
Bleibst du hier?	**Bleib** hier!
Liest du mir etwas vor?	**Lies** mir etwas vor!
BUT:	
Fährst du mit?	**Fahr** mit!

Läufst du jetzt los?	**Lauf** jetzt los!
Bist du vernünftig?	**Sei** vernünftig!

- *ihr*-form
  Basic rule: *ihr*-form of the verb (present tense) without the word *ihr*.
  Lest eure Bücher!
  Seid nicht so dumm!

- *Sie*-form
  Basic rule: *Sie*-form of the verb (present tense) with inversion.
  Kommen Sie bitte hierher!
  Fahren Sie doch mit!
  BUT:
  Seien Sie doch freundlich!

For a 'we' command, you simply turn the verb and pronoun around:
Gehen wir! *Let's go.*
Sprechen wir nicht davon.
Let's not talk about it.

9.12 *Reflexive Verbs*

In German, there are reflexive verbs with accusative or dative reflexive pronouns. All of them form the perfect tense with the auxiliary *haben*.

9.12.1 Accusative Reflexive Pronouns

Ich ziehe	**mich**	an.
Hast *du*	**dich**	schon gewaschen?
Er zieht	**sich**	gerade an.
Sie hat	**sich**	im Urlaub gut erholt.
Es handelt	**sich**	um deine Zukunft.
Wir verstehen	**uns**	sehr gut.
Seit wann kennt *ihr*	**euch**	so gut?
Sie werden	**sich**	bald scheiden lassen.
Setzen *Sie*	**sich**	bitte hin.

9.12.2 Dative Reflexive Pronouns

Ich kämme	**mir**	die Haare.
Siehst *du*	**dir**	die Angebote an?
Er traut	**sich**	vieles zu.
Sie muss	**sich**	deine neue Adresse merken.
Es (das Tier) hat	**sich**	am Rücken verletzt.
Wir haben	**uns**	viel vorgenommen.
Ihr holt	**euch**	bestimmt einen Sonnenbrand.
Sie schreiben	**sich**	gegenseitig Briefe.
Haben *Sie*	**sich**	in den Finger geschnitten?

9.13 *Separable and Inseparable Verbs*

A prefix can change the meaning of a verb completely:

kommen	*to come*
ankommen	*to arrive*

bekommen	*to get, receive*
umkommen	*to die*
verkommen	*to go to waste, go bad*

9.13.1 Inseparable Verbs

These prefixes are always inseparable: *be-, emp-, ent-, er-, ge-, miss-, ver-, -zer-* (see also 9.3.5.).

9.13.2 Separable Verbs

Other prefixes are generally separable, e.g. *auf-, ein-, an-*, etc.

- Present and imperfect tense:
  Das Spiel **fängt** um 3 Uhr **an**.
  Sie fragte mich, ob der Zug bald **abfährt**.
  Er **kaufte** Brot, Wurst und Käse **ein**.
  Wir erfuhren, dass vier Menschen in der Lawine **umkamen**.

- Past participle:
  Wir sind gestern **zurückgekommen**.
  Alle Stimmen sind **abgegeben** worden.

- Infinitive with *zu*:
  Meine Eltern haben vor, morgen Nachmittag **einzutreffen**.
  Ohne seinen Pullover **anzuziehen**, lief er aus dem Haus.

9.14 Using 'lassen' with the Infinitive of other Verbs

If *lassen* is used with the infinitive of another verb, it means 'to have something done' or 'to let someone/something do something'. The past participle is identical with the infinitive:
Ich **lasse** mir morgen die Haare **schneiden**.
I'm having my hair cut tomorrow.
Er **ließ** sein Auto bei Müller **reparieren**.
He had his car repaired at Müller's.
Wir **haben** uns einen Tisch **reservieren lassen**.
We've had a table reserved.

9.15 Present Participle

9.15.1 Forming the Present Participle

Basic rule: infinitive + *-d*
It is equivalent to the English '-ing' form:

schlafen**d**	*sleeping*
leiden**d**	*suffering*
lächeln**d**	*smiling*

9.15.2 Using the Present Participle

The present participle is mainly used as an adjective, primarily to replace a relative clause:
Das Kind, ***das schrie***, suchte seine Mutter.
Das **schreiende** Kind suchte seine Mutter.

Die Sonne, ***die aufgeht***, ist sehr schön.
Die **aufgehende** Sonne ist sehr schön.

Dieser Hund, der immer größer **wird**, frisst zehn Pfund Fleisch pro Tag.
Dieser immer größer **werdende** Hund frisst zehn Pfund Fleisch pro Tag.

9.16 Modal Verbs

Modal verbs are usually used with an infinitive of a main verb.

9.16.1 The Tenses

- Present Tense

	dürfen	können	müssen	sollen	wollen	mögen
ich	d**a**rf	k**a**nn	m**u**ss	soll	w**i**ll	m**a**g
du	d**a**rfst	k**a**nnst	m**u**sst	sollst	w**i**llst	m**a**gst
er/sie/es	d**a**rf	k**a**nn	m**u**ss	soll	w**i**ll	m**a**g
wir	dürfen	können	müssen	sollen	wollen	mögen
ihr	dürft	könnt	müsst	sollt	wollt	mögt
sie/Sie	dürfen	können	müssen	sollen	wollen	mögen

- Imperfect Tense
  If a modal verb is used to describe an event in the past, the imperfect tense is preferred to the perfect tense.

	dürfen	können	müssen	sollen	wollen	mögen
ich	d**u**rf**te**	k**o**nn**te**	m**u**ss**te**	soll**te**	woll**te**	m**o**ch**te**
du	d**u**rf**test**	k**o**nn**test**	m**u**ss**test**	soll**test**	woll**test**	m**o**ch**test**
er/sie/es	d**u**rf**te**	k**o**nn**te**	m**u**ss**te**	soll**te**	woll**te**	m**o**ch**te**
wir	d**u**rf**ten**	k**o**nn**ten**	m**u**ss**ten**	soll**ten**	woll**ten**	m**o**ch**ten**
ihr	d**u**rf**tet**	k**o**nn**tet**	m**u**ss**tet**	soll**tet**	woll**tet**	m**o**ch**tet**
sie/Sie	d**u**rf**ten**	k**o**nn**ten**	m**u**ss**ten**	soll**ten**	woll**ten**	m**o**ch**ten**

- Imperfect Subjunctive (see 9.7 and 9.16.2)

	dürfen	können	müssen	sollen	wollen	mögen
ich	dürf**te**	könn**te**	müss**te**	soll**te**	woll**te**	möch**te**
du	dürf**test**	könn**test**	müss**test**	soll**test**	woll**test**	möch**test**
er/sie/es	dürf**te**	könn**te**	müss**te**	soll**te**	woll**te**	möch**te**
wir	dürf**ten**	könn**ten**	müss**ten**	soll**ten**	woll**ten**	möch**ten**
ihr	dürf**tet**	könn**tet**	müss**tet**	soll**tet**	woll**tet**	möch**tet**
sie/Sie	dürf**ten**	könn**ten**	müss**ten**	soll**ten**	woll**ten**	möch**ten**

- Perfect Tense
  This is formed in one of two ways: either with the normal past participle (these don't have umlauts – *gekonnt, gewollt*, etc.) or with the infinitive. If there's no infinitive in the sentence, use the normal past participle:
  Ich **habe** es **gewollt**.
  I wanted it (to happen).

  If there is an infinitive already, use the infinitive of the modal verb:
  Ich **habe** es **tun wollen**.
  I wanted to do it.

  The past participles are:
  dürfen – gedurft
  können – gekonnt

müssen – gemusst
sollen – gesollt
wollen – gewollt
mögen – gemocht

9.16.2 Functions of Modal Verbs

- dürfen
Ich **darf** bis 7 Uhr aufbleiben.
*I **may/can** stay up till 7 o'clock.*
Darf ich mir noch ein Stück Kuchen nehmen?
***May** I take another piece of cake?*
In diesem Abteil **darf** man **nicht** rauchen.
*You're **not allowed** to smoke in this compartment.*
Das **dürfte nicht** schwierig sein.
*That **shouldn't** be difficult.*
Als Kind **durfte** ich so viel Obst essen, wie ich wollte.
*As a child I was **allowed** to eat as much fruit as I wanted.*

- können
Kann er schon schwimmen?
***Can** he swim yet?*
Das **kann** sein.
*That **may** be.*
Mit 10 Monaten **konnte** sie schon gehen.
*She **could** (= **was able to**) walk when she was 10 months.*
Könntest du die Tür aufmachen?
***Could you** open the door?*
Es **könnte** schwierig werden.
*It **could** be difficult.*
Er **könnte** es getan haben.
*He **might** have done it.*

- müssen
Unsere Hausaufgaben **müssen** bis morgen fertig sein.
*Our homework **has to** be ready by tomorrow.*
Sie **müssen** früh aufstehen.
*They **have to/must** get up early.*
Muss ich das (machen)?
*Do I **have to** do that/**Must** I?*
Hier **muss** man **nicht** ständig an die Arbeit denken.
*You **don't have to** keep thinking of work here.*
Was **musstet** ihr machen?
*What **did** you **have to** do?*
Er **musste** den Hof kehren.
*He **had to** sweep the yard.*
Sie sagte, sie **müsse** ihm helfen.
*She said she **had to** help him.*
Das **müsste** ungefähr hinkommen.
*That **ought to** be about right.*

- sollen
Du **sollst** ihn anrufen.
*You **should** phone him.*
Er **soll** sehr intelligent sein.
*He's **supposed/said to** be very intelligent.*
Wir **sollten** früh ankommen.
*We **ought to/should** arrive early.*

Sie **sollte** erfolgreich sein.
*She **was to** be successful.*
Ich **sollte** mir wirklich eine Brille kaufen.
*I really **ought to** buy a pair of spectacles.*

- wollen
Wir **wollen** im Sommer nach Deutschland fahren.
*We **want/intend to** travel to Germany in the summer.*
Wollt ihr mitkommen?
*Do you **want to** come too?*
Ich **will eben** losfahren.
*I'm just **about to** leave.*
Er **wollte** gestern schon da sein.
*He **wanted to** be there yesterday.*
Sie **wollte** mir einfach nicht helfen.
*She simply **wasn't prepared** to help me.*
Wollten Sie eben etwas sagen?
*Were you **about to** say something?*

- mögen (often used as main verb)
Ich **mag** es **nicht** essen.
*I **don't like to** eat it.*
Sie **mochte** ihn nie.
*She never **liked** him.*
Wir **möchten** eine Tasse Kaffee (trinken).
*We'd **like** (**to** drink) a cup of coffee.*

PITFALLS:
- *You **must not** smoke in this room.*
Du **darfst** in diesem Zimmer **nicht** rauchen.
- *I **will** not come to the cinema.*
Ich **werde** nicht ins Kino gehen. (Future tense)

9.17 *Infinitive with 'zu'*

9.17.1

All infinitives in sentences are used with the word *zu*, except

- with modal verbs:
Er *kann* sehr gut Klavier **spielen**.
Sie *möchte* am liebsten **mitkommen**.

- with the following verbs: *bleiben, gehen, helfen, hören, kommen, lassen, lehren, lernen, sehen*:
Ich kann ihn sehr deutlich **sprechen** *hören*.
Er *lernt* gerade Klavier **spielen**.
Wir *sehen* die Radfahrer die Straße entlang**kommen**.

All other verbs use *zu*. The position of the infinitive with *zu* is always at the end of the clause:
Wir planen, einen Porsche **zu kaufen**.
Er freut sich, die tolle Nachricht erhalten **zu haben**.
Hanna hat die Absicht, die Schule **zu verlassen**.
Ohne auf eine Antwort **zu warten**, betrat er das Zimmer.

9.17.2

The infinitive with *zu* is also used in the expression *um . . . zu* (in order to):

Er arbeitet, **um** ein Auto **zu kaufen**.
Um glücklich **zu sein**, muss man nicht unbedingt reich sein.

PITFALL: In German, the expression *um . . . zu* is always used to express 'in order to', even though we often leave out the 'in order' in English:
He is working (in order) to buy a car.
(In order) To be happy, you don't have to be rich.

9.18 *Verbs with Genitive Object*

Only very few verbs belong to this group (see also 3.4), e.g. *gedenken, sich schämen*:
Ich **schäme mich** mein**es** Verbrechen**s**.
I am ashamed of my crime.

9.19 *Verbs with Dative Object*

Some important verbs belonging to this group (see also 3.3) are *antworten, begegnen, danken, dienen, folgen, gefallen, gehorchen, gehören, gelingen, geschehen, glauben, gleichen, helfen, Leid tun, passieren, raten, schaden, schmecken, vertrauen, vorkommen, wehtun, zuhören, zusehen*:

Was ist *dir* **passiert?**	*What's happened to you?*
Sie **glaubt** *mir* nie.	*She never believes me.*
Sie **tun** *ihr* Leid	*She feels sorry for them.*
Kann ich *Ihnen* **helfen**?	*Can I help you?*

9.20 *Impersonal Verbs*

These verbs always have the subject *es*.

- The weather:
  es regnet
  es schneit

- Impersonal verbs with the dative:
  es bangt (mir vor + Dat.)
  es fehlt (mir an + Dat.)
  es gefällt (mir)
  es schmeckt (mir)

- Impersonal verbs with a preposition:
  es geht um (+Akk.)
  es handelt sich um (+Akk.)

9.21 *Verbs and Prepositions*

Just as in English, there are a large number of German verbs which are always used with a certain preposition.

PITFALL: The prepositions are not necessarily the same in both languages, e.g. *warten **auf*** – to wait **for**. Some important verbs are:

denken an (+Akk.)	*to think of*
sich erinnern an (+Akk.)	*to remember*

leiden an (+Dat.)	*to suffer from*
teilnehmen an (+Dat.)	*to take part in*
achten auf (+Akk.)	*to pay attention to*
sich freuen auf (+Akk.)	*to look forward to*
warten auf (+Akk.)	*to wait for*
bestehen aus (+Dat.)	*to consist of*
sich bedanken für (+Akk.)	*to say thank you for*
sorgen für (+Akk.)	*to take care of, look after*
sprechen mit (+Dat.)	*to speak, talk to*
sich unterhalten mit (+Dat.)	*to converse with*
fragen nach (+Dat.)	*to ask about*
riechen nach (+Dat.)	*to smell of*
schmecken nach (+Dat.)	*to taste of*
suchen nach (+Dat.)	*to look for*
sich ärgern über (+Akk.)	*to get annoyed about*
sich freuen über (+Akk.)	*to be pleased about*
lachen über (+Akk.)	*to laugh about*
sich bewerben um (+Akk.)	*to apply for*
es handelt sich um (+Akk.)	*it is a matter of*
sich kümmern um (+Akk.)	*to look after, take care of*
reden von (+Dat.)	*to speak about*
träumen von (+Dat.)	*to dream about*
sich fürchten vor (+Dat.)	*to be afraid of*
sich retten vor (+Dat.)	*to escape from*
warnen vor (+Dat.)	*to warn of, about*
meinen zu (+Dat.)	*to think of*
sagen zu (+Dat.)	*to say to*

Ich habe **mich** sehr **über** deinen Brief **gefreut**.
I was very pleased to receive your letter.
Ich **warte auf** meinen Sohn.
I am waiting for my son.
Er **bewarb sich um** den Job.
He applied for the job.

10 *Sentence Structures/ Word Order in Sentences*

10.1 *Simple Statement/Main Clause*

In a simple statement (main clause), the conjugated verb (the verb carrying the personal ending) takes second **position**. This does not necessarily mean that it is the second **word**:
Ich **spiele** selten Schach.
Meine Freunde und ich **gehen** oft ins Kino.
Helmut Kohl **war** jahrelang Bundeskanzler.
Die Familie Schmidt **ist** in Urlaub gefahren.

PITFALL: This rule also applies when the subject is not in first position in a statement. In this case, subject and verb swap their positions ('inversion').
Morgen **fahre** *ich* nach München.

10.2 *Questions*

10.2.1

In questions without a question word (*was, wo, wer* etc.), the conjugated verb comes first:
Hast du eine Schwester?
Wohnt sie tatsächlich in Spanien?

10.2.2

In questions with question words, rule 10.1 applies – the conjugated verb takes second place:
Was **trinkst** du normalerweise zum Frühstück?
Wann **macht** er endlich seine Hausaufgaben?

10.3 *Word Order within a Sentence*

Within a sentence the basic rule 'Time – Manner – Place' applies:

When?	*How?*	*Where?*

Sabine fährt **am Samstag mit dem Rad aufs Land**.

10.4 *Direct Object (Accusative) and Indirect Object (Dative)*

When a direct and an indirect object appear in a sentence, the following rules apply:

	Pronoun (Akk.)	Pronoun (Dat.)		Noun (Dat.)	Noun (Akk.)
Gib	**es**	*ihm*.	Gib	*dem Mann*	**das Buch.**

	Pronoun (Akk.)	Noun (Dat.)		Pronoun (Dat.)	Noun (Akk.)
Gib	**es**	**dem Mann.**	Gib	*ihm*	**das Buch.**

10.5 *Infinitive and Past Participle*

The infinitive and past participle normally come last in a clause:
Wir sollen die Umwelt **schützen**.
Sie hat mir schon mehrmals **geholfen**.

NOTE:
Es muss in der Nacht **geregnet haben**.
It must have rained in the night.

10.6 *Position of 'nicht'*

Nicht can take up different positions in a sentence.

• If it negates the verb and therefore the whole sentence, its position is usually towards the end of the sentence (but before any infinitives or past participles).

• If only one word or sentence part is to be negated, *nicht* precedes this word or phrase.

Alle Studenten waren **nicht** verheiratet.
Nicht alle Studenten waren verheiratet.

Er konnte sich im Harz **nicht** erholen.
Er konnte sich **nicht** im Harz erholen.

10.7 *Subordinate Clauses*

In subordinate clauses, the conjugated verb comes last.

10.7.1 Subordinating Conjunctions

Certain conjunctions (see 8.2) send the verb to the end:
Er ist dick, **weil** er immer Schokolade **isst**.
Sie gewann, **obwohl** sie kaum trainiert **hatte**.

10.7.2 Indirect Questions

The subordinate clause is introduced by a question word (see 4.5):
Ich weiß noch nicht, **wann** ich nach Hause **komme**.
Er versteht, **wie** man die Aufgabe lösen **kann**.

10.7.3 Relative Clauses

The subordinate clause is introduced by a relative pronoun (see 4.6):
Ich kenne den neuen Lehrer, **der** Mathe **unterrichtet**.
Hast du schon das Lied gehört, **das** jetzt Nummer 1 **ist**?

10.7.4 Inversion

If the subordinate clause precedes the main clause in a sentence, the verb and subject of the main clause swap positions (see also 10.1). The rule is also known as 'Verb – Comma – Verb':
Weil er immer Schokolade **isst, ist** er dick.
Wann ich nach Hause **komme, weiß** ich noch nicht.
The same rule applies in certain cases if the relative clause is used in the middle of a sentence (before the conjugated verb):
Die Mannschaft, **die** den Pokal gewonnen **hat, kommt** aus Italien.

10.8 *Other Connecting Words/Sentence Connectors*

10.8.1 Co-ordinating Conjunctions

The conjunctions *und, oder, aber, sondern, denn* **do not** influence the word order in a sentence. They connect two main clauses (see also 10.1):
Sein Wecker klingelt um 7 Uhr **und** *er* **steht** sofort auf.
Ich wohne in der Stadt, **aber** *es* **gefällt** mir nicht.

10.8.2 Certain Adverbs

Certain adverbs can be used as connectors in sentences. They, too, connect two main clauses, but **do** influence the word order. They cause an inversion (see also 10.1). Some examples are:

deshalb — *therefore*
trotzdem — *nevertheless*
folglich — *consequently*
deswegen — *therefore*
demnach — *accordingly*
sonst — *otherwise*
außerdem — *besides, in addition*
allerdings — *though, mind you*
dann — *then*
jedoch — *however*

Ich hatte den Wecker nicht gehört, **deshalb kam** ich zu spät.
Er verlor die ersten zwei Spiele, **allerdings konnte** er das dritte Spiel gewinnen.

Transitive/intransitive verbs
Several verbs have two forms in the perfect depending on whether they have an object, e.g. Ich **habe** die Tasse gebrochen. (transitive)
I have broken the cup.
Die Tasse ist gebrochen. (intransitive)
The cup has broken.

Irregular verbs

Infinitive and English	Present (irregular)	Imperfect (and subjunctive)	Past participle (• = SEIN) (* = SEIN or HABEN: see note above)
BACKEN *bake*		backte	gebacken
BEFEHLEN *command*	befiehlt	befahl (beföhle)	befohlen
BEGINNEN *begin*		begann	begonnen
BEIßEN *bite*		biss	gebissen
BIEGEN *bend*		bog	gebogen
BIETEN *offer*		bot	geboten
BINDEN *tie*		band	gebunden
BITTEN *ask*		bat	gebeten
BLASEN *blow*	bläst	blies	geblasen
BLEIBEN *stay*		blieb	*geblieben
BRATEN *roast*	brät	briet	gebraten
BRECHEN *break*	bricht	brach	*gebrochen
BRENNEN *burn*		brannte (brennte)	gebrannt
BRINGEN *bring*		brachte	gebracht
DENKEN *think*		dachte	gedacht
DÜRFEN *be allowed*	ich/er darf	durfte	gedurft/dürfen
EMPFEHLEN *recommend*	empfiehlt	empfahl (empföhle)	empfohlen
ERSCHRECKEN *be startled*	erschrickt	erschrak	*erschrocken
ESSEN *eat*	isst	aß	gegessen
FAHREN *travel*	fährt	fuhr	*gefahren
FALLEN *fall*	fällt	fiel	•gefallen
FANGEN *catch*	fängt	fing	gefangen

Infinitive and English	Present (irregular)	Imperfect (and subjunctive)	Past participle (• = SEIN) (* = SEIN or HABEN: see note above)
FINDEN *find*		fand	gefunden
FLIEGEN *fly*		flog	•geflogen
FLIEHEN *flee*		floh	•geflohen
FLIEßEN *flow*		floss	•geflossen
FRESSEN *eat (of animals)*	frisst	fraß	gefressen
FRIEREN *freeze*		fror	•gefroren
GEBÄREN *to be born* (only ever used in perfect)			•geboren
GEBEN *give*	gibt	gab	gegeben
GEHEN *go*		ging	•gegangen
GELINGEN *succeed*		gelang	•gelungen
GELTEN *be valid*	gilt	galt (gölte)	gegolten
GENESEN *recover*		genas	•genesen
GENIEßEN *enjoy*		genoss	genossen
GESCHEHEN *happen*	geschieht	geschah	•geschehen
GEWINNEN *win*		gewann (gewönne)	gewonnen
GIEßEN *pour*		goss	gegossen
GLEICHEN *resemble*		glich	geglichen
GLEITEN *slide*		glitt	•geglitten
GRABEN *dig*	gräbt	grub	gegraben
GREIFEN *grasp*		griff	gegriffen
HABEN *have*	du hast; er hat	hatte	gehabt
HALTEN *hold*	hält	hielt	gehalten
HÄNGEN *hang* (transitive)		hing	gehangen

Infinitive and English	Present (irregular)	Imperfect (and subjunctive)	Past participle (• = SEIN)	Infinitive and English	Present (irregular)	Imperfect (and subjunctive)	Past participle (• = SEIN)
HEBEN *raise*		hob	gehoben	**SEIN** *be*	ich bin; du bist; er ist; wir/sie sind; ihr seid	war	•gewesen
HEISSEN *be called*		hieß	geheißen				
HELFEN *help*	hilft	half (hülfe)	geholfen	**SENDEN** *send, broadcast*		sandte/sendete	gesandt
KENNEN *know*		kannte (kennte)	gekannt	**SINGEN** *sing*		sang	gesungen
KLINGEN *sound*		klang	geklungen	**SINKEN** *sink*		sank	•gesunken
KOMMEN *come*		kam	•gekommen	**SITZEN** *sit*		saß	gesessen
KÖNNEN *can*	ich/er kann	konnte	gekonnt/können	**SOLLEN** *is to*	ich/er soll	sollte	gesollt/sollen
KRIECHEN *crawl*		kroch	gekrochen	**SPRECHEN** *speak*	spricht	sprach	gesprochen
				SPRINGEN *jump*		sprang	•gesprungen
LADEN *load*	lädt	lud	geladen	**STECHEN** *stab*	sticht	stach	gestochen
LASSEN *let*	lässt	ließ	gelassen/lassen	**STEHEN** *stand*		stand (stünde)	gestanden
LAUFEN *run*	läuft	lief	•gelaufen	**STEHLEN** *steal*	stiehlt	stahl	gestohlen
LEIDEN *suffer*		litt	gelitten	**STEIGEN** *climb*		stieg	gestiegen
LEIHEN *lend*		lieh	geliehen	**STERBEN** *die*	stirbt	starb (stürbe)	•gestorben
LESEN *read*	liest	las	gelesen	**STINKEN** *stink*		stank	gestunken
LIEGEN *lie*		lag	gelegen	**STOSSEN** *push*	stößt	stieß	gestoßen
LÜGEN *tell lies*		log	gelogen	**STREICHEN** *stroke*		strich	gestrichen
				STREITEN *quarrel*		stritt	gestritten
MESSEN *measure*	misst	maß	gemessen				
MÖGEN *like*	ich/er mag	mochte	gemocht/mögen	**TRAGEN** *carry*	trägt	trug	getragen
MÜSSEN *must*	ich/er muss	musste	gemusst/müssen	**TREFFEN** *meet*	trifft	traf	getroffen
				TREIBEN *drive*		trieb	getrieben
NEHMEN *take*	nimmt	nahm	genommen	**TRETEN** *step*	tritt	trat	•getreten
NENNEN *name*		nannte (nennte)	genannt	**TRINKEN** *drink*		trank	getrunken
				TRÜGEN *deceive*		trog	getrogen
RATEN *advise*	rät	riet	geraten	**TUN** *do*	ich tue; du tust; er/ihr tut; wir/sie tun	tat	getan
REIBEN *rub*		rieb	gerieben				
REISSEN *tear*		riss	gerissen				
REITEN *ride*		ritt	*geritten				
RENNEN *run*		rannte (rennte)	•gerannt	**VERBERGEN** *hide*	verbirgt	verbarg	*verborgen
RIECHEN *smell*		roch	gerochen	**VERDERBEN** *spoil*	verdirbt	verdarb (verdürbe)	*verdorben
RUFEN *call*		rief	gerufen	**VERGESSEN** *forget*	vergisst	vergaß	vergessen
SCHAFFEN *create/manage*		schuf/schaffte	geschaffen	**VERLIEREN** *lose*		verlor	verloren
SCHEIDEN *separate*		schied	*geschieden	**VERMEIDEN** *avoid*		vermied	vermieden
SCHEINEN *seem*		schien	geschienen	**VERSCHWINDEN** *disappear*		verschwand	•verschwunden
SCHIEBEN *push*		schob	geschoben	**VERZEIHEN** *excuse*		verzieh	verziehen
SCHIESSEN *shoot*		schoss	geschossen				
SCHLAFEN *sleep*	schläft	schlief	geschlafen	**WACHSEN** *grow*	wächst	wuchs	•gewachsen
SCHLAGEN *hit*	schlägt	schlug	geschlagen	**WASCHEN** *wash*	wäscht	wusch	gewaschen
SCHLIESSEN *shut*		schloss	geschlossen	**WEISEN** *point*		wies	gewiesen
SCHMELZEN *melt*	schmilzt	schmolz	*geschmolzen	**WENDEN** *turn*		wandte (wendete)	gewandt
SCHNEIDEN *cut*		schnitt	geschnitten	**WERBEN** *advertise*	wirbt	warb (würbe)	geworben
SCHREIBEN *write*		schrieb	geschrieben	**WERDEN** *become*	du wirst; er wird	wurde	•geworden/worden
SCHREIEN *shout*		schrie	geschrie(e)n	**WERFEN** *throw*	wirft	warf (würfe)	geworfen
SCHREITEN *step*		schritt	•geschritten	**WIEGEN** *weigh*		wog	gewogen
SCHWEIGEN *be silent*		schwieg	geschwiegen	**WISSEN** *know*	ich/er weiß	wusste	gewusst
SCHWIMMEN *swim*		schwamm (schwömme)	•geschwommen	**WOLLEN** *want*	ich/er will	wollte	gewollt/wollen
SCHWÖREN *swear*		schwor (schwüre)	geschworen	**ZIEHEN** *pull*		zog	gezogen
SEHEN *see*	sieht	sah	gesehen	**ZWINGEN** *force*		zwang	gezwungen

Vocabulary

The first meaning of each word or phrase in this list corresponds to its use in the context of this book. Alternative meanings are **sometimes** given to avoid confusion, especially if these meanings are more common. This list contains only the vocabulary in *Überblick*. This list does **not** replace your dictionary (see page 133).

A

Abdankung (f) *abdication*
abfedern *to brush off/aside*
Abgeordnete (m, f) *member of parliament*
abhängig *dependent*
abklappern *to scour*
ablaufen *to go off, happen*
abschaffen *to abolish*
abspalten *to cut off, split off*
abstimmen *to vote*
Abtreibung (f) *abortion*
Akten (pl) *documents, files*
Aktentasche (f) *briefcase*
Allgemeine Geschäftsbedingungen (pl) *terms of business*
allmählich *gradually*
alltäglich *everyday*
Anbiedern (n) *currying favour*
angeblich *apparently*
angehen *to concern*
angehend *prospective*
angesagt sein *to be trendy*
angreifen *to attack*
anknüpfen an (+ Akk.) *to tie on*
ankreiden *to hold sth. against sb.*
Anlass (m) *cause*
anpacken *to tackle, get down to*
anpassen *to adapt*
anpöbeln *to abuse*
anpumpen *to borrow from*
Ansatz (m) *approach*
Anschluss (m) *connection*
Ansicht (f) *view, opinion*
Anzeige (f) *report (to the police)*
anziehend *attractive*
Aufenthaltsraum (m) *recreation room*
auffordern *to ask sb. to do sth.*
sich aufhalten *to stay*
aufhellen *to lighten up*
sich aufregen *to get worked up*
aufrüsten *to arm, equip*
Aufschwung (m) *upturn*

Aufsehen erregend *sensational*
Aufseher (m) *supervisor*
Aufstand (m) *rebellion, revolt*
Aufstiegsmöglichkeit (f) *chance of promotion*
im Auftrag (+ Gen.) *commissioned by*
Auftritt (m) *performance*
aufzwingen *to force sth. on sb.*
sich ausbreiten *to spread*
ausgedient haben *to have had its day*
ausgefeilt *polished, extravagant*
ausgeglichen *well-balanced*
ausgeschlossen *excluded*
Ausnahme (f) *exception*
Ausreisewillige (pl) *people wanting to leave the country*
Ausschuss (m) *committee*
Ausweg (m) *solution*

B

Bafög (n) *grant*
Ballaststoffe (mpl) *roughage*
bange (jdm ist) *to be afraid*
Bedürfnis (n) *need*
befristet *short-term*
Begeisterungsfähige (pl) *people who are able to get enthusiastic*
Behörde (f) *authority*
Belastung (f) *burden*
belügen *to lie to*
Bereicherung (f) *enrichment*
sich berufen auf (+ Akk.) *to refer to sth.*
besamen *to fertilise, inseminate*
beschädigen *to damage*
sich beschimpfen *to swear at each other*
beschlagnahmen *to confiscate*
beseitigen *to remove*
besetzt *occupied*
besoffen *(slang) drunk*
Besorgnis (n) *concern*
Betreuungsplätze (pl) *childcare facilities*
betroffen *affected*
Betrüger (m) *swindler, conman*

Beugehaft (f)   *coercive detention*
Bezugsperson (f)   *person child can relate to and take as example*
bisherig   *previous*
blasig   *full of bubbles*
bohren   *to drive, keep on*
Bolzplatz (m)   *(children's) football area*
Bote (m)   *courier*
Brocken (m)   *chunk, lump*
brodeln   *to boil, seethe*
büffeln   *to swot*
Bügeleisen (n)   *iron*
bummeln   *to go for a walk/laze around*
Burgerinitiative (f)   *action group*
Bußgeld (n)   *fine (penalty)*

C

Cholesterinspiegel (m)   *cholesterol level*

D

Dampf ablassen   *to let off steam*
Darm (m)   *intestines*
dichtmachen   *to close*
Dienstleistung (f)   *service*
Dispokredit (m)   *overdraft*
Drachen (m)   *kite*
sich drehen um (+ Akk.)   *to revolve around*
dröge   *dry*
Druck (m)   *pressure*
durchgreifen   *to take vigorous action*
durchschnittlich   *on average*
sich durchsetzen   *to be successful, assert yourself*
durchsetzungsfähig   *capable of carrying things through, getting things done*
durchwühlen   *to rummage*

E

eckig   *angular, jerky*
EDV = Elektronische Datenverarbeitung (f)   *electronic data processing*
eh   *anyway*
einen Antrag einbringen   *to make a suggestion, proposal*
einen Gang runterschalten   *to go down a gear*
einengen   *to restrict*
einfühlsam   *sensitive, understanding*
eingreifen   *to get involved, intervene*
sich einmischen   *to interfere*
einpferchen   *to pack, cram in*
Einsatz (m)   *commitment, getting involved*
einschleusen   *to smuggle in*
sich einverleiben   *to consume*
Eiweißbaustein (m)   *protein building block*
empört   *outraged*
sich engagieren   *to get involved*

sich entfalten   *to develop, blossom*
entrollen   *to unfurl*
entrüstet   *indignant*
entwerfen   *to design*
Entzugserscheinung (f)   *withdrawal symptom*
erbarmungslos   *merciless*
Erbgut (n)   *genetic make-up*
Erkenntnis (f)   *finding*
erledigen   *to deal with, carry out*
sich ernähren   *to eat, nourish yourself*
ernüchternd   *sobering*
Errungenschaft (f)   *conquest*
ersetzen   *to replace*
sich etwas ersparen   *to spare oneself sth.*
(sich) ertappen   *to catch (oneself)*
erübrigen   *to spare*
Erziehungsurlaub (m)   *maternity/paternity leave*
Ess-Brech-Sucht (f)   *bulimia*

F

Falle (f)   *trap*
Fallschirmspringen (n)   *parachute jumping*
fälschen   *to forge*
fantasievoll   *imaginative*
Farbrolle (f)   *paint roller*
Flosse (f)   *flipper*
Flüchtling (m)   *refugee*
Flugblatt (n)   *leaflet*
Flügel (m)   *wing*
fordern   *to support, encourage*
Fraktion (f)   *parliamentary party/group*
Freiberuflichkeit (f)   *self-employment*
freiwillig   *voluntary*
fremdenfeindlich   *hostile to foreigners*
fristgerecht   *within the period stipulated*
das Fürchten lehren   *to put the fear of God into sb.*

G

Gastauftritt (m)   *guest appearance*
gefasst sein auf (+ Akk.)   *to be prepared for sth.*
gegenseitig   *mutual*
Geheimhaltung (f)   *secrecy*
Gelassenheit (f)   *calmness, composure*
Geldgier (f)   *avarice*
Gelenk (n)   *joint (of body)*
gelingen   *to succeed*
genmanipuliert   *genetically modified*
Gentechnik (f)   *genetic engineering*
geschweige denn   *never mind, let alone*
sich gesellen zu (+ Dat.)   *to join*
Gesetzesübertretung (f)   *infringement of the law*
gewährleisten   *to ensure, guarantee*
Gewichtung (f)   *weighting*
Glaubwürdigkeit (f)   *credibility*

Gleichung (f) *equation*
Gleitzeit (f) *flexible working hours*
grausam *cruel, terrible*
grob *roughly*
Großenwahn (m) *megalomania, delusions of grandeur*
größenwahnsinnig *megalomaniac*
im Grunde genommen *basically*
gründen *to found*

H

Handwerker (pl) *craftspeople*
Handwerkskammer (f) *trade corporation*
hartnäckig *stubborn, persistent*
Heldentum (n) *heroism*
Hellseher (m) *prophet*
Hemmschwelle (f) *threshold*
hervorragende Karten haben *to have a big advantage*
Hexenschuss (m) *lumbago*
sich hinschleppen *to drag oneself along*
hinterherhinken *to lag behind*
hinterherkommen *to keep up*
Hummer (m) *lobster*

I

immerhin *after all*
Impfung (f) *vaccination*
Infarkt (m) *heart attack*
insofern *in this respect*
Ischias (m) *sciatica*

J

jonglieren *to juggle*

K

Kaminfeuer (n) *open fire*
kapieren *to understand, get it*
Karnevalssitzung (f) *carnival celebration*
in Kauf nehmen *to accept*
Kelle (f) *trowel*
kiffen *to smoke pot*
Kinderkrippe (f) *crèche*
Klarsichtfolie (f) *transparent film*
klassifizieren *to categorise*
in die Klemme geraten *to run into trouble*
Klönschnack (m) *chat*
Klops (m) *meatball*
knackig *gorgeous*
Knast (m) *prison (slang)*
Knochenschwund (m) *osteoporosis*
Konjunktur (f) *economic activity*
krabbeln *to crawl*
Kram (m) *stuff*
krass *harsh*

Kreislauf (m) *circulation*
kross *crunchy*
kurzfristig *short-term*

L

langfristig *long-term*
lapidar *succinct*
Laufsteg (m) *catwalk*
launisch *fickle, moody*
Leistungsfähigkeit (f) *ability to achieve something*
locken *to lure, tempt*
Lohnsteuer (f) *income tax*
löten *to solder*

M

Magersucht (f) *anorexia*
mangelhaft *insufficient, inadequate*
marktgeschneidert *tailor-made for the market*
Marzahn *district of Berlin*
sich melden *to get in touch*
Messlatte (f) *standard (literally surveyor's rod)*
mithalten *to keep up*
Mühe (f) *effort*
Mülldeponie (f) *rubbish dump*

N

nachhaken *to dig deeper*
Nachrüstung (f) *counter-arming*
nachvollziehen *to comprehend, understand*
nachweisen *to prove*
Nachwuchs (m) *new blood, new generation*
nahelegen *to suggest sth. to sb.*
Nebenwirkung (f) *side-effect*
Netzhaut (f) *retina*
niedlich *cute*
Notrufsäule (f) *emergency telephone*

O

oberflächlich *superficially*
öffentliche Dienst, der *civil service*
opfern *to sacrifice*

P

Patsche (f) *fix or jam (difficult situation)*
Pauschalreise (f) *package holiday*
etwas wie die Pest hassen *to loathe, detest sth.*
Pflegefamilie (f) *foster family*
pflegen *to take care of, look after*
piepen *to bleep*
plädieren für *to plead/argue for*
Plattenvertrag (m) *recording contract*
prägen *to shape, characterise*
preisgeben *to abandon, surrender*

Prellung (f) *bruise*
Promille (f) *alcohol level in blood*

Q

Qualle (f) *jellyfish*
Quote (f) *(viewing) figure*

R

recherchieren *to research*
rechnen mit (+ Dat.) *to reckon/expect*
rechtsgültig *legally binding*
Reformhaus (n) *health food shop*
Regelverstoß (m) *breach of regulations*
reizen *to charm, irritate*
Reizgas (n) *irritant gas*
Resonanz (f) *response*
Reue (f) *remorse*
Rezept (n) *prescription*
Riesenhopser (m) *gigantic jump*
Rinnstein (m) *gutter*
rumkurven *to drive around*
runterladen *to download*

S

Saldo (m) *balance*
sämtlich *all*
Säugling (m) *baby*
Schadenersatz (m) *damages*
schätzen *to estimate*
Schicksal (n) *fate*
Schiedsrichter (m) *referee*
schief gehen *to go wrong*
schlaff *limp*
Schlagwort (n) *slogan, catchphrase*
schlampig *sloppy*
Schlepper (m) *person who aids entry of illegal immigrants*
schlingern *to roll, lurch*
ins Schlingern geraten *to run into trouble*
schmoren *to braise, stew*
schubsen *to push, shove*
Schützling (m) *protégé*
Schutzrechte (pl) *patent*
schweben *to hover, float*
Schwerpunkt (m) *emphasis*
Selbstwertgefühl (n) *self-esteem*
selbstzerstörerisch *self-destructive*
speichern *to save, store*
Spende (f) *donation*
Splitter (m) *splinter*
spuren *to obey*
Staatsanwaltschaft (f) *prosecution*
Stadtrat (m) *town councillor*
Stasi (f) *state security service (short for Staatssicherheitsdienst)*

Stiftung (f) *foundation*
stillen *to breast-feed*
stöbern *to rummage*
stoßen auf (+ Akk.) *to come across sth.*
Stoßzeit (f) *busy period*
sich sträuben vor (+ Dat.) *to struggle, hesitate*
strittig *controversial*
Studiengebühren (pl) *tuition fees*
stutzig *suspicious*

T

tanken *to stock up on*
tappern *to lollop*
taubblind *deaf and blind*
taugen zu (+ Dat.) *to be suitable for*
trällern *to warble*
Trauschein (m) *marriage certificate*
Trieb (m) *drive, instinct*
TÜV = Technischer Überprüfungs-Verein *(where you get the German equivalent of the M.O.T.)*

U

sich übergeben *vomit*
übermitteln *to transmit, send*
überschätzen *to overestimate*
Überweisung (f) *(bank) transfer*
überziehen *to overdraw (bank account)*
Umbruch (m) *(radical) change, upheaval*
Umstellung (f) *adjustment, change*
Umweg (m) *detour*
unabdingbar *indispensable*
unauffällig *discreetly*
unbeachtet *unnoticed*
unerbittlich *relentless(ly)*
unerschwinglich *prohibitively expensive*
unnachahmlich *inimitable*
unterteilen *to distinguish*
unverschlüsselt *uncoded*
unwirtlich *inhospitable*
ureigen *very own*

V

Verachtung (f) *scorn*
Veranlagung (f) *predisposition*
verarbeiten *to deal with, come to terms with*
verbindlich *binding*
verbocken *to botch*
Verhandlung (f) *negotiation*
verlagern *to move*
Verlockung (f) *temptation*
vermarkten *to market*
vermeiden *to avoid*
Vermieter (m) *landlord*
Versetzung (f) *moving up a class*

versichern   *to assure*
Versicherung (f)   *insurance*
versiegelt   *sealed*
sich etwas versprechen von (+ Dat.)   *to have high hopes of*
verstaubt   *dusty*
verteidigen   *to defend*
sich vertiefen in (+ Akk.)   *to become engrossed/absorbed in sth.*
verteilen   *to distribute*
vertreiben   *to drive sb. out/away*
vertrösten   *to put off*
verweisen auf (+ Akk.)   *to refer to sth.*
Voraussetzung (f)   *precondition*
Vorprägung (f)   *predisposition*
vorrangig   *predominantly*
Vorschub leisten   *to encourage*
vorwerfen (jdm etwas)   *to accuse sb. of sth.*
vorwiegend   *predominantly*

W

Wahlurne (f)   *ballot box*
wahrnehmen   *to perceive*
Waise (m)   *orphan*
auf einer Wellenlänge liegen   *to be on the same wavelength*
sich wenden (an + Akk.)   *to turn (to)*
werkeln = basteln   *to make, put together yourself*
wesentlich   *basically, fundamentally*

Wetten abschließen   *to bet*
WG = Wohngemeinschaft (f)   *shared accommodation*
widerspiegeln   *to reflect*
Widerspruch (m)   *contradiction*
Wirbelsäule (f)   *spinal column*
Wuhle (f)   *lake in Berlin*

Z

zärtlich   *tender, affectionate*
Zäsur (f)   *break, turning point*
Zechtour (f)   *pub crawl*
zeitraubend   *time-consuming*
Zeitvertrag (m)   *fixed-term contract*
zertrümmern   *to smash, destroy*
zetern   *to scold*
zielstrebig   *determined*
Zubringer (m)   *shuttle service*
zugedacht sein (+ Dat.)   *to be intended for sb.*
zügig   *speedy, rapid*
zukommen (auf + Akk.)   *to be in store for sb.*
zumutbar   *reasonable*
zurechtkommen   *to manage, get on*
Zurückhaltung (f)   *reserve, caution*
zusätzlich   *additional*
jdm etwas zuschreiben   *to attribute sth. to sb.*
sich zwängen in (+ Akk.)   *to squeeze into*
zwangsläufig   *by necessity*
zwinkern   *to wink, twinkle*